Christliche Ethik
und Sicherheitspolitik

H. Windrich

Christliche Ethik und Sicherheitspolitik

Beiträge zur Friedensdiskussion

Herausgegeben von Erwin Wilkens
Mit einem Geleitwort von Sigo Lehming

EVANGELISCHES VERLAGSWERK · FRANKFURT AM MAIN

CIP-Kurztitelaufnahme der Deutschen Bibliothek

Christliche Ethik und Sicherheitspolitik:
Beitr. zur Friedensdiskussion / hrsg. von Erwin Wilkens.
Mit e. Geleitwort von Sigo Lehming. —
Frankfurt am Main: Evangelisches Verlagswerk, 1982.
  ISBN 3-7715-0212-8

NE: Wilkens, Erwin [Hrsg.]

© Evangelisches Verlagswerk, Frankfurt am Main 1982
Printed in the Federal Republic of Germany
Umschlag: Klaus Dempel, Stuttgart
Gesamtherstellung:
Druckerei und Verlag Otto Lembeck
Frankfurt am Main und Butzbach

ISBN 3-7715-0212-8

Inhalt

Geleitwort

Die Heidelberger Thesen von 1959 sind ein Dokument der Friedensethik der Evangelischen Kirche in Deutschland. Sie sind in mehrfacher Hinsicht bemerkenswert.

Aus zeitgeschichtlicher Sicht wird man feststellen dürfen, daß sie bei ihrer Abfassung zu einer Klärung und Versachlichung der in den fünfziger Jahren aufgebrochenen Friedensdiskussion innerhalb der Evangelischen Kirche in Deutschland beigetragen haben.

Bemerkenswert ist nun, daß die Heidelberger Thesen auch heute noch unvermindert aktuell sind. Die jüngste Friedensdenkschrift der Evangelischen Kirche in Deutschland, wie sie von der Kammer für öffentliche Verantwortung erarbeitet worden ist, unterstreicht diese Aktualität in eindringlicher Weise: Auch heute gibt es offensichtlich noch keinen Beitrag zur Friedensethik der Evangelischen Kirche in Deutschland, der in seiner Bedeutung die Heidelberger Thesen grundsätzlich ablösen könnte.

Aber auch als Beitrag zum ökumenischen Gespräch sind die Heidelberger Thesen bemerkenswert. So ist bekannt, daß die Synode der Katholischen Bistümer in der Bundesrepublik Deutschland in Würzburg (1971-1975) die Sachaussage der Heidelberger Thesen, wie sie mit dem Begriff der Komplementarität bezeichnet wird, aufgegriffen hat. In ihrem Beschluß „Entwicklung und Friede" vom Jahre 1975 erklärte die Synode: „Sofern die einzelnen Dienste (Soldat und Kriegsdienstverweigerer) für den Frieden im Ziel übereinstimmen und die weltweite Sicherung und Förderung des Friedens anstreben, kann man sagen, daß sie sich auf ihren unterschiedlichen Wegen zu diesem Ziel gegenseitig bedingen und ergänzen." Dieses Zitat ist ein Indiz für eine sich entwickelnde ökumenische Gemeinsamkeit in der Beurteilung von bestimmten Sachverhalten der Friedensethik. Es ist aber auch ein Grund für die Hoffnung auf eine ökumenische Friedensethik, die sich nicht nur entwickeln muß, sondern sich auch entwickeln kann. Schließlich aber sind die Heidelberger Thesen auch ein Beitrag zur friedensethischen Diskussion im ökumenischen Horizont derjenigen Kirchen, die im Ökumenischen Rat mitarbeiten.

Im Jahre 1980 wurden die Heidelberger Thesen auf meine Veranlassung hin zum erstenmal ins Englische und Französische übersetzt. In den Diskussionen mit Vertretern anderer Mitgliedskirchen des Ökumenischen Rates ergab sich, daß die Heidelberger Thesen von allen Beteiligten als eine Bereicherung der friedensethischen Diskussion in den jeweiligen Heimatkirchen der Diskussionsteilnehmer bezeichnet wurden. Die mit dem Begriff der Komplementarität beschriebene Zuordnung der Friedensdienste mit und ohne Waffen wurde als hilfreiche Basis für Gespräche zwischen Christen als Soldaten und als Kriegsdienstverweigerer aus Gewissensgründen empfunden.

Angesichts der alle Christen bedrängenden Frage, wie sie dem Frieden in unserer Zeit am besten dienen können, ist eine solche Wertschätzung der Komplementaritätsthese aber auch durchaus verständlich. Denn jeder Christ — und insbesondere der, der sich für den Friedensdienst mit der Waffe oder für den Friedensdienst ohne Waffe entscheiden muß — wird redlicherweise seine eigene Entscheidung unter dem Vorbehalt des Irrtums und der Schuld treffen, der ihn offenhält für den anderen, dessen Entscheidung ganz anders aussieht als seine eigene. So begegnet dem Soldaten im Kriegsdienstverweigerer und dem Kriegsdienstverweigerer im Soldaten der eigene Schatten, das Teil des eigenen Ichs also, das er selbst nicht mehr eindeutig darstellen kann. Und es kann, solange noch evangelische Gewissensentscheidungen ihren Grund im Rechtfertigungsglauben haben, auch gar nicht anders sein.

Die Heidelberger Thesen von 1959 sind so nicht nur ein bedeutsames deutsches Dokument der Friedensethik, sondern auch ein wesentlicher Beitrag zu einer ökumenischen Friedensethik im Welthorizont.

Von Kritikern ist die Forderung erhoben worden, die Heidelberger Thesen sollten nach zwanzig Jahren überprüft werden. Sicher ist es sinnvoll zu fragen, in welche Situation hinein die Heidelberger Thesen unter den geschichtlichen, politischen, militärischen und wirtschaftlichen Bedingungen der achtziger Jahre sprechen. Genau dies ist der Sinn des vorliegenden Aufsatzbandes. Auf meine Einladung hin haben der Herausgeber Erwin Wilkens und die mitarbeitenden Autoren diese Überprüfung vorgenommen. Ich möchte ihnen meinen Dank dafür sagen, daß sie sich so bereitwillig der Mühe unterzogen haben, die notwendige Überprüfung der friedensethischen Aussagen der Heidelberger Thesen in ihrem jeweiligen Fachgebiet vorzunehmen. Ihre Mitarbeit bedeutet eine erhebliche Verbreiterung der Diskussionsbasis. Vertreter von Theologie und Ethik arbeiten im Verbund mit Journalisten, Historikern, Politologen, Militärs und anderen Vertretern wissenschaftlicher Disziplinen. Denn nur im Gespräch mit anderen wissenschaftlichen Disziplinen kann die Theologie einen Beitrag zu einem sinnvollen Gespräch über den Frieden und damit zur Förderung des Weltfriedens leisten.

Dem Leser und allen, die sich Gedanken über den friedensethischen Beitrag ihrer Kirche machen, wird dieses Buch als Einladung zu solch offenem Gespräch vorgelegt.

Sigo Lehming

Vorwort

Der vorliegende Band geht auf eine Initiative der evangelischen Militärseelsorge zurück. Diese hatte schon einmal die kirchliche, theologische und öffentliche Diskussion wesentlich gefördert, als sie die Erarbeitung der Heidelberger Thesen veranlaßte. Diese Thesen gingen von der Grunderkenntnis aus, daß der Weltfriede zur Lebensbedingung des technischen Zeitalters wird und daß der Krieg in einer fortdauernden und fortschreitenden Anstrengung abgeschafft werden muß. Die verworrene Weltlage führt aber dazu, daß aus dieser gemeinsamen Erkenntnis gegensätzliche Schlußfolgerungen für das politische und militärische Handeln gezogen werden: einerseits die Forderung eines notfalls auch einseitigen Waffenverzichts, um eine nukleare Katastrophe abzuwenden; andererseits die Fortführung auch der nuklearen Waffenrüstung, um vor Experimenten der Gewalt abzuschrecken und die Voraussetzungen für eine Entwicklung auf eine dauerhafte Friedensordnung der Welt in Freiheit und Gerechtigkeit zu schaffen. Beiden Wegen wird in Berücksichtigung der gegenwärtigen Weltlage von den Heidelberger Thesen die Zulässigkeit unter den Bedingungen christlicher Ethik zuerkannt (komplementäres Handeln). Da sie aber jeder für sich tödliche Risiken umschließen, kann diese Konstruktion nur für eine Übergangszeit gelten, die für wirksamere Lösungen der Friedensaufgabe zu nutzen ist.

Diese Aufgabe ist in den letzten zwanzig Jahren von den Weltmächten offensichtlich nicht ausreichend wahrgenommen worden. Zwar hat es eine Reihe von Verhandlungen und Vereinbarungen zwischen ihnen über Rüstungskontrolle und Rüstungsbegrenzung gegeben, aber ein durchschlagender Erfolg für eine wirksame Rüstungsminderung blieb aus. Vielmehr hat das zunehmende Sicherheitsbedürfnis der Völker die Rüstungsspirale laufend weiter ansteigen lassen.

Dabei zeigt sich, daß mehr Rüstung keineswegs zugleich auch mehr Friedenssicherung bedeutet. Die Zweideutigkeit der Rüstung führt zu dem Satz, daß das, was den Frieden erhält, ihn zugleich gefährdet. Der finanzielle und technologische Aufwand für die Rüstung hindert zudem die Völkergemeinschaft daran, den drängenden außermilitärischen, gesellschaftlichen und politischen Aufgaben ausreichend Rechnung zu tragen, um die Zukunft der Menschheit zu sichern.

Es kann nicht verwundern, daß sich in dieser Situation eine Protestbewegung entwickelt hat, in der sich Zukunftsangst und moralische Erregung miteinander verbinden. Der Protest hat zu einer gespannten politischen Streitlage geführt, in der sich gegensätzliche Überzeugungen unversöhnlich gegenüberstehen. Kirchliche Gruppen haben an diesem Streit ihren Anteil, zum Teil schüren sie ihn auch. Sie sind dabei, den Mindestkonsens der Heidelberger Thesen zu verspielen und damit auch die öffentliche Diskussion zu verschärfen.

Unbezweifelbar ist es, daß es zu den hervorragenden christlichen und kirchlichen Aufgaben gehört, an der gegenwärtigen Friedensaufgabe mitzuwirken. Aber das geschieht nach der Überzeugung der Initiatoren dieses Aufsatzbandes am meisten sachgemäß in der Kontinuität und in der weiterführenden Anwendung der Heidelberger Thesen. Diese geben zwar keine ins einzelne gehenden politischen Handlungsanweisungen, aber sie beschreiben wichtige Grundlagen und Rahmenbedingungen für politisches Handeln in sittlicher Verantwortung. Zu diesen Grundlagen gehört die Überzeugung, daß politische Fragen nicht zu Wahrheitsfragen religiös überhöht werden dürfen, wenn sowohl ein religiöser wie auch ein politischer Schaden vermieden werden soll. Auf diese Weise erhalten die Sachverhalte das ihnen zustehende Gewicht, die Argumentation tritt an die Stelle der prophetischen Attitüde. Das ist der Grund dafür, daß in diesem Band neben den theologisch orientierten Beiträgen der Entfaltung von Sachfragen ein so breiter Raum zugebilligt worden ist.

An dieser Stelle ist mit Dank zu verzeichnen, daß sich namhafte Vertreter ihres Faches für dieses Vorhaben zur Verfügung gestellt haben. Die einzelnen Beiträge sind Originalbeiträge für diesen Band. Sie sind unabhängig voneinander entstanden und in der Verantwortung der einzelnen Autoren geschrieben worden. Darum ist auch nicht der Versuch gemacht worden, vorhandene Differenzen in Einzelheiten auszugleichen. Bei aller Übereinstimmung in den Grundlagen bildet die Möglichkeit von Meinungsunterschieden die Voraussetzung für ein fruchtbares Gespräch.

Wenn es eine christliche Mitarbeit an der Friedensfrage gibt, dann hat sie eine ökumenische Dimension. Darum ist in diesem Band großer Wert auf einige ökumenisch ausgerichtete Beiträge gelegt worden. Einer besonderen Beachtung wert ist der Bericht über die Friedensdiskussion in den Kirchen der DDR.

Die eigentliche Stärke eines theologisch geleiteten Beitrags zum Weltgeschehen liegt in der Unabhängigkeit des Urteils und in der Umsicht, mit der alle Zusammenhänge und Aspekte eines konkreten Sachverhalts bedacht und dem sittlichen Urteil unterstellt werden. Die Hoffnung der Mitarbeiter dieses Bandes geht dahin, daß er über den kirchlichen und theologischen Bereich hinaus sich auch für die allgemeine politische und öffentliche Diskussion als nützlich erweist.

Erwin Wilkens

WALTER SCHMITHALS

Zum Friedensauftrag der Kirche und der Christen

I

Ein Blick in Geschichte und Tradition der Kirche zeigt, daß der Auftrag der Kirche und der Christen für den Welt- und Völkerfrieden unter sehr unterschiedlichen Bedingungen und demzufolge in wechselnder Gestalt wahrgenommen wurde.

Altes Testament

Aus dem Alten Testament stammt der in unseren Sprachgebrauch eingegangene Begriff ‚Schalom‘, den wir meist mit ‚Frieden‘ wiedergeben und der uns suggeriert, der Völkerfriede sei ein hervorstechendes Thema des Alten Testaments. Indessen bezeichnet ‚Schalom‘ im Alten Testament das Wohlergehen überhaupt, das gegebenenfalls auch den erfolgreichen Krieg einschließen kann; in 2Sam 11,7 wird deshalb z.B. vom ‚Schalom des Krieges‘ gesprochen. Tatsächlich ist der Völkerfriede kein hervorragendes Thema des Alten Testaments, was u.a. damit zusammenhängt, daß ein wesentlicher Teil der Schriften des Alten Testaments zu einer Zeit entstanden ist, in der Isarael keine staatliche Selbständigkeit besaß und nicht selbst über Krieg und Frieden entscheiden konnte.

Als souveräner Staat aber war Israel ganz hineingezogen in das orientalische Militärwesen seiner Zeit und in die entscheidende Rüstungs- und Bündnispolitik. Der Friede im salomonischen Großreich beruhte auf der von David geschaffenen militärischen Vorherrschaft. Von politischer und militärischer Kunst erwartete Israel aber keinen dauerhaften Völkerfrieden. Diesen erhoffen späte Texte vielmehr von Gott, nämlich von einem wunderbaren und gnadenvollen Gotteshandeln, das die irdischen Verhältnisse umstülpt (Jes 32,15ff.; 52,7; 54,7ff.; 65,17ff.; Jer 29,11; 33,6ff.), oder von einem ‚Schlachtfest‘ Jahwes über die Heiden, das Israel Triumph und ewigen Schalom bringt (Jes 13,1ff.; 34,1ff.; Zeph 1,7ff.).

Charakteristische Äußerungen lassen indessen ein besonderes Dilemma erkennen, in dem sich Israel, zugleich erwähltes Gottesvolk und irdisches Staatsvolk, befand, sofern es selbst über Krieg und Frieden zu entscheiden hatte: Wie sollte das empirische Israel seinem politischen Friedensauftrag gerecht werden, ohne sich als geglaubtes bzw. glaubendes Israel preiszugeben? Sein besonderes Erwählungsbewußtsein erschwerte Israel ein rationales Verhältnis zum Problem von Krieg und Frieden.

Zwei Anschauungen, aus derselben Wurzel erwachsend, konkurrierten miteinander, wo Israel als Gottesvolk nach dem irdischen Frieden suchte. Einerseits wird die Forderung laut, Israel solle im Unterschied zu den anderen Völkern auf militärische Sicherung verzichten und sich allein dem ‚Kriegsmann Jahwe' und seinem Schutz anvertrauen, der sein Volk einst aus Ägypten führte und die feindlichen Rosse und Reiter ins Meer stürzte (Ex 14,14ff.; 15,3f.20f.). Andererseits soll es seine Kriege zu Heiligen Kriegen überhöhen, zu Kreuzzügen gegen die gottfeindlichen Mächte. Auf dieser Seite stehen die militärischen Erfolge über die Philister, die Saul und dann David das Königtum in Israel verschafften; die Könige führten die ‚Kriege Jahwes' (1Sam 18,17), und ‚Jahwe verlieh David den Sieg überall, wo er hinkam' (2Sam 8,14). Auf jener Seite findet sich dezidierte Kritik am Königtum überhaupt (1Sam 8,6), und der Prophet Jesaja fordert zur Zeit der assyrischen Bedrohung den König Ahas (722) auf, alle Rüstungsanstrengungen zu unterlassen und sich ganz auf Gott zu verlassen: ‚Glaubt ihr nicht, so bleibt ihr nicht' (Jes 7,9; 30,1ff.; 31,1ff.) — ein ‚Pazifismus' dem sich der König, wie andere Könige politisch denkend, versagte, weil er es nicht für verantwortbar hielt, den Frieden durch eine Ohnmachtsgeste zu sichern.

Es liegt am Tage, daß beide für ein ‚Heiliges Volk' charakteristischen gegensätzlichen Verhaltensweisen nicht zum Maßstab ‚profaner' Politik gemacht werden können. Das Alte Testament vermag insofern nicht zu ‚offenbaren', wie ein Christ in der Gegenwart seine Verantwortung für den Frieden unter den ‚unheiligen' Völkern wahrzunehmen hat.

Neues Testament

Auch das Neue Testament enthält kaum Aussagen zum Völkerfrieden und zum entsprechenden Friedensauftrag der Christen.

Der Begriff ‚Friede' (Eirene), dem Neuen Testament ganz vertraut, steht in der Regel im Zusammenhang mit dem ‚Evangelium des Friedens' (Eph 6,15) und bezieht sich auf den Frieden Gottes, der die politische Vernunft übersteigt (Phil 4,7), auf den Frieden unter den Menschen des göttlichen Wohlgefallens (Lk 2,14), auf den Frieden als Frucht des Heiligen Geistes (Gal 5,22), der in den Herzen regiert (Kol 3,15), auf *seinen* Frieden (Joh 4,27) — also auf jenen Frieden, der gerade inmitten des irdischen Unfriedens und auch in aktueller Unterdrückung und blutiger Verfolgung, welche die Christen erleiden, kräftig und wirksam erfahren wird.

Die Sorge um den irdischen Frieden wird dagegen nicht zum Thema des Neuen Testaments, und zwar schon deshalb nicht, weil die junge Kirche in der Zeit der *pax romana,* während des von Augustin geschaffenen Weltfriedens entstand, von dem sie wie selbstverständlich profitierte, als sie das Evangelium in wenigen Jahrzehnten vom äußersten Osten bis zum äußersten Westen der römischen Ökumene trug. Augustus hatte nicht nur den jahrzehntelangen Bürgerkrieg beendet, sondern richtete auch fernerhin seine Politik auf einen dauerhaften Frieden aus. Aus allen Teilen des Landes klingt das Lob dessen, der nach langen Zeiten des Schreckens der Welt Ruhe, Wohlstand und die Segnungen des Friedens zurückgegeben hatte. Die Mauern der Städte zerfielen; Handel und Wandel breitete sich aus; Straßen und Meere waren sicher. Der Wohlstand wuchs, der Tourismus blühte, der Luxus nahm zu. Als Augustus 29 v.Chr. nach beendetem Bürgerkrieg nach Rom zurückkehrte, war seine erste Handlung, den Janustempel, den Tempel des Kriegsgottes, schließen zu lassen. Im Jahre 17 weckte er einen versunkenen Brauch auf und veranstaltete eine Säkularfeier, mit der das alte Säkulum des Krieges begraben und ein neues Zeitalter heraufgeführt werden sollte. Im Jahre 13 wurde der Friedensaltar des Augustus gestiftet und im Jahre 9 geweiht.

Die Christen beklagten nicht, daß dieser römische Friede auf der Macht der Waffen und der Abschreckung der inneren und äußeren Gegner Roms und damit auf einem Grunde von Angst (Joh 14,27) beruhte. Die Schrecken des Bürgerkrieges hatten alle Bewohner der Ökumene gelehrt, daß der Friede angesichts der widerstreitenden Interessen des römischen Vielvölkerstaates einer ordnenden Gewalt und einer starken, der Willkür wehrenden Hand bedurfte. Der Stand des Soldaten wurde auch von den Christen geachtet (Lk 3,14). Allerdings klingt gelegentlich im Neuen Testament etwas von den allgemeinen Klagen der Bürger an, die unter den Kosten der Friedenssicherung und den steigenden Steuerlasten seufzten (Lk 2,1). Wird indessen grundsätzlich Skepsis gegenüber der *pax romana* laut (Lk 2,14; Joh 14,27; vgl. Phil 4.7), so deshalb, weil der herrliche Gedanke des Weltfriedens durch die Vergöttlichung des Kaiseres, der diesen Frieden mit militärischer Macht erzwang, theologisch überhöht wurde. Für diese politische Theologie des römischen Reiches fielen das Heil der Welt und der römische Friede zusammen. Die machtvolle kaiserliche Friedenspolitik wurde zur unmittelbar sinngebenden Macht des menschlichen Daseins. Der Friede Gottes und der Friede, wie ihn die Welt gibt, wurden nicht mehr unterschieden.

Die Christenheit kannte nicht nur die Macht des Bösen, welche die Utopie eines ewigen Weltfriedens verbietet. Sie sah vor allem in der Vergöttlichung des irdisch mit Gewalt machbaren Friedens und damit in der Vergöttlichung des Menschen selbst die permanente Wiederholung des Sündenfalls. Aus diesem besonderen Grund, nicht wegen prinzipieller Gewaltlosigkeit, kam für die frühe Christenheit der Fahneneid auf den Kaiser und der Dienst im römischen Heer nicht in Frage — eine anfangs problemlos zu praktizierende Haltung, weil es eine Wehrpflicht nicht gab.

Im Matthäus-Evangelium finden sich allerdings einige Stellen, die eine grundsätzliche Waffenlosigkeit zu befürworten scheinen. Man denkt besonders an das Wort, welches Jesus bei seiner Gefangennahme zu Petrus sagt: ‚Stecke dein Schwert an seinen Ort! Denn wer das Schwert nimmt, der soll durchs Schwert umkommen' (Mt 26,52), sowie an die ‚pazifistische' Gestaltung des Einzugs Jesu als Friedenskönig in Jerusalem (nach Sach 9,9). Diese Ausgestaltung des evangelischen Berichtes stammt erst von Matthäus und geht auf die Erfahrungen des jüdischen Aufstandes 66-70 zurück, in dem die jüdischen Zeloten zu den Waffen griffen, um die römische Herrschaft durch die irdische Gottesherrschaft auf dem Zion bzw. durch die Messiasherrschaft zu ersetzen. Dieser theologisch motivierten revolutionären Gewalt widerspricht Matthäus in Übereinstimmung z.B. mit Röm 13,4 (‚die Obrigkeit trägt das Schwert nicht umsonst') und mit Joh 18,36 (‚Mein Reich ist nicht von dieser Welt'); vgl. auch Lk 19,42. Die militärische Sicherung der *pax romana* wird von Matthäus nicht angefochten, sondern vorausgesetzt und anerkannt.

Die für die Frage nach dem Völkerfrieden oft beigezogene *Bergpredigt* des Matthäusevangeliums hat dagegen den Welt- und Völkerfrieden gar nicht im Blick. Die einschlägigen Passagen zur Feindesliebe, die in der Anwendung gipfeln: ‚Ich aber sage euch: Leistet dem Bösen keinen Widerstand; sondern wenn dich jemand auf die rechte Backe schlägt, so halte ihm auch die andere hin' (Mt 5,39), sind zwar konkret gemeint (nicht gesinnungsethisch), aber nicht als allgemeine sittliche Weisung, erst recht nicht als Ratschlag für Politiker, sondern als Empfehlung für die nicht nur politisch einflußlosen, sondern vor allem auch rechtlosen Christen. Diese stehen unter Druck und Verfolgung von Öffentlichkeit und Obrigkeit, und ihnen bleibt nur die Möglichkeit zu versuchen, das Böse mit Gutem zu überwinden (vgl. Röm 12,21). Dieser Empfehlung liegt die Hoffnung fern, der fehlende Widerstand gegen das Böse werde das Böse selbst, die Waffenlosigkeit werde die Waffen definitiv vernichten. Jene Anweisung ist vielmehr zugleich eine Anweisung zum *Leiden* unter dem Bösen (Mt 5,10-12). Ohnmacht und Leiden gehören zusammen, und *so* sind die Christen das Licht der Welt und die Stadt auf dem Berge, die nicht verborgen bleiben kann (Mt 5,14). Die Anweisung der Bergpredigt ist in ihrer konkreten Situation nicht nur praktisch *gemeint,* sondern sie ist auch tatsächlich praktisch: Die Christen würden vergeblich bei den Gerichten Recht gegen ihre Verfolger suchen; ‚wenn dir jemand das Deine nimmt, so fordere es nicht zurück; *denn du kannst es auch nicht'*, heißt es in Auslegung der Bergpredigt in einer frühchristlichen Schrift (Did 1,4).

Die Frage, ob man mit der Bergpredigt regieren kann oder gar regieren sollte, liegt ihr und den zugrundeliegenden Jesusworten indessen fern. Diese Frage wurde erst in einer Zeit an die Bergpredigt gerichtet, die ihren konkreten Anlaß nicht mehr kannte, und wer immer diese Frage bejaht, kann sich für sein ‚Ja' nicht auf die Autorität der Bergpredigt berufen.

Alte Kirche

In den ersten Jahrhunderten der Kirchengeschichte, d.h. in der Verfolgungszeit bis hin zur konstantinischen Wende, hielt die erstarkende Kirche im Prinzip an der urchristlichen Einstellung fest, die militärische Sicherung des römischen Friedens zu bejahen und zugleich den Kriegsdienst zu verweigern, weil der ‚Soldat Christi' dem göttlich verehrten Kaiser keinen Fahneneid leisten konnte, eine Einstellung, die um so problematischer wurde, je mehr die Zahl der Christen wuchs und je stärker das römische Reich von äußeren Feinden bedroht wurde. Die Kirche machte allerdings in der Regel die Konzession, daß Soldaten, die sich taufen ließen, in ihrem Stand bleiben konnten (vgl. schon Lk 3,14; Apg 10,1ff.; 1Kor 7,24).

Der Heide Celsus fragte die Christen kritisch, ob sie denn nicht dem Kaiser bei dem, was recht sei und zum allgemeinen Besten diene, beistehen und z.B. mit ihm zu Felde ziehen und öffentliche Ämter übernehmen wollten. Der Kirchenvater Origenes antwortet ihm (um 250), man nehme als Priester und Diener Gottes an den kaiserlichen Feldzügen teil und bete mit reinen Händen zu Gott für die gerechte Sache, vernichte auch mit den Gebeten die dämonischen Mächte, welche die Kriege anstiften und den römischen Frieden zerstören wollen (Cels 8,73ff.). Ohne Recht und Notwendigkeit politischer Macht und militärischer Friedenssicherung zu bestreiten, dispensieren die Christen sich dennoch von einer derartigen Wahrnehmung des Friedensauftrags; sie behalten ihre Hände ‚rein', und für den hypothetischen Fall, daß einmal alle Römer den christlichen Glauben annehmen sollten, erwartet Origenes, daß sie dann bloß „durch ihr Gebet den Sieg über ihre Feinde gewinnen" (8,70).

Kirche des Mittelalters

Die relative Verantwortungslosigkeit des so verstandenen Friedensauftrags der Christen räumte die Kirche ein, als Kaiser Konstantin die Verfolgung beendete. Da der entscheidende Grund für die Verweigerung des Fahneneides, die Kaiserverehrung, entfiel, galt von nun an der Soldatendienst zur Verteidigung des römischen Friedens als verpflichtende Aufgabe auch und gerade der Christen.

Die Kirche als solche bzw. die Theologie nahm ihren Friedensauftrag vor allem dadurch wahr, daß sie seit Augustin (gest. 430) aus antiken Ansätzen heraus (Cicero) die Lehre vom ‚gerechten Krieg‘ entwickelte. Augustin geht davon aus, daß die Unvermeidlichkeit des Krieges aus der menschlichen Ungerechtigkeit erwächst, die darum noch mehr als ihre Frucht, der Krieg selbst, zu beklagen sei (de civ. 19,7). Siegt die gerechte Sache im Krieg, darf man solchen Sieg und den aus ihm erwachsenen Frieden deshalb als (vergängliche) Gabe Gottes begrüßen (15,4).

Grundprinzip der ausgeführten Lehre vom gerechten Krieg ist, daß militärischer Einsatz sich nur dann rechtfertigen läßt, wenn ein Verzicht darauf das größere Übel bedeutete. Bedeutet er das kleinere Übel, gebietet dem Christen die Liebe, sich dem kriegerischen Einsatz nicht zu versagen.

Der Ausdruck ‚gerechter Krieg‘ (bellum iustum) ist nach dem Gesagten mißverständlich; denn auch der ‚gerechte Krieg‘ ist ein Übel. Die Bezeichnung ‚gerechtfertigter Krieg‘ trifft die gemeinte Sache besser.

Der Lehre vom ‚gerechten Krieg‘ ist anzumerken, daß sie im römischen Imperium und in der Zeit der pax romana entstand und daß sie im einheitlichen christlichen Abendland weiterentwickelt wurde. Mit dem Niedergang der kaiserlichen Macht und im Gegeneinander säkularisierter Nationalstaaten zeigte sich ihr Ungenügen, und schon Erasmus wies darauf hin, daß sie eigentlich eine neutrale Instanz voraussetze, die über Recht und Unrecht entscheidet. Wie dem auch sei:

Die Lehre vom gerechten Krieg soll die Kriegslust unterbinden und den Frieden bewahren helfen. Ziel des gerechten Krieges hat stets die Wiederherstellung von Rechtsordnung und Frieden zu sein. Die konkrete Anwendung der Prinzipien des gerechten Krieges war keine kirchliche Aufgabe mehr, sondern lag im pflichtgemäßen Ermessen der (in der Regel christlichen) Obrigkeit. Nur wo die Obrigkeit bei der angemessenen Anwendung der Regeln des gerechten Krieges versagte, z.B. bei Adelsfehden, rief die Kirche als Nothelfer selbst den ‚Gottesfrieden‘ aus und stellte den Friedensbrecher unter Kirchenstrafen.

Reformation

Die Reformatoren bleiben dabei, daß die Obrigkeit gerechte Kriege führen darf (Conf.Aug. 16), und zwar „um des allgemeinen Friedens willen" (Apol. 16). Sie verzichten entsprechend ihrem neuen Verständnis der Ethik auf eine kasuistische Ausführung der Bedingungen für einen gerechten Krieg und begnügen sich vor allem mit dem Hinweis auf die Pflicht, das eigene Land „im Wege des Krieges zu *verteidigen*" (Calvin, Inst. IV 20,11). In diesem Sinne erklärt auch noch die Bekenntnissynode von Barmen 1934 in Art. V, „daß der Staat nach göttlicher Anordnung die Aufgabe hat, in der noch nicht erlösten Welt...nach dem Maß menschlicher Einsicht und menschlichen Vermögens unter Androhung und Ausübung von Gewalt für Recht und Frieden zu sorgen".

Bemerkenswert ist das Aufkommen der neuzeitlichen Friedensbewegungen im Zeitalter der Reformation. Sie haben ihre geistige Wurzel primär nicht im reformatorischen Glauben, sondern in der Denkweise von Renaissance und Humanismus. Die Renaissance belebte die antiken Utopien von einem kommenden goldenen Weltzeitalter ungetrübten Glücks und vollkommenen Rechtsfriedens, und Thomas Morus, der Staatskanzler Heinrichs VIII. von England, schreibt 1516 den Staatsroman ‚Utopia', der dieser neuzeitlichen Denkweise ihren Namen gab. Die Humanisten erwarten im Rahmen ihres optimistischen Menschenbildes die praktische Einsicht in die Widersinnigkeit des Krieges und erhoffen eine dementsprechende Friedensordnung (Erasmus, Querela pacis, 1517). Angestoßen werden diese utopischen Vorstellungen nicht zuletzt von der waffentechnischen Revolution, der Konstruktion brisanter Feuerwaffen, die apokalyptische Ängste hervorrief und z.B. von Luther als Werk des Teufels angesehen wurde. Man beklagte auch die damit riesig steigenden Rüstungskosten: Die Belagerung einer Stadt verschlinge soviel wie der Bau einer Stadt. Die Parallele zur Gegenwart liegt am Tage.

Eine Richtung dieser humanistischen Bewegung, deren Anhänger zumeist Wiedertäufer waren, geht den Weg des strengen Pazifismus und verspricht sich von dem bedingungslosen Gewaltverzicht, daß er den eschatologischen Frieden vorbereite. In diesem Kreis beginnt die bis heute virulente, exegetisch nicht haltbare (s.v.) pazifistische Deutung der Bergpredigt, deren Anweisungen während des ganzen Mittelalters, gleichfalls gegen ihren ursprünglichen Sinn (s.v.) als ‚evangelische Räte' nur für die ‚Vollkommenen', bes. die Mönche, verstanden worden waren.

Eine andere Richtung deutet die Gegenwart mit den Kategorien der Apokalyptik. Durch eine letzte Anstrengung, einen heiligen Gotteskrieg, muß das Böse niedergerungen werden, damit das andrängende Friedensreich sich durchsetzen kann (Thomas Münzer; die Wiedertäufer in Münster). Die Anhänger dieser Richtung greifen nicht auf die Bergpredigt, sondern auf die alttestamentlichen Berichte von dem Kriegsmann Jahwe zurück, wenn sie ihre Vorstellungen biblisch begründen.

Das Nebeneinander beider sich oft verschlingenden Richtungen wiederholt die Aporie des alttestamentlichen Israel, das sich zugleich als empirisches Volk und als erwähltes Gottesvolk verstand und daher zwischen heiligem Jahwekrieg und prinzipieller Ohnmacht keinen ‚politischen‘ Weg fand.

Die Reformatoren entwickelten gegenüber dem pazifistischen wie dem revolutionären ‚Schwärmertum‘ im Rückgriff auf das Neue Testament und im Anschluß an Gedanken Augustins die (später so genannte) Zwei-Reiche-Lehre oder — besser — Zwei-Regimenten-Lehre. Ihr liegt Mk 12,17 zugrunde, ein Wort, das Leopold von Ranke das wichtigste und folgenreichste Wort Jesu genannt hat: ‚Gebt dem Kaiser, was des Kaisers ist, und Gott, was Gottes ist.‘

Der Vorwurf gegen die ‚Schwärmer‘ lautete, daß diese nicht verstanden haben, „was christlich oder das geistliche Reich Christi sei, und haben weltlich und geistlich Reich ineinander gekocht, daraus viel Unrats und aufrührerischer, schädlicher Lehre erfolget“ (Apol. 16). Die richtige Unterscheidung der beiden Reiche bzw. ihre angemessene Zuordnung zueinander ist also für die Reformatoren ein wesentliches Stück des Friedensauftrags von Kirche und Christen; denn so wie das ‚Evangelium des Friedens‘ nicht mit den weltlichen Mitteln ausgebreitet und geschützt werden kann und darf, so würde umgekehrt der Christ die ihm gebotene Liebe verletzen, wollte er den irdischen Frieden allein mit der Predigt des Evangeliums erhalten.

Angesichts der noch bestehenden alten Welt hat die weltliche Obrigkeit die Willkür der Menschen in Schranken zu halten, und angesichts der menschlichen Unfriedlichkeit muß sie den Frieden im Interesse aller gegen die Friedensstörer notfalls mit Gewalt schützen und wiederherstellen. Das weltliche Regiment bedarf dazu der Einsicht in die Sachlogik und das Eigengewicht der politischen Faktoren und der entsprechenden Vernunft und Erfahrung, um ein angemessenes Verhältnis von Mitteln und Zwecken zu bewahren.

Das Reich Christi ist demgegenüber ein Reich des Glaubens, in dem Christus mit seinem Wort und Geist regiert und jenen Frieden schenkt, der inmitten der irdischen Unvollkommenheiten die Glaubenden vollkommen tröstet.

Der Glaubende lebt in beiden Reichen, dem zeitlichen und dem ewigen, und weiß sie recht zu unterscheiden und recht zu verbinden. Er sagt der Utopie ab, das Reich der Welt in das Reich Christi verwandeln zu können, und er verwechselt den gefährdeten Weltfrieden (Joh 14,27) nicht mit dem unverbrüchlichen Frieden Gottes. Im Reich der Welt wird er — gerade er — gehorchen und dienen; denn wer sich im Frieden Gottes geborgen weiß, kann sich an Fürsorge für den irdischen Frieden von niemand übertreffen lassen, weshalb „auch wohl gut und not wäre, daß alle Fürsten recht gute Christen wären. Denn das Schwert und die Gewalt als ein besonderer Gottesdienst gebührt den Christen zu eigen vor allen andern auf Erden" (Luther, WA 11, 257f.).

II

Seit dem zweiten Weltkrieg hat sich eine grundsätzlich neue politisch-strategische Situation entwickelt, die auch die theologische Ethik fundamental berührt.

Die neue Lage

Die waffentechnische Entwicklung, die Produktion von ABC-Waffen, hat den Krieg zwischen den Großmächten faktisch — nicht potentiell — abgeschafft. Ein gerechter Krieg, d.h. ein im Sinn der klassischen Ethik zur Abwendung größeren Unheils gerechtfertigter Krieg, ist zwischen den Atommächten nicht mehr möglich; denn ein Krieg zwischen den Großmächten, mit Massenvernichtungsmitteln geführt, kann schwerlich durch irgendwelche Werte ‚gerechtfertigt' werden.

Wir haben keine Alternative mehr zum Weltfrieden. Ein Krieg der Großmächte bedeutete keine Fortsetzung der Politik mit anderen Mitteln, sondern ihr politisches Ende. Der Friede zwischen den Machtblöcken ist keine Frage des Willens oder des politischen Kalküls, sondern Voraussetzung allen Wollens, Bedingung des Überlebens. Von den beiden einst verbundenen Zielen der Sicherheits- bzw. Friedenspolitik, Kriegsverhütung und Kriegsführung, ist nur die Kriegsverhütung übriggeblieben. Die militärische Strategie ist auf die Abschreckungsstrategie bzw. die Strategie des Gleichgewichts der Massenvernichtungsmittel geschrumpft. Die modernen Waffen sind wegen ihrer Zerstörungsmacht nur noch als politische Waffen brauchbar.

Die Rüstung ist demzufolge zu einem paradoxen Monster geworden. Um das Leben zu schützen, produzieren wir Waffen, deren Einsatz alles Leben vernichtet. Wir stellen so viele und so schreckliche Waffen her, *damit* wir sie nicht einzusetzen brauchen. Weil selbst das Recht keine militärische Waffe mehr hat, legen wir ein groteskes Übermaß an Waffen bereit, um dem Recht Raum zu bewahren. Die Großmächte halten die Massenvernichtungsmittel einsatzbereit und bekräftigen ihren Einsatzwillen, um auf diese Weise den Einsatz unmöglich zu machen. Das Vertrauen in die Nicht-Anwendung der ABC-Waffen und die Glaubwürdigkeit der Absicht, sie verwenden zu wollen, sind paradoxerweise direkt proportional. Der Kampf gegen den Atomtod wird mit der Atomrüstung geführt, nicht mit der atomaren Abrüstung. Die abgestufte Abschreckung will die Eskalation eines kriegerischen Konflikts nicht verhindern, sondern wahrscheinlich machen, um schon die niedrigste Stufe eines Konflikts zwischen den Atommächten unmöglich zu machen.

Die Ächtung bzw. die Abschaffung des Krieges, seit Kains Totschlag erstrebt, ist groteskerweise durch die extreme Kriegsrüstung im Prinzip gelungen. Wann hätte Europa in seiner Geschichte jemals erlebt, daß vom Ural bis zum Atlantik eine Generation hindurch kein Krieg geführt wurde! Die Abrüstung kriegsentscheidender Waffen wird in dieser Situation zum Friedensrisiko, und auch der Zivilschutz ist friedensfeindlich, weil er die Schwelle senkt, die vor dem Kriegsausbruch liegt.

Man darf das Neue unserer Situation nicht falsch einschätzen. Auch früher stand die Abschreckung zur Kriegsverhütung im Vordergrund der politisch-militärischen Strategie; der ,gerechte Krieg' setzte das Versagen dieser Abschreckungsstrategie voraus.

Die militärischen Waffen waren stets primär politische Waffen. Die Massenvernichtungsmittel sind aber nur noch politische Waffen, und sie taugen zwischen den Großmächten nicht einmal mehr zur Erpressung. Sie dienen einzig, sei es in massiver, sei es in abgestufter Drohung, zur Abschreckung; und zwar schreckt die Rüstung nicht nur den Gegner, sondern auch ihren Besitzer ab, sie einzusetzen. Sie bewahrt uns deshalb mit strategischer Notwendigkeit den Frieden, solange sie funktioniert, und beschert beiden Seiten den Untergang, wenn sie versagt.

Auch totale Vernichtung hat es bereits früher gegeben. Keule und Schwert, Hunger und Gaskammer wurden als Massenvernichtungsmittel zum Völkermord eingesetzt. Im 30jährigen Krieg wurde Deutschland zu zwei Dritteln entvölkert. Heute aber führt nicht der Mißbrauch, sondern schon der Gebrauch von Waffen zur Massenvernichtung. Damit ist die Massenvernichtung, indem ihre Potenz maßlos gesteigert wurde, erstmals in der Weltgeschichte blockiert — solange die Abschreckung funktioniert und der Wille zum Überleben die politischen Entscheidungen bestimmt.

Es sei dahingestellt, wie weit sich die Großmächte auf die neue Situation geistig und strategisch hinreichend eingestellt haben. Wenn vor allem die Sowjetunion behauptet, ein Atomkrieg könne geführt und auch siegreich beendet werden, dürfte solche Behauptung eher der psychologischen Beeinflussung als objektiver Überzeugung entsprechen. Aber auch die virulente Vorstellung von der Möglichkeit eines begrenzten Konflikts zwischen den Atommächten oder auch manche Partien der Abrüstungsdiskussion unter europäischen Politikern — etwa die Erwägung, auf kriegsentscheidende Waffensysteme einseitig zu verzichten — lassen daran zweifeln, daß die veränderte Situation hinreichend erfaßt wurde.

Wie dem auch sei: Für den normalen Bürger bzw. für unser alltägliches Erfahrungsbewußtsein ist die paradoxe Situation, daß erst die glaubwürdige Drohung mit dem Einsatz von Massenvernichtungsmitteln, das heißt der überzeugende Wille zur Selbstvernichtung, ihren Einsatz verhindert, nicht leicht zu verstehen und kaum zu ertragen. Wer litte nicht unter diesem Zustand, für den der Begriff ,Perversion' naheliegt, aber nur erlaubt ist, wenn er objektiv und ohne moralische Wertung verwendet wird.

Für die Kirche aber liegt am Tage, daß die Lehre vom gerechten Krieg, an der sich der Friedensauftrag der Christen schlecht und recht orientierte, keine aktuelle Geltung mehr besitzt. Eine entsprechende Lehre von der ,gerechten Abschreckung' steht kaum zu erwarten; denn niemand kann heute das Risiko der Abschreckung bestimmen und damit die Übel abwägen. Insoweit ist die Kirche angesichts der neuen strategischen Situation hinsichtlich ihres Friedensauftrags theologisch sprachlos geworden, wie gerade die vielstimmige emotionale Beredsamkeit kirchlicher Friedensbewegungen aller Art dokumentiert, die gute Absichten und politisch Gutes sowie theologisch Verbindliches meist nicht unterscheiden.

Waffenlosigkeit

Verständlicherweise empfiehlt sich angesichts dessen der Pazifismus als verbindliches christliches Wort in der heutigen Situation.

Wenn auch sein humanistisch-utopischer, vom Glauben an den guten Menschen bestimmter Ursprung eine theologische Anerkennung des weltanschaulichen Pazifismus, dem eine authentische biblische Begründung fehlt (s.v.), nach wie vor ausschließt, so möchte doch die prinzipielle Waffenlosigkeit jenseits ihrer suggestiven Schlagworte und ohne das Epitheton ,christlich' der heute *politisch* notwendige Weg der Friedenssicherung sein, den zu verfolgen der Christ um der ihm gebotenen Liebe willen verpflichtet ist (situationeller, nicht prinzipieller Pazifismus). In der Tat plädieren heute viele pazifistische Strömungen, ganz abgesehen vom Streit um die Anthropologie, aus Gründen der realen Politik für den Weg der

Bergpredigt, mit der man heute regieren müsse, selbst wenn sie selbst dies gar nicht im Sinne hatte (s.v.).

Wenn die Massenvernichtungsmittel ohnedies nicht eingesetzt werden sollen und dürfen, zugleich aber das Risiko ihres verheerenden Einsatzes nicht ausgeschlossen werden kann, ist dann nicht die Waffenlosigkeit, welche Risiken auch immer sie in sich bergen mag, der einzig verantwortbare und damit der für die Christen verbindliche politische Weg? Und wird diese Überlegung nicht durch die Beobachtung unterstützt, daß die Rüstung die Hungernden verachtet, weil sie ihnen lebensnotwendige soziale Güter in unvorstellbarem Maße vorenthält?

Das Dringliche dieser Anfragen darf kein Christ überhören. Da er sie aber allein als politische Anfragen hören darf, muß er sie auch politisch wägen und abwägen.

Wie sicher ist ein Friede, der auf *einseitiger* totaler Abrüstung einer der Weltmächte beruht? Alle geschichtliche Erfahrung spricht dafür, daß das totalitäre Potential eines so entstehenden Weltstaates ein explosiver Quell des Unfriedens wäre. Es würde, schreiben 1959 die Heidelberger Thesen, „die Kapitulation vor der Gewalt, auch wenn sie zunächst äußere Ruhe herstellen mag, den Frieden schwerlich dauerhaft sichern, da siegreiche Gewalt mit sich selbst und mit den Unterdrückten in Konflikt kommen wird." Wer um des Friedens willen die Freiheit eigener Lebensweise preiszugeben bereit ist, gefährdet deshalb in seiner Weise den Frieden wie in anderer Weise derjenige, welcher um der Freiheit willen den Frieden riskiert. Offenkundig ist in den demokratisch regierten Staaten die große Mehrheit der Bürger nicht bereit, das zuerst genannte Risiko einzugehen, zumal auch einseitige Abrüstung einzelner Staaten den Weltfrieden zusätzlich gefährdete, weil sie unter der Voraussetzung der Abschreckungsstrategie die bestehende Balance störte. Diese Entscheidung muß auch von denen respektiert werden, die für ihre Person zu diesem Risiko bereit wären, wie umgekehrt eine Minderheit den pazifistischen Weg demokratisch mitgehen müßte, wenn sich eine Mehrheit für ihn entschiede, eine Entwicklung, die trotz aller Zweifel an der Funktionsfähigkeit der Abschreckungsstrategie und trotz wachsender Bedenken hinsichtlich der Schutzwürdigkeit unseres demokratischen Systems vor allem im Kreis junger Menschen allerdings nicht aktuell zu sein scheint.

Und wie sicher ist ein Friede, der auf *beiderseitiger* totaler Abrüstung beruht? Wie wir überall in der Welt beobachten können, sinkt die Schwelle, die vom Krieg abhält, um so rapider, je konventioneller bzw. schwächer die Waffen sind. Nun bedeutete aber die totale Abschaffung der Massenvernichtungsmittel nicht, daß wir die atomare Unschuld wiedergewönnen, die wir vielmehr definitiv verloren haben. Die Formeln für die ABC-Waffen bleiben erhalten und damit die Möglichkeit, sie herzustellen. Wir gewinnen die atomare Unschuld nur um den unbezahlbaren Preis eines alles vernichtenden Atomkrieges wieder. Atomare Abrüstung stellte die Nationen militärisch wieder auf die Stufe des ‚gerechten Krieges‘, ohne daß doch die Lehre vom gerechten Krieg wieder in Kraft treten könnte; denn die Hoffnung oder Befürchtung, im Falle eines Konflikts nach völliger Vernichtung der Massenvernichtungsmittel werde eine der Parteien die ABC-Waffen als erster wiederherstellen und damit den Konflikt entscheiden können, läßt sich nicht abschaffen. Sie steht im Konfliktfeld der Atommächte *um der Bewahrung des Friedens willen* einer Vernichtung der atomaren Rüstung und einem Verzicht auf die Produktion und Entwicklung kriegsentscheidender Waffen vermutlich definitiv im Wege; diese Rüstungsspirale erscheint unaufhebbar. Die Friedenssicherung durch Abschreckung läßt offenbar Abrüstung nur im Bereich der (quantitativen) Überrüstung und im Bereich der konventionellen, für die Krieg*führung* geeigneten Waffen zu, nicht aber im (abgestuften) Bereich der ‚politischen‘, nämlich abschreckenden Rüstung.

Insofern hat der Pazifismus bei nüchterner Betrachtung also auch politisch durch die neuere Entwicklung leider nicht an Überzeugungskraft gewonnen. Seine friedensgefährdenden Risiken scheinen nicht geringer zu sein als die der Abschreckungsstrategie, von der man immerhin weiß, daß sie sich bewährt hat und — noch — bewährt; schon die Heidelberger Thesen sagten 1959, daß „auf beiden Seiten Risiken stehen, die wir als nahezu tödlich empfinden müssen". Zumindest ist es nicht möglich, die absolute Waffenlosigkeit als den einzigen Weg zu bezeichnen, der dem Friedensauftrag der Christen gerecht wird, so gewiß sie eine für den Christen unter allen Umständen respektable bzw. zu respektierende Haltung darstellt, der man einen Privatismus und eine Tendenz zur Aushöhlung der gegenwärtigen gesellschaftlichen Ordnung zwar vorhalten, aber nicht vorwerfen kann, weil der Einsatz der bereitstehenden Massenvernichtungsmittel durch keinen Zweck geheiligt werden kann.

Deshalb hat die aporetische Formel vom ‚Friedensdienst mit und ohne Waffen‘, die auf die 50er Jahre zurückgeht und auf dem Kirchentag in Hannover 1967 geprägt wurde, nach wie vor ihr Recht. Beide, der Kriegsdienstverweigerer und der Wehrdienstleistende, fällen angesichts des unaufhebbaren Dilemmas, in dem sich alle unsere vernünftigen Wege zum Frieden befinden, eine verantwortliche Entscheidung; aber beide fällen sie verantwortlich nur dann, wenn jeder den Weg des anderen, mag er ihn auch für falsch halten, in Frieden respektiert als dessen Weg zum Frieden unter den Bedingungen einer unfriedlichen Welt, so daß jeder auf seinen eigenen Weg nicht ohne Angst und Furcht sehen kann, weil weder der Dienst mit der Waffe noch der Dienst ohne Waffen eine Gewähr des Friedens gibt. Wenn es stimmt, daß Christen bei keinem Thema so unfriedlich miteinander umgehen wie bei dem Thema ‚Frieden‘, ist ihnen immerhin ein erster Schritt zum Frieden deutlich gewiesen.

Weltfriedensordnung

Angesichts der Einsicht, daß weder Abschreckungsstrategie noch Pazifismus eine hinreichende Gewähr für den im Atomzeitalter notwendigen Weltfrieden bieten, hielt 1963 Carl Friedrich von Weizsäcker seine bekannte Rede über die Bedingungen des Friedens, in welcher er für eine Welt-Innenpolitik als Weg zum Völkerfrieden plädierte, ein vernünftiger Gedanke, der durch den Hinweis auf die durch Bismarcks Reichsgründung überwundenen Nationalen Kriege eine zusätzliche Überzeugungskraft gewann.

Der Gedanke als solcher ist alt. Angeknüpft an die antiken Utopien und oft mit pazifistischen Ansätzen verbunden, findet er sich seit dem Humanismus — Erasmus forderte den Weltstaat, weil ohne eine unparteiische Körperschaft auch die Lehre vom gerechten Krieg widersinnig sei — und der Aufklärung — man lese nur Kants Schrift ‚Zum ewigen Frieden‘ von 1795 — vielfach und in vielfältiger Gestalt. Völkerbund und Vereinte Nationen werden von ihm getragen.

Charakteristisch für von Weizsäckers Gedanken, die bereits die Heidelberger Thesen bestimmten, war einmal die Einsicht in die durch die Massenvernichtungsmittel geschaffene neue Situation, die seiner Meinung nach der Welt nur eine geringe Zeitspanne belasse, der Weltkatastrophe durch eine Weltfriedensordnung zu entgehen. Ferner die Überzeugung, daß in dieser geringen Zeitspanne atomare Abschreckung und absoluter Waffenverzicht *miteinander* notwendig sind, um komplementär der Welt die Unerläßlichkeit einer Friedensordnung nahezubringen und diese vielleicht zu erreichen. Schließlich die Auffassung, der Abbau der Gegensätze zwischen den Völkern sei angesichts der glücklichen Konvergenz der technischen Gesellschaften bereits im Gang, wie auch die Heidelberger Thesen schon 1959 in der atomaren Abschreckungsstrategie einen „rasch vorübergehenden Übergang“ zu einer Weltfriedensordnung sahen, deren Notwendigkeit nicht nur, sondern deren Möglichkeit auch durch die technische Gesellschaft gegeben sei.

Es ist uns schwer geworden, diese letzte Voraussetzung für weiterhin gegeben zu erachten. Der Kampf um Energie und Rohstoffe erscheint uns eher als ein zusätzlicher Faktor des Unfriedens zwischen den Industrienationen in Ost und West. Die Unterschiede zwischen den entwickelten und den unterentwickelten Nationen sind noch größer geworden. Totalitäre und freiheitliche Staaten haben einander wenig zu sagen. Diktaturen und Demokratien verbindet oft nur die gemeinsame Angst vor der Katastrophe. Die wachsenden Schwierigkeiten im sowjetischen Imperium rücken die ohnehin geringe Wahrscheinlichkeit noch weiter in die Ferne, die Sowjetunion werde sich eines Tages einem pluralistischen System kollektiver Sicherheit einfügen. Überwunden geglaubte nationale und religiöse Ansprüche erheben sich mit elementarer Gewalt. Militärische Macht verbündet sich mit dem Bestreben, die irdische Gottesherrschaft zu errichten. Große Staaten erneuern die Lehre vom Heiligen Krieg und greifen zugleich nach den Atomwaffen. Selbst in den regionalen Zusammenschlüssen und Blöcken wird nationalistische Souveränität eher verstärkt als abgebaut. Zwischen den Großmächten werden anerkannte Spielregeln außer Kraft gesetzt; man denke nur an die Besetzung Afghanistans. Die Aussicht auf Rüstungskontrollabkommen nimmt ersichtlichermaßen ab. Das Völkerrecht wird von international anerkannten Staaten mit Füßen getreten, und der Terrorismus kann ganze Staaten an den Rand der Existenz bringen und wird sie wahrscheinlich bald mit Massenvernichtungsmitteln erpressen.

Die Bedingungen des Friedens verändern sich offenbar sehr schnell, damit auch seine Gefährdungen, und zugleich veralten Erfahrungen und Einsichten über die Wege des Friedens. Von den Voraussetzungen einer Weltinnenpolitik scheinen wir weiter entfernt als je, und auch von Weizsäcker spricht heute von dem „ungelösten Problem der vernünftigen Weltfriedensordnung" (Ev. Komm. 1981/2,48).

Die Beobachtung einer stationären Komplementarität von Rüstung und Waffenlosigkeit, die in den Heidelberger Thesen als vorübergehende Notwendigkeit angesehen und auf ihre Überwindung in einer Weltfriedensordnung hin ausgelegt wurde, ängstigt heute eher, als daß sie Hoffnung gibt.

Georg Picht hielt 1963 in seiner Laudatio auf von Weizsäcker die Zeit der Wissenschaft für gekommen und meinte, daß zwar nur ein paar hundert Forscher auf der Welt imstande seien, die Bedingungen des Friedens klarzulegen, diese aber den Frieden gleichsam in der Hand hätten. Es liegt heute am Tage, daß dies von Anfang an unpolitische Urteil auch dann verfehlt wäre, wenn es nicht von einem für seine Fehlurteile bekannten Wissenschaftler käme.

Andererseits hat — horribile dictu — uns die Abschreckungsstrategie trotz — oder wegen — der Rüstungseskalation den Frieden länger bewahrt, als die Heidelberger Thesen 1959 erwarteten. Jedoch weiß keiner, wie lange sie uns diesen Dienst tun wird. Keiner weiß auch, wie die vielfältigen Gegensätze unter den Völkern, Nationen, Weltteilen und Ideologien überwunden werden können, so daß eine Weltfriedensordnung mit Weltinnenpolitik möglich wird. Keiner weiß also, wie dick der Faden ist, der das Schwert über unseren Häuptern hält.

III

Diese Einsicht in unser aller Aporie verbietet es, große Worte über einen besonderen und besonders effektiven Friedensauftrag der Kirche und der Christen zu machen, mit denen zum Schaden für den Frieden die faktische Situation nur verschleiert würde.

Unerläßlich ist in jedem Fall die *Unterscheidung* zwischen dem Friedensauftrag der Kirche und der Christen, welche der reformatorischen Zwei-Regimenten-Lehre entspricht. Denn die Kirche hat als solche keine politische Vernunft und Sachkenntnis, wie sie für alle politischen Entscheidungen und erst recht für das Bemühen um den Weltfrieden nötig sind, während der Christ je an seinem politischen Ort das jeweils mögliche Maß an politischer Einsicht gewinnt. Konkretes ethisches bzw. politisches Handeln läßt sich nämlich evangelischem Verständnis zufolge nicht aus Obersätzen deduzieren, so daß der Glaube der politischen Einsicht und Vernunft keine Vorschriften machen kann. Vielmehr ist der Glaube in allen ethischen Entscheidungen in der Kraft und Freiheit der *Liebe* gegenwärtig, ohne sich freilich in spezifisch christlichen Entscheidungen manifestieren zu können und zu dürfen. Der Christ handelt dann ‚christlich‘, wenn er das Beste zum Wohl der Vielen und der Nächsten anstrebt und seine Vorschläge und Entschlüsse sachlich, d.h. für jeden vernünftig einsehbar, zu begründen vermag. Es gibt außer der Liebe, in welcher der Glaube tätig ist, keine spezifisch christlichen Werte oder Maximen im Raum des Politischen, über welche die Kirche verfügte. Ein politisches Mandat hat demzufolge stets der Christ; die Kirche bzw. die Theologie haben es unmittelbar nicht.

Der Friedensauftrag der Kirche

Die Kirche hat deshalb unter allen Umständen der Versuchung zu widerstehen, für sich ein besonderes Wissen um die Wege des Friedens in der

Welt in Anspruch zu nehmen und mit dem ihr eigenen absoluten Anspruch zu verkündigen. Damit säte sie nicht Frieden, sondern Unfrieden nach innen und nach außen. Sie gaukelte der Welt politische Unfehlbarkeit vor, womit sie nicht nur ihre eigentliche Wahrheit unglaubwürdig machte — zum Schaden auch des Friedens —, sondern zugleich den politisch Verantwortlichen, insonderheit den Christen in politischer Verantwortung, erschwerte, sachgerechte Entscheidungen im Interesse des Friedens zu fällen. Politisches Handeln kann im Unterschied zum Glauben nicht eindeutig sein. Solche Eindeutigkeit zu beanspruchen wäre kein Zeichen von Glauben, sondern von Unglauben und Angst und Irrtum.

Die Kirche hat deshalb auch entschieden zu widersprechen, wenn angesichts der Unsicherheit aller Wege zum Frieden einzelne Christen und Gruppen ihre besondere politische Entscheidung mit prophetischem Ausdruck vortragen, das politische Für und Wider durch ein göttliches ‚So und Nicht Anders‘ entwirrend und entsprechenden Glaubensgehorsam verlangend. Politische Fragen lassen sich nicht durch Glauben an prophetische Botschaften lösen, sondern nur durch Christen und Nichtchristen überzeugende, konsensusfähige Vorschläge.

Das biblische Modell politischer Prophetie findet sich im Alten Testament; es entspricht dem Selbstverständnis Israels, das sich zugleich als Gottesvolk und Staatsvolk verstand, und führte Israel in die vorne beschriebene Diskrepanz zwischen prophetischer Forderung und politischer Notwendigkeit, zumal wenn die politischen Forderungen der Propheten sich widersprachen und jeder verlangte, als wahrer Prophet anerkannt zu werden.

Die christliche Gemeinde war dieser Aporie von Anfang an entnommen, weil sie sich nicht als politische Größe verstand, sondern das Reich Gottes mit seinem Frieden von den Reichen der Welt mit ihrem Frieden deutlich unterschied (Joh 14,27).

Das im Alten Bund verbreitete prophetische Amt ist dementsprechend nach einmütiger christlicher Lehre in dem einen Amt des ‚Propheten‘ Jesus Christus aufgehoben, der Gottes Heilswillen vollkommen offenbart hat. Das Auftreten anderer Propheten und der Anspruch auf Offenbarung weitergehenden prophetischen Wissens hat der Christenheit deshalb stets als Schwärmerei gegolten, beziehe sich solche Prophetie auf zeitlose dogmatische oder auf aktuelle politische Wahrheiten. Ein ‚prophetisches‘ Amt, das anderes als die Christusoffenbarung selbst zum Inhalt hat, wurde der Kirche nirgendwo übertragen. Auch die im Neuen Testament neben Aposteln und Lehrern begegnenden ‚Propheten‘ (z.B. 1Kor 12,28) haben keinen anderen Auftrag als den, das schon offenbarte Evangelium vollmächtig zu verkündigen (prophäteuein = aussprechen, auslegen), und zwar ‚dem Glaubensbekenntnis gemäß' (Röm 12,7). Von der Offenbarung neuer Wahrheiten kann dabei keine Rede sein, erst recht nicht von der prophetischen Entscheidung politischer Ermessensfragen. Politische Prophetie ist darum nach christlichem Verständnis in jedem Fall falsche Prophetie, auch wenn sie im Einzelfall politisch Angemessenes fordert.

„Die Kirche muß sich sagen, daß es erschreckend ist, wie wenig sie vermag", hieß es mit gutem Grund schon 1959 in den Heidelberger Thesen. An diesem Sachverhalt hat sich bis heute nichts geändert. Er entspricht der göttlichen Ökonomie, der Arbeitsteilung zwischen der Herrschaft Gottes ‚zur Linken' über diese vergehende Welt und ‚zur Rechten' über die Menschen seines Wohlgefallens. Gewiß: Die Kirche „erinnert an Gottes Reich, an Gottes Gebot und Gerechtigkeit und damit an die Verantwortung der Regierenden und Regierten" (Barmen V), und dazu gehört vornehmlich die Erinnerung an die Verantwortung für den Frieden. Indessen darf sich die Kirche nicht einbilden, die Welt bedürfe heute einer spezifisch kirchlichen Mahnung zum Frieden. Jedermann in Ost und West weiß und sagt, daß der Friede die Bedingung des Überlebens ist. Viele Friedenspredigten und -veranstaltungen wirken deshalb nur peinlich, dienen der Selbstbestätigung und lassen die Gemeinde mit toten Richtigkeiten ratlos zurück.

Es gehört heute viel eher zum Friedensauftrag der Kirche, dafür Sorge zu tragen, daß der Friedenswille des politisch Andersdenkenden nicht in Frage gestellt wird. Denn es gibt eine nicht zuletzt aus kirchlichen Kreisen kommende Friedensdemagogie in Reden, Parolen und Veranstaltungen, die vor keiner Verteufelung des anderen zurückschreckt. Solcher feindseligen Friedensbotschaft um des Friedens willen zu widerstehen und angesichts der gemeinsamen Aporien aller dafür Sorge zu tragen, daß die Auseinandersetzung um den Frieden selbst friedlich geschieht, wäre dem Friedensauftrag der Kirche in hohem Maße angemessen.

Ein spezifischer Beitrag der Kirche zum Welt- und Völkerfrieden besteht auch darin, daß sie selbst exemplarisch Frieden hält und damit zum Licht der Welt wird. Es gibt keine der christlichen Kirche vergleichbare weltweite und grenzüberschreitende Gemeinschaft. Beklagen wir um der Liebe zum Frieden willen das mangelnde Vertrauen unter den Völkern, so ist die primäre den Christen gebotene Maßnahme zu weltweiter Vertrauensbildung, Gemeinschaft unter den Christen über alle politischen und ideologischen Grenzen hinweg zu schaffen. Christen, die sich gegenseitig mit Mißtrauen begegnen, und Kirchen, die in Zwietracht miteinander leben, werden ihrem Friedensauftrag nicht gerecht. Schon im Neuen Testament hat das ‚Haltet Frieden *untereinander'* seinen stereotypen Platz in der Ermahnung an die Christen (Röm 14,17.19; 1Kor 7,15; 14,33; 2Kor 13,11; 1Thess 5,13; Mk 9,50).

Der böse Wille zum Guten

Die Kirche nimmt freilich ihren Auftrag für den irdischen Frieden vor allem dann wahr, wenn sie ihr ureigenes Werk treibt und, was niemand sonst tun kann, den Frieden Gottes verkündigt, indem sie dem Menschen zusagt, daß er sich mit all seinem Tun, wie immer es gelingt oder mißlingt, in der Hand Gottes geborgen wissen darf. Indem sie dies tut, deckt sie auch den bösen Willen zum Guten auf, der den Frieden mehr bedroht als der Wille zum Bösen.

Es gibt im Neuen Testament nicht wenige Aussagen, die den Verheißungen eines angstfrei herstellbaren, vollkommenen irdischen Friedens außerordentlich skeptisch gegenüberstehen. Man bedenke vor allem Joh 14,27: Ich hinterlasse euch den Frieden. *Meinen* Frieden gebe ich euch; ich gebe nicht, wie die Welt gibt. Euer Herz braucht sich nicht zu erschrecken noch zu fürchten.

Die Rede vom Frieden Jesu Christi wäre also eine erschreckende Rede, wenn sie nicht von der Art und Weise unterschieden würde, mit welcher die Welt — die Politik — vom Frieden spricht, den Frieden bewirkt, welche Weise — ein skeptisches Urteil! — eine erschreckende und furchterregende Weise genannt wird.

Die Friedensideologie der pax romana suggerierte den Menschen, daß der göttliche Friede angebrochen sei; sie will das ‚In der Welt habt ihr Angst' (Joh 16,33) außer Kraft setzen. Dazu wurde der militärisch erzwungene Weltfriede durch die Vergöttlichung des Kaisers theologisch überhöht.

Es bedarf keiner Frage, daß die frühe Christenheit in dieser Vergöttlichung des irdisch mit Gewalt Machbaren und damit in der Vergöttlichung des Menschen selbst die permanente Wiederholung des Sündenfalls erkannte, die eigentliche Quelle des Unfriedens. Die frühe Christenheit hatte die Tiefe der Sünde theologisch ausgelotet und begriffen, daß diese Tiefe nicht schon erreicht ist, wo man der Macht des Bösen unmittelbar ansichtig, sondern erst dort, wo die Tollheit im Guten sichtbar wird. Sündiger und darum bedrohlicher für die Menschheit als der Wille zum erkennbar Bösen ist christlicher Einsicht zufolge der in der Vergöttlichung des Kaisers sichtbar werdende böse Wille zum Guten, der auch von einem schlechten Gewissen nicht mehr angefochten wird, weil der Mensch ‚nicht mehr weiß, was er tut' (Röm 7,15).

Die frühe Christenheit erfuhr diese Macht des verdeckt Bösen stärker noch als in der Vergöttlichung des römischen Friedens und seiner militärischen und politischen Grundlagen in dem Ausbruch und Verlauf des diesen Frieden erschütternden jüdischen Krieges. Im Namen Gottes und um eines höheren Friedens willen griffen die jüdischen Zeloten zu den Waffen gegen den von Rom mit Gewalt diktierten Frieden. In diesem Krieg ging es auf beiden Seiten um das höchste Gut, um den ewigen Frieden. Darum war dieser Krieg so grausam, erbarmungslos und blutig. Die totalen Kriege werden stets um das total Gute geführt oder um das, was man dafür hält.

Dieser böse Wille zum Guten ist z.B. dort lebendig, wo man eine militärische Überlegenheit in der Überzeugung anstrebt, daß sie *in der eigenen Hand* den Frieden definitiv herstellt. Nicht als ob angesichts der Art und Weise, wie die Welt den Frieden allein geben kann, militärische Überlegenheit in jedem Fall vom Teufel wäre. Die wunderbare pax romana war zweifellos ein von den meisten Zeitgenossen gerne angenommenes Produkt militärischer Vorherrschaft. Auch ist ein Streben nach militärischer Vorherrschaft nicht schon deshalb prinzipiell verwerflich, weil sie, wenn auch um des Guten willen angestrebt, leicht zum Bösen mißbraucht werden kann — in unserer Zeit etwa zum Erwerb der Öllager, der Rohstoffquellen oder strategischer Ausgangspositionen. Aber der böse Wille zum Guten ist dort am Werk, wo man wähnt, mit solcher Überlegenheit — sei es in einer Bananenrepublik, sei es in globalem Maßstab — dem Gefüge der Angst entrinnen zu können, in dem die Welt ihren Frieden gibt und nach biblischer Einsicht allein geben kann. Wo der gute Wille zum Frieden darauf zielt, im Wahn eigener moralischer Überlegenheit, sei es auch im Zeichen der Freiheit, das ‚wie die Welt gibt' aufzuheben oder zu verdrängen, triumphiert der böse Wille zum Guten, der zuletzt auch das Gute noch verliert, das die Welt zu geben imstande ist.

Dieser böse Wille zum Guten ist in charakteristischer Weise in den von der marxistischen Ideologie bestimmten Staaten zu beobachten. Der von außen kommende Beobachter ist zunächst befremdet von der offen und stolz zur Schau gestellten militärischen Macht des Ostblocks einerseits und der lauten Friedenspropaganda auch nach innen andererseits. Der naheliegende Verdacht, das letztere diene nur der Verschleierung, wird dem Willen zum Frieden nicht gerecht, der das sozialistische Imperium von Anfang an getragen hat. Marx, Engels und Lenin begriffen sich als Vorkämpfer auf dem endlich entdeckten Weg zum ewigen Völkerfrieden, die

Partei der Arbeiterklasse als den Vortrupp einer neuen Gesellschaft, in der die Schwerter zu Pflugscharen umgeschmiedet werden. Man macht es sich zu leicht, wenn man der kommunistischen Führung den unbedingten Willen zum Frieden abspricht, und übersieht die eigentliche Gefahr. Es ist gerade dieser das Sicherheitsbedürfnis übersteigende Wille zum Guten, der den Frieden gefährdet und sich dabei als böser Wille zum Guten zeigt. Denn er teilt, weil er sich im Besitz der absoluten Wahrheit weiß, die Menschen wie vor dem göttlichen Gericht in Gute und Böse, Friedensstifter und Friedensfeinde. Es führt zu dem von den Kirchen in der DDR deutlich getadelten Freund-Feind-Denken, zur Erziehung zum Haß gegen den Andersdenkenden als Feind des Friedens, zur militärischen Erziehung schon in den Schulen — als der angemessenen Erziehung zum Frieden! — und zur Ablehnung der Kriegsdienstverweigerung aus Gewissensgründen, weil der sozialistische Weg zum Frieden gegenüber dem persönlichen Gewissen ‚weltgeschichtlich‘ im Recht ist. Die Parole ‚Frieden schaffen ohne Waffen‘ darf deshalb in der DDR nicht plakatiert werden.

Dieser Wille zum Guten richtet jeden Schritt der Spannung wie der Entspannung — beides bildet im Rahmen dieses Denkens keinen letzten Gegensatz — auf die Weltrevolution als die Mutter des ewigen Friedens auf Erden aus. Er definiert jede Kritik am östlichen Imperialismus als Kriegshetze, jeden Versuch seiner Eindämmung als Friedensfeindschaft. Darum handelt es sich bei der Abschreckungsstrategie um eine von der Sowjetunion nie wirklich akzeptierte Übergangslösung auf dem Weg zu einer pax socialista, die durch forcierte eigene Aufrüstung und massiven propagandistischen Kampf gegen jede ‚kapitalistische‘ Aufrüstung vorbereitet wird. Auch ein pluralistisches System kollektiver Sicherheit ist für die Sowjetunion kein Ziel einer verantwortlichen Friedenspolitik.

Diese böse Wille, der sich um des Guten willen unter allen Umständen durchsetzen will, gab jüngst Carl Friedrich von Weizsäcker Anlaß zu der Feststellung, man dürfe nicht die Illusion hegen, das Machtinteresse der Sowjetunion „werde befriedigt sein, ehe sie stärker ist als alle übrigen Mächte in der Welt" (DS 18, 1980, 16). Wer den absoluten Weg zum Frieden kennt und darum meint, nicht mehr so geben zu müssen (und zu dürfen!), ‚wie die Welt gibt‘, muß so denken und handeln, wie es in der ‚sozialistischen‘ Staatenwelt geschieht, und nur von außerhalb solcher Doktrin läßt sich erkennen, daß durch dies selbstgerechte Gute der Friede permanent bedroht wird. Denn die absolute Überzeugung von der Richtigkeit und Ausschließlichkeit des eigenen Weges zum Frieden, der religiöse Glaube an den sozialistisch und nur sozialistisch herstellbaren Frieden und die darin liegende Theologisierung eines politisch herstellbaren Pro-

gramms stellt eine wirksamere Bedrohung des Friedens dar als der direkte
Wille zum Bösen. Die politische Doktrin, derzufolge ein einmal in das sozialistische Imperium einbezogenes Gebiet um des herrlichen Ziels einer
herrenlosen Weltgesellschaft willen diesem nicht wieder entzogen werden
darf, auch wenn der Besitzstand nur mit Gewalt, Drohung und Unterdrückung gewahrt werden kann, versteht sich als moralische Doktrin, die
ein Gleichgewicht der Machtblöcke nur murrend hinnimmt, weil sie —
nur sie — das ganz Gute will; sie schließt indessen Vertrauen aus und wird
auch weiterhin die Wege der Entspannung stören und den Frieden bedrohen.

Es gibt jedoch irdisch keinen absoluten Frieden und darum keine risi-
kolosen, angstfreien Wege zum Frieden. Diese Erkenntnis ist Frucht des
Evangeliums, sie zu verbreiten ein wichtiges Stück der Friedenspredigt.
Nichts gibt mehr Eifer und Gelassenheit, mehr Mut und Getrostheit zu
verantwortlichem Handeln als das Wissen des Glaubens darum, daß mit
unserer Macht nichts getan ist. Nichts bewahrt mehr vor dem katastrophalen Übermut, das Werk Gottes tun zu müssen, als der Glaube an den
gekreuzigten Christus. Nichts stimuliert den Friedensauftrag mehr als der
empfangene Friede. Darum dient auch dem irdischen Frieden nichts so
sehr wie die Ausbreitung des Friedens Gottes. Die Kirche hat im Rahmen
ihres Friedensauftrags vor allem Christen zu ‚machen‘, die als solche das
Beste für den irdischen Frieden tun und sich nicht von der Angst bestimmen lassen, sondern von dem ‚Fürchtet euch nicht‘, das sie inmitten der
Angst bewahrt.

Der Friedensauftrag der Christen

Die Christen wissen dabei um die Ungewißheit, in der alle, auf den unterschiedlichen Wegen zum Frieden unterwegs, gefangen bleiben, weil
keiner den ‚richtigen‘ Weg kennt und keiner sich seines politischen Weges
sicher sein darf. Sie werden sich darum solcher Sicherheit auch nicht ver-
schreiben und blind werden für die Aporien der eigenen Entscheidung.
Sie werden jeder prophetischen Attitüde absagen und, was ihnen politisch
einleuchtet, nicht anders als politisch begründen und vertreten. Nur ‚von
unten‘ begründete, nicht ‚von oben‘ postulierte Entscheidungen sind
nämlich konsensusfähig und darum hilfreich auf der Suche nach dem besten Weg des Friedens.

Christen werden zugleich dem, der einen anderen politischen Weg geht,
den Frieden bewahren, den Frieden nicht aufkündigen. Denn wer im Ringen um den Frieden nicht selbst den Frieden bewahren kann — man lese

als abschreckendes Beispiel Gollwitzers Rede am Rande des Kirchentags in Hamburg (JK 1981/7,340f) — weiß von dem, was heute zum Frieden dient, auch das noch nicht, was man wissen kann. Wer Angst vor den anderen schürt, sät den Unfrieden. Kein Christ wird deshalb an die Kirche das Ansinnen stellen, seinen eigenen Weg zum Frieden, so überzeugend er ihm erscheinen mag, zum verbindlichen Weg aller Christen zu machen. Friedensbewegung ist überall. Es gibt nicht Friedensfreunde und Friedensfeinde, sondern nur unterschiedliche Ängste und verschiedene Wege in diesen Ängsten, die *alle* unter dem ,Fürchtet euch nicht' stehen dürfen.

Christen beginnen mit der Wahrnehmung ihres Friedensauftrags in ihrem persönlichen Lebenskreis und halten, soviel an ihnen ist, ,mit allen Menschen Frieden' (Röm 12,18). Würde dies allerorten geschehen, brauchte auch im Atomzeitalter niemand Sorge um den Weltfrieden zu haben, zumal wenn der einzelne bereit ist, im Geist der Bergpredigt persönlich Unrecht zu leiden, wenn dies dem Frieden dient.

Solches Leiden unter Unrecht darf allerdings in der Regel nicht dem Mitmenschen auferlegt werden. Der Friedensauftrag verpflichtet den Christen vielmehr gerade dazu, dem Recht Raum zu schaffen. Auch wer für sich selbst unter allen Umständen zu leiden bereit ist, muß als Christ dem Unrecht, das andere ins Leiden führt, wehren. Das gebietet die Liebe.

Der Auftrag, für den öffentlichen Frieden oder gar für den Weltfrieden unmittelbar Sorge zu tragen, ist allerdings nicht allen in gleicher Weise auferlegt. Niemand braucht sich zu solchem Amt und Auftrag zu drängen. Wer solchen Auftrag aber übernommen oder übertragen bekommen hat, soll ihn an seinem Ort furchtlos und nach Maß seiner Einsicht wahrnehmen, *weil* er weiß, daß er nicht ,im Regimente' sitzt und ,alles führen soll'.

Niemand kann dem, der unmittelbare politische Verantwortung für den Weltfrieden trägt, seine Verantwortung abnehmen. Diese Verantwortung ist in unserer Situation paradoxerweise in gewisser Hinsicht leichter geworden: Der Staatsmann hat nicht mehr zwischen Krieg und Frieden zu entscheiden, sondern nur noch über den richtigen Weg, den Frieden zu bewahren, damit die Vernichtung ausbleibt. Diese Entscheidung freilich ist unendlich schwer; denn es gibt keinen eindeutigen Weg, den Friedensauftrag wahrzunehmen, erst recht keinen ,christlichen'. Indessen ist dem Christen zwar Ratlosigkeit, nicht aber Resignation erlaubt. Er hat, auch wenn das Gute nicht in Sicht ist, doch der Stadt Bestes zu suchen.

Wenn mich nicht alles täuscht, ist unter den bei uns gegebenen Umständen eine demokratische Gesellschaft am besten geeignet, unter den rasch wechselnden Bedingungen des Friedens den Überblick zu behalten und im permanenten Unfrieden der Welt stets neue Wege des Friedens zu öffnen. Bewahrung und Stärkung der demokratischen Gesellschaft bilden darum das politische Fundament alles Friedensdienstes von Christen und Kirche in unserem Land. Auch wenn in einer Demokratie vieles langsam vor sich geht und dadurch auch vieles Gute oft nicht oder zu spät geschieht, so vollzieht sich die Entscheidungsfindung doch in einer Weise, die verhindert, daß sich subjektive Willkür, ideologische Verbohrtheit, persönlicher Ehrgeiz und unkontrollierte Beschlüsse zu leicht durchsetzen können. In einer Demokratie vollzieht sich die politische Willensbildung öffentlich. Sie kann darum Mißtrauen am besten vorbeugen und Mißtrauen abbauen, und wenn auch in der Politik um des Friedens willen Vertrauen statt Kontrolle nur selten erschwinglich ist, so muß doch nach Möglichkeit alles vermieden werden, was Mißtrauen wachsen läßt. Nicht eine bestimmte Politik, Meinung oder Partei, sondern die Demokratie als solche bietet die beste Gewähr dafür, daß unsere Wege, wenn auch unter Angst und Furcht, Wege des Friedens bleiben. Darum ist ein Feind des Friedens, wer den Feinden der Demokratie nicht — demokratisch — widersteht, auch wenn diese mit Friedensparolen die Demokratie angreifen.

Christen dürfen in der Welt Angst haben, und sie ängstigen sich vor allem angesichts dessen, wie die Welt ihren Frieden gibt, nämlich voller Risiken, und angesichts dessen, daß auch sie selbst, in politischer Verantwortung stehend, der Welt den Frieden nicht anders geben können, als die Welt ihn gibt.

Wer im Frieden Gottes lebt, der höher ist als alle Vernunft, läßt sich indessen nicht entmutigen. Um der Liebe willen, in welcher der Glaube tätig ist, geht er zwischen Utopie und Resignation auf dem schmalen Weg *des* Friedens, den die Welt geben kann — nicht auf einen gewissen Weg, wohl aber in der gewissen Hoffnung, daß der Gott des Friedens seine Kinder auf diesem Weg nicht allein und das Werk seiner Hände nicht fahren läßt.

EBERHARD SCHULZ

Gefährdung und Sicherung des Weltfriedens
Analyse der Weltsituation

A. Ausgangspunkt: Das Fehlen eines echten Dialogs über Sicherheitspolitik

Eine hervorstechende Besonderheit der gegenwärtigen Weltsituation ist ihre Kompliziertheit, die zu Zweifel an der Regierbarkeit führt. Ein Einzelmensch, sei er nun Regierender oder Regierter, kann die Vielfalt der Probleme nicht mehr überschauen. Jeder beschränkt sich auf seinen mehr oder weniger engen Gesichtskreis. Damit erscheinen die Probleme den einzelnen Betrachtern in ganz verschiedenem Licht; dementsprechend werden die Prioritäten unterschiedlich gesetzt.

Wenn die Prioritäten einer Regierung auf dem Gebiet der Sicherheitspolitik mit denen weiter Kreise der Bevölkerung nicht mehr übereinstimmen, und das ist heute in vielen Ländern der Welt der Fall, entsteht eine Vertrauenskrise, die nur durch einen intensiven Dialog mit dem Ziel besserer Verständigung überwunden werden kann. Dieser Dialog ist in der Bundesrepublik Deutschland noch nicht recht in Gang gekommen.

Ein Hauptgrund für das Fehlen eines echten Dialogs über die Sicherheitspolitik liegt in den unterschiedlichen Erfahrungshorizonten: Die Bundesregierung steht unter dem Eindruck des Ost-West-Konflikts, der die Welt nach dem Zweiten Weltkrieg gespalten hat. Jeder der beiden Teile Deutschlands wurde in das Bündnissystem seiner Führungsmacht eingegliedert. Damit wurde die Bundesrepublik Deutschland davor bewahrt, in den Sog der größten Kontinentalmacht Europas, der Sowjetunion, zu geraten. Sicherheitspolitik war Bündnispolitik und stützte sich vornehmlich auf den militärischen Faktor einer wirksamen Abschreckung. Die Entspannungspolitik seit 1969 erweiterte das Instrumentarium zwar um neue, wesentliche Elemente; den Ost-West-Antagonismus konnte sie jedoch nur graduell entschärfen, nicht in seinem Wesen aufheben. Dies um so weniger, als die Sowjetunion gerade auch in der Zeit der Entspannungspolitik ihre Hochrüstung gegenüber dem Westen und namentlich gegenüber Westeuropa unvermindert fortsetzte.

Die Bedrohungsvorstellungen der jungen Generation beruhen auf völlig anderen subjektiven Erfahrungen: Im Ost-West-Verhältnis herrscht, soweit die Jungen zurückdenken können, Ruhe. Daß diese Ruhe wesentlich dem Funktionieren der Abschreckung zu verdanken ist, ist für sie nicht ersichtlich. Schließlich ist die Welt rund um Europa herum voller Gefahren und Konflikte, die immer wieder zum Ausbruch kommen, an denen die westlichen Industriestaaten oft maßgeblich beteiligt sind (etwa am Nord-Süd-Konflikt) und die langfristig, vielleicht sogar schon mittelfristig, die Existenz der gesamten Menschheit bedrohen — man denke an die Verseuchung der Umwelt. In bezug auf diese akute Bedrohung scheint die Sicherheitspolitik der Regierungen blind und taub zu sein; mehr noch: die nukleare Rüstung, die der Sicherheit gegenüber dem östlichen Gegner dienen soll, verschlimmert die tödliche Gefahr der Umweltvernichtung.

So stumm die Regierungen gegenüber dieser Besorgnis vieler jungen Menschen bleiben, so wenig antworten die Jungen auf die Frage nach der Erhaltung einer wirksamen Abschreckung. Jeder bleibt auf seine Bedrohungsvorstellung fixiert. Eine ernsthafter Dialog findet (noch) nicht statt; vielmehr haben gegenseitige Verdächtigungen und Verleumdungen zu einer Polarisierung der Gesellschaft geführt, die eine fruchtbare, konstruktive Kommunikation nicht mehr zuzulassen scheint. Dem Frieden wird damit nicht gedient. Eine umfassende Friedenspolitik wird erst wieder möglich werden, wenn sich beide Seiten bereit finden, die Vielfalt des Konfliktpotentials auf der Erde zu erkennen und die Sorgen der Andersdenkenden ernst zu nehmen. Erst dann kann versucht werden, die sicherheitspolitischen Optionen durch die Setzung rationaler Prioritäten einsehbar zu machen und zur Wahl zu stellen. Deswegen soll hier ein kurzer Überblick über das weltweite Konfliktpotential und das sicherheitspolitische Instrumentarium gegeben werden.

B. Generelle Gefahren der gegenwärtigen Situation

Im Gegensatz zu allen früheren Epochen der Weltgeschichte sind die Menschen heute fähig, im Kriege ganze Völker mit einem Schlage auszurotten, ohne daß diese die Chance einer echten Schutzmöglichkeit besitzen. Daraus resultiert ein weitverbreitetes Gefühl der Perspektivlosigkeit des Daseins, das durch das Verblassen transzendentaler Hoffnung verstärkt wird. Wie die Menschen im Kriegsfall zur Massenvernichtung fähig sind, kann ein Polizeistaat im innerstaatlichen Bereich über längere Zeit eine unmenschliche Massenrepression praktizieren. Die Unregierbarkeit scheint sich ganz besonders darin zu manifestieren, daß es den Regierungen in den ärmsten Entwicklungsländern nicht gelingt, das Bevölkerungswachstum mit der materiellen Versorgung in Einklang zu bringen; doch ist es offenbar überhaupt nirgendwo möglich, das wirtschaftliche Wachstum krisenfrei und sinnvoll zu steuern, der Schädigung der Umwelt Einhalt zu gebieten, unverantwortliche Verschwendung von Ressourcen zu unterbinden und die Rüstungsaufwendungen in Grenzen zu halten, geschweige denn zu reduzieren. Während sich die einzelnen Regierungen in ihren Ländern zunehmend mit schwierigen Problemen konfrontiert sehen, besteht die Möglichkeit, daß sich innergesellschaftliche Konflikte in einzelnen Staaten oder Auseinandersetzungen zwischen Staaten in einzelnen Regionen zu großen Kriegen ausweiten.

Versuche zur Lösung von Problemen werden von Regierungen und internationalen Institutionen allzuoft in einer technokratischen Denkweise unternommen und scheitern, weil sich die Menschen gegen die unmenschliche Art auflehnen, in der solche technokratischen Entscheidungen — oft auch noch hinter einem Schleier von unverständlicher Geheimniskrämerei gefällt und ausgeführt werden. Der schnelle Wiederaufstieg nach dem Zweiten Weltkrieg in den westlichen Industriestaaten, ideologisch „abgesicherte" Versprechungen in den kommunistisch regierten Ländern und der zumindest partielle Erfolg der Befreiung von der Kolonialherrschaft in der Dritten Welt haben bei den Menschen Erwartungen entstehen lassen, die nicht einzulösen sind. Der natürlichen Ungeduld der jungen Generation steht die Unbeweglichkeit oder auch Resignation vieler Älterer unversöhnlich gegenüber.

In den demokratischen Systemen führt der Wechsel der politischen Führung oft zu einem inkonsequenten und ineffizienten Zickzackkurs beim Herangehen an drängende Probleme, der die Attraktivität dieser Systeme bei denjenigen Menschen und Generationen mindert, die unter Diktaturen nicht gelitten haben. Das Gleiche gilt im Effekt, wenn Regierungswechsel in einem demokratischen Staat nach eklatantem Versagen nicht eine Änderung der Regierungsmethoden, sondern nur ein Karussell von Personen oder Koalitionen bewirken. Diktatoren verfügen vielfach über einen größeren politischen Handlungsspielraum und haben dann auch manchmal (kurzfristig) größere Erfolge aufzuweisen. So entsteht in schwierigen Situationen die Neigung, nach dem „starken Mann" zu rufen, obwohl großer Handlungsspielraum, wie die ältere Generation aus der Hitlerzeit noch in Erinnerung hat, allzuoft in entsprechend große Katastrophen mündet. Der Pluralismus einander neutralisierender politischer Kräfte begünstigt die Machtübernahme durch die einzige zentral organisierte, hierarchisch geleitete und landesweit präsente Institution, das Militär, besonders wenn wirtschaftliche und soziale Schwierigkeiten mit offensichtlicher Korruption einhergehen. Militärs besitzen jedoch selten die Fähigkeit, die wirtschaftlichen und sozialen Probleme unter Wahrung politischer Freiheit zu lösen. Viele Entwicklungsländer haben diese Erfahrung machen müssen. Wie lange die europäischen Völker die Weisheit aufbringen, die unvermeidlichen Schwächen der Demokratie zu ertragen, bleibt abzuwarten.

C. Allgemeine Gründe für Störungen des Friedens

Zu den objektiven Konfliktursachen in der internationalen Politik gehören zunächst Unterschiede in der geographischen bzw. geostrategischen Situation der Länder, etwa im Zentrum einer Region, im Bereich wichtiger Verkehrslinien oder in der Nachbarschaft überlegener Mächte. Auch die Bevölkerungszahl und wirtschaftliches und technologisches Machtpotential spielen eine Rolle. Konflikte entstehen auch aus Unterschieden in den natürlichen Bedingungen: ein gemäßigtes Klima (wie in den mittleren Breitengraden) begünstigt wirtschaftliche Leistungsfähigkeit; tropisches oder polares Klima erlaubt demgegenüber keine Konkurrenzfähigkeit. Fruchtbarkeit des Bodens erleichtert die Lebensmittelversorgung; Bodenschätze können Reichtum vermitteln, aber auch Begehrlichkeit wecken. Die eigentliche Gefahr aber geht eher von subjektiven Konfliktmotiven aus, unter denen vor allem Macht- und Gewinnstreben zu nennen sind. Sie können bei ganzen Staaten oder ihren Führungseliten ebenso auftreten wie bei gut organisierten Gruppen, bei wichtigen Wirtschaftsunternehmen (z. B. — aber nicht nur — bei multinationalen Konzernen) und bei starken Einzelpersönlichkeiten.

Großen Einfluß können auch kollektive Überzeugungen ausüben wie religiöses oder kulturelles Sendungsbewußtsein oder Überlegenheitsgefühl. Dem entsprechen als Kehrseite kollektive Angst und (übertriebenes) Sicherheitsbedürfnis bis hin zur Neigung zu Präventivschlägen. Zu den subjektiven Faktoren sind ferner zu zählen die Beschränktheit der Kenntnis und des Verständnisses fremder Völker, namentlich ihrer politischen Kultur, die deren typische politische Handlungsweise determiniert. Aus Unverständnis resultieren Mißverständnisse und die Fehlinterpretation des Verhaltens der anderen und daraus wiederum generelles Mißtrauen. Vielfach treten die Unfähigkeit, an der Zweckmäßigkeit eigenen Handelns zu zweifeln, hinzu sowie Selbstgefälligkeit oder das Bedürfnis, eine empfundene Demütigung zu kompensieren (z. B. der Vietnam- bzw. der Watergate-Komplex in den USA). Besonders häufig verleitet Hilflosigkeit zur Projektion von „Schuld" auf imaginäre, scheinbar omnipotente Mächte (unter Hitler die angeblich jüdisch-plutokratisch-bolschewistisch-freimaurerische Weltverschwörung, in der UdSSR der „Imperialismus", im Westen vielfach ein undifferenzierter „Kommunismus") und verstellt den Zugang zu rationalen und konstruktiven Möglichkeiten der Konfliktlösung. Schließlich gehören hierzu Vorurteile wie nationale Klischees.

Vielfach stehen bei Staaten das diplomatische Geschick und das Vertrauen in die Wirkungsmöglichkeiten friedlicher Verhandlungsmethoden in umgekehrtem Verhältnis zu ihrem Machtpotential. Das kann gerade bei Führungsmächten zur Überschätzung des Nutzens militärischer Instrumente, bei kleinen Mächten dagegen zur Vernachlässigung militärischer Vorkehrungen führen. Großmächte tendieren auch dazu, unangenehme Eigenheiten machtpolitisch interessanter Partner herunterzuspielen. So arbeitet die UdSSR mit Staaten zusammen, die ihre Kommunisten verfolgen, während die USA mit Diktaturen in Lateinamerika nachsichtiger verfahren als ihre europäischen Verbündeten.

Eine gefährliche Konfliktursache kann eindimensionales Denken darstellen, wenn nämlich bei bestimmten politischen Entscheidungen Nebenwirkungen entweder auf die Loyalität der eigenen Bevölkerung oder auf die von Bündnispartnern übersehen werden oder wenn nicht bedacht wird, wie der politische Gegenspieler solche Maßnahmen deuten (oder fehldeuten) könnte. Gefährlich ist schließlich eine Handlungsweise, die eine fremde Regierung zu der Annahme verleiten könnte, man verfüge entweder nicht über das Potential oder nicht über die Entschlossenheit, politischen oder militärischen Übergriffen entgegenzutreten.

D. Konkrete Gefahren für den Weltfrieden

a) Der Ost-West-Konflikt

Da es weder eine weltweite Friedensordnung gibt, in der die Machtpolitik der Staaten und Staatengruppen durch eine „Weltinnenpolitik" ersetzt würde, noch eine einzelne Macht Omnipotenz besitzt und damit wirklich das Attribut „Weltmacht" verdient, kommt der Rivalität der beiden Supermächte und der ihnen zugeordneten Staaten gegenwärtig überragende Bedeutung zu. Die USA und die UdSSR werden hier als Supermächte definiert, weil sie

a) über eine große, kontinentähnliche und damit nicht auf einen Schlag zerstörbare Weite des Raumes und eine große, weit verteilt lebende Bevölkerung,

b) über eine umfassende industrielle Kapazität, die sie notfalls zu weitgehender Autarkie befähigt,

c) über alle nuklearen, konventionellen und sonstigen Waffen mit der Möglichkeit des Einsatzes „à tous azimuts" und

d) über die Mittel zur Projektion ihrer militärischen Macht zur See, in der Luft und durch den Weltraum über jede Entfernung verfügen. Sie stehen einander seit 1945 in jeder Hinsicht unversöhnlich gegenüber, und schon ein Irrtum im militärischen Apparat kann zu unabsehbaren Konsequenzen führen.

Bei aller Verschiedenheit besitzen beide Supermächte ein starkes Sendungsbewußtsein entsprechend ihrer jeweiligen politischen Kultur. Während in den USA großenteils die Freiheit des einzelnen und die Tugend der individuellen Tüchtigkeit als Basis des Nationalstolzes dienen, wäre in Rußland in diesem Sinne eher die Tugend der kollektiven Belastbarkeit zu nennen.

Der marxistisch-leninistischen Ideologie der Sowjetunion steht in den USA nichts Vergleichbares gegenüber, doch wäre es verfehlt, die Lehren des Marxismus-Leninismus als konkrete politische Handlungsanweisungen für die Kreml-Führer zu interpretieren. Während diese Ideologie der sowjetischen Führung einen weiten Spielraum sowohl für defensives als auch für aggressives Verhalten läßt, kann eine vorschnelle Ausdeutung dieser Ideologie von westlicher Seite ebenfalls zu gefährlichen Folgen führen.

Sowohl in der Sowjetunion als auch in den USA kann man derzeit von einem Primat der Innenpolitik sprechen, doch ist das Denken beider Seiten im Sicherheitsbereich eher extrovertiert. Keine der beiden Seiten möchte auf ihr Glacis für die militärische Verteidigung oder auf ihre Bündnissysteme verzichten. Beide betrachten den Globus sicherheitspolitisch unter dem Gesichtspunkt der Einflußsphären und des „Gleichgewichts" bzw. der „Korrelation der Kräfte" und scheuen, wenn sie eine für sie ungünstige Verschiebung befürchten, vor zumindest verdeckter Einwirkung nicht zurück. Beide sehen sich dem Zwang eines dynamischen Sicherheitsdenkens ausgesetzt. — Diese militärtechnischen Feststellungen haben nichts mit einer politischen oder moralischen Gleichsetzung der beiden Mächte zu tun.

Aus der Sicht der USA und des westlichen Bündnisses besitzt die Golf-Region derzeit überragende Bedeutung. Solange die Mitglieder der Allianz (neben vielen anderen Staaten) von den Ölquellen dieser Region abhängig sind, kommt der Sicherung der Lieferungen aus diesem Raum lebenswichtige Bedeutung zu. Viele betrachten die Besetzung Afghanistans als einen ersten Schritt der Sowjetunion in Richtung auf die Golf-Region mit dem Ziel, die für die westlichen Industriestaaten und Japan lebenswichtige Energieversorgung zu unterbrechen. Namentlich die gegenwärtige amerikanische Regierung neigt dazu, jede Bewegung, die sich in der Golf-Region vollzieht, in das Raster der Ost-West-Beziehungen einzuordnen.

Trotz der Bedeutung der Golf-Region liegt das Zentrum der strategischen Konfrontation der beiden Supermächte noch immer in Mitteleuropa. Das traditionelle Image der europäischen Großmächte ist noch nicht völlig verblaßt; sie stellen noch immer die Kernzone der industrialisierten Welt dar und sind, wenn man ihr Potential zusammennimmt, mehr als ein Zünglein an der Waage des Ost-West-Kräfteverhältnisses. Als militärisches Glacis sind die beiden Hälften Europas für die beiden Supermächte darüber hinaus unentbehrlich; doch darf daraus nicht auf ein symmetrisches Verhältnis der beiden Teile Europas zu ihren Führungsmächten geschlossen werden: Westeuropa wird von den USA durch den Atlantik getrennt; im Falle eines militärischen Konflikts wäre Europa mit Sicherheit der zentrale Kriegsschauplatz, während eine Einbeziehung des amerikanischen Kontinents in die Kampfhandlungen nicht mit gleicher Gewißheit angenommen werden könnte.

In Osteuropa läßt sich eine solche Trennungslinie nicht ziehen — jeder Ost-West-Konflikt in Europa würde die Sowjetunion von Anfang an beteiligt und betroffen finden. Andererseits ist ein Konflikt in Europa ohne amerikanischen Waffeneinsatz nicht denkbar; ohne die USA wäre Westeuropa nicht verteidigungsfähig. Die USA wiederum könnten, wenn sie ihre eigene Sicherheit ernst nähmen, Europa in einem Konflikt auch nicht einfach sich selbst überlassen — ganz abgesehen von den amerikanischen Soldaten (und teilweise ihren Familien) sowie dem amerikanischen Material, die in Europa stationiert sind und die ein amerikanischer Präsident nicht widerstandslos dem Feind ausliefern könnte. So ist die Verklammerung durch den Sachzwang stärker, als es bei flüchtiger Betrachtung des Globus scheinen mag.

Ein neues Element haben in den siebziger Jahren zunächst die unveränderte Ostpolitik der USA und der Bundesrepublik Deutschland, dann aber in multilateralem Rahmen die KSZE-Verhandlungen in die Ost-West-Beziehungen eingeführt. Zwar hat sich erwiesen, daß diese Verhandlungen auf beiden Seiten auch innenpolitisch destabilisierende Faktoren aktiviert haben, doch hat der KSZE-Prozeß bei aller enttäuschenden Schwerfälligkeit und allen (vorhersehbaren) Rückschlägen immerhin zusätzliche Ansätze zur Kriegsverhütung, zum Krisenmanagement und zur Vertrauensbildung erkennen lassen.

Eine Region von offenbar großer, im einzelnen jedoch schwer definierbarer sicherheitspolitischer Bedeutung stellt Ostasien dar. Obwohl sie für das Gleichgewichtsdenken beider Seiten eine beträchtliche Rolle spielt, sind die Einflußmöglichkeiten auf ihre Entwicklung paradoxerweise bei beiden Supermächten gering.

China erfüllt mit seinem gewaltigen Raum und seiner großen (allerdings in hohem Maße auf die Ostküste konzentrierten) Bevölkerungszahl nur einige der wichtigen Voraussetzungen für eine Qualifizierung als Supermacht; sein nukleares Potential ist noch recht begrenzt, die Wirtschaft befindet sich auf dem Niveau eines Entwicklungslandes, und die Infrastruktur ist machtpolitisch unzureichend. In der globalen Ost-West-Beziehung kann China allenfalls als ein Hilfs- oder Störfaktor in Erscheinung treten.

Japan verfügt bisher nicht nur über eine kaum nennenswerte militärische Bewaffnung, sondern ist mit seiner hohen Bevölkerungskonzentration auf engem Inselraum überaus verwundbar. Wirtschaftlich und technologisch dagegen ist es in die Spitzengruppe der Industrienationen vorgestoßen. Angesichts seiner strategischen Bedeutung für die beiden Supermächte ist auffallend, daß Japan aus der Bedrohung seiner Sicherheit ganz andere Konsequenzen gezogen hat als die meisten westeuropäischen Staaten. Noch eigentümlicher ist angesichts des fortwirkenden Traumas der Atomschläge von 1945 die Unbekümmertheit, mit der bei der zivilen Nutzung der Kernkraft Sicherheitserfordernisse vernachlässigt werden. Auch die amerikanische Haltung (einschließlich der der Reagan-Administration) gegenüber Japan zeigt auf dem Gebiet der Sicherheitspolitik bedenkenswerte Unterschiede zu der gegenüber den europäischen Bündnispartnern.

Die Situation Koreas ist in mehrfacher Hinsicht völlig anders als die des ebenfalls geteilten Deutschland. Südkorea lebt — bei innenpolitischer Repression — unter dem Sicherheitsschirm der USA und ist damit für Nordkorea praktisch unangreifbar. Nordkorea hat sich — anders als die DDR — von sowjetischer Vorherrschaft zugunsten einer Art Schaukelpolitik zwischen den Rivalen Moskau und Peking befreien können. Diese Entwicklung rückgängig zu machen ist für die sowjetische Führung offenbar zumindest vorläufig zu riskant.

Angesichts der Bedeutung, die in der strategischen Diskussion gewöhnlich dem Prinzip des Gleichgewichts beigemessen wird, ist es der Erwähnung wert, daß Konflikte innerhalb der beiden Blöcke (im Osten etwa in der DDR 1953, in Ungarn 1956, in der CSSR 1968 oder jüngst in Polen — im Westen die griechisch-türkische Auseinandersetzung auf Zypern) bisher nie über die Blockgrenzen hinausgegriffen haben, obwohl sie das jeweilige Bündnis zeitweilig geschwächt und jeweils größte Besorgnis ausgelöst haben. Das gleiche gilt für die — teilweise recht beträchtlichen — Abspaltungen von den Blöcken: Jugoslawien, China, Albanien und Nordkorea von der Sowjetunion, die Auflösung der CENTO für den Westen. Es verdient hervorgehoben zu werden, daß eine derartige Schwächung eines Blocks von dem anderen Block nie durch eine konziliante Definition des „Gleichgewichts" honoriert wird. Die Schwächung der Organisation des Warschauer Paktes durch die Ereignisse in Polen etwa verstärkt die Bedrohungsvorstellungen des Westens gegenüber der Sowjetunion, anstatt sie zu vermindern.

Als gefährlich werden mindestens in gleicher Weise Konflikte im Glacis-Bereich der Bündnisse bzw. Supermächte empfunden. Die Kuba-Krise führte 1962 an den Rand eines Weltkrieges. Einige Anzeichen sprechen dafür, daß die sowjetische Führung 1979 nicht damit gerechnet hat, daß die USA Iran ihrem Einflußbereich entgleiten ließen, nachdem sie dort so außerordentlich bedeutendes militärisches Potential aufgebaut hatten. Ob hier ein Zusammenhang mit dem sowjetischen Einmarsch in Afghanistan bestanden hat, sei dahingestellt; sicher ist, daß der sowjetische Vorstoß dort von den USA gerade nach der Destabilisierung Irans primär als eine strategisch ungemein empfindliche Annäherung an die Golf-Region angesehen worden ist.

Unter den für das Ost-West-Verhältnis beachtlichen Konflikten ist schließlich die Entwicklung in Indochina zu nennen, wo freilich eine große Anzahl höchst unterschiedlicher Faktoren zusammenwirkt. Die Vorstellung eines großen Komplotts der Sowjetunion mit Vietnam und Indien zur Sicherung der sowjetischen Vormachtstellung in Süd- und Südostasien ist sicherlich irreführend, obwohl sie zumindest für China und die ASEAN-Staaten naheliegt. Hier führen offensichtlich ursprünglich regionale Faktoren zu Einkreisungsbefürchtungen sowohl bei China als auch bei der Sowjetunion.

b) Anderweitige Konflikte

Die Aktivität der blockfreien und nichtgebundenen Staaten auf einen Nenner bringen zu wollen wäre hoffnungslos. Sicher ist, daß es einen „Block der Blockfreien" nicht gibt, auch wenn Tito und andere derartiges angestrebt haben mögen. Die Tatsache, daß die Blockfreien beiden Supermächten von Zeit zu Zeit unbequem geworden sind, spricht dafür, daß sie mehr zur Stabilisierung als zur Beeinträchtigung des Friedens beigetragen haben, was übrigens seit einiger Zeit auch von blockgebundenen Staaten in zunehmendem Maße honoriert wird. Entgegengesetzte Bestrebungen wie die Versuche Castros, die Blockfreien näher an die Sowjetunion heranzuführen, sind bisher stets gescheitert.

Regionale Konflikte mehr oder weniger traditioneller Art sind an dieser Stelle nicht zu erörtern. Die Vielzahl von postkolonialen Konflikten in

Afrika hat den Weltfrieden global kaum gefährdet, auch wenn gelegentlich ideologische Affekte aktiviert und Bedrohungsvorstellungen verstärkt worden sind. Namen wie Angola, Zaire, Äthiopien stehen dafür. Ernster ist die Situation in Südafrika; es wäre vermessen anzunehmen, daß sich die erfolgreiche Konfliktregelung von Simbabwe in Namibia ohne weiteres wiederholen ließe und damit dann auch das ganze vielgestaltige Problem der weißen Herrschaft in der Republik Südafrika geregelt würde.

Sicherheitspolitische Probleme werden von den Regierungsapparaten vielfach nur als solche erkannt, wenn sie sich auf einen politischen Gegner beziehen oder sich operativ auf eine andere Macht projizieren lassen. Dagegen werden die wirtschaftlichen und ökologischen Gefahren, die die Menschheit insgesamt bedrohen, infolge des weit verbreiteten technokratischen Denkansatzes in ihrer sicherheitspolitischen Tragweite unterschätzt, obwohl sie das Denken und Fühlen großer Teile der Bevölkerung, namentlich der Jugend, maßgeblich beeinflussen.

In diesem Zusammenhang muß an erster Stelle der Hunger genannt werden. Die Sorgen der Europäer um ihre Energieversorgung erscheinen harmlos im Vergleich zu der Katastrophe in der Sahel-Zone, wo die Bevölkerung in weiten Landstrichen den spärlichen Baumbestand verbraucht und dem Hungertod preisgegeben ist, wenn ihr nicht andere Energiequellen zugänglich gemacht werden und die Bodenerosion aufgehalten werden kann. Auch in anderen Teilen der Welt kommt es immer wieder zu Hunger durch Naturkatastrophen, fehlende Infrastruktur für Erntearbeiten, Lagerung, Konservierung, Verarbeitung und Verteilung sowie durch Mißwirtschaft.

Angesichts der teilweise durch die historische Entwicklung des Kolonialismus, teilweise durch die klimatischen Bedingungen verursachten strukturellen wirtschaftlichen Unterlegenheit vieler Länder der Dritten (oder Vierten) Welt ist es sehr unwahrscheinlich, daß sich eine Chancengleichheit mit den Industrieländern auf der Basis des offenen Welthandels und des freien Wettbewerbs wird herstellen lassen. Wenn es nicht gelingt, eine einigermaßen faire Weltwirtschaftsordnung auszuarbeiten und durchzusetzen, drohen von dort aus weltweite Konflikte. Die Industrieländer wiederum werden an ihrer eigenen Anspruchsinflation zugrunde gehen, wenn sie nicht rechtzeitig lernen, sich auf die schmaler werdenden Möglichkeiten einzustellen, sondern den scheinbar erfolgreichen Weg des wirtschaftlichen Bruderkrieges mit den Mitteln des Protektionismus einschlagen. Unter den vielen Formen der Verschwendung ist der Rüstungswettlauf besonders schwer zu bremsen. Selbst für arme Länder wie Jugoslawien hat sich der Waffenexport als ein gewinnträchtiges und dazu noch harte Devisen versprechendes Geschäft erwiesen. Haben im übrigen die hochgerüsteten Industriestaaten ein moralisches Recht, den Entwicklungsländern die Anschaffung von Waffen zu verwehren — vielleicht, um sie damit auch militärisch wieder von sich abhängig zu machen? Dennoch besteht die Gefahr, daß nicht nur der Einsatz von Waffen zum Ausbluten von Völkern führt, sondern daß schon ihr Ankauf die Wirtschaft vieler Länder ruiniert.

Seit die Industrieländer in den letzten Jahren von Rezession und Inflation heimgesucht worden sind, haben Regierungen und Interessengruppen alle guten Vorsätze des Umweltschutzes wieder vergessen, die in den siebziger Jahren — mühsam genug — Gesetzeskraft gewonnen hatten. Wachstum wird wieder um fast jeden Preis betrieben, und Wirtschaftsförderung zielt vor allem auf die Großunternehmen, die zwar auch eine hohe Zahl von Arbeitern beschäftigen, mit ihrer teuren Großtechnologie aber vielleicht noch mehr Arbeitsplätze gefährden und gleichzeitig die Umwelt belasten. Betriebswirtschaftliche statt volkswirtschaftlicher Rechnungen entscheiden, auch wenn Milliardenbeträge staatlicher Subventionen beteiligt sind, über die Rentabilität von Verfahren der Energiegewinnung. Es ist nur eine Frage der Zeit, wann sich die diesbezüglichen innenpolitischen Konflikte auf die internationale Ebene ausdehnen, wo zwar in Ausnahmefällen Konventionen (wie über die Reinhaltung der Ostsee) abgeschlossen worden sind, diese dann aber nicht eingehalten werden. Besondere Beachtung erfordert die Kernenergie für friedliche und für militärische Zwecke; die von ihr ausgehenden Gefahren sind bisher überall in der Welt sträflich vernachlässigt worden. Solange die nukleare Rüstung einer effizienten internationalen Kontrolle entzogen bleibt, muß jede Sicherheitspolitik, die sich auf sie stützt, unglaubwürdig erscheinen. Denn Sicherheit ist unteilbar; sie darf keiner Lobby ausgeliefert werden.

E. Schlußfolgerungen für Möglichkeiten von Friedenspolitik

Wie in jeder Politik müssen auch in der Friedenspolitik Prioritäten gesetzt und Entscheidungen gefällt werden. Doch darf das nicht bedeuten, daß einzelne Aspekte verabsolutiert und die Vertreter abweichender Auffassungen verteufelt werden.

Auf militärischem Gebiet gibt es gute Gründe für die Annahme, daß mit dem Vernichtungspotential (und dem Mangel an effektiven Schutzmöglichkeiten, selbst für die Entscheidungsträger) auch das Risikobewußtsein wächst. Ein großer Nuklearkrieg zwischen den Supermächten ist wegen der gewaltigen Abschreckungswirkung der Kernwaffen recht unwahrscheinlich geworden. Wenigstens im „horizontalen" Bereich sind die Erfolge bei der Nichtverbreitung von Kernwaffen nicht unbeachtlich, d. h. die Zahl der echten Nuklearmächte hat sich seit dem Abschluß des Nichtverbreitungsvertrags 1968 bis heute nicht vergrößert. Natürlich bietet die nukleare Rüstung keine absolute Garantie für Frieden. Wohl noch weniger ist eine Überlegenheit an konventioneller Rüstung für einen Staat eine Garantie für Sicherheit, selbst wenn sich eine solche Überlegenheit eindeutig messen ließe, was wohl nie der Fall ist. Jedenfalls birgt eine militärische Überlegenheit immer zwei Gefahren, nämlich einmal, daß die andere Seite „nachrüstet", und zweitens, daß die überlegene Seite in der Furcht vor der Nachrüstung des Gegners zum Präventivschlag greift.

Daß die Sowjetunion, wie manche meinen, eine aggressive Politik verfolgt, läßt sich weder beweisen noch widerlegen. Ein Machtvakuum in Zentraleuropa könnte gefährlich sein. Dafür gibt es in der Geschichte Beispiele. Freilich kann auch eine Hochrüstung zum Kriege führen, selbst wenn sie nur zur Selbstverteidigung betrieben wird. Auch das lehrt die Geschichte. Daraus läßt sich nur schließen, daß weder Rüstung noch ein Verzicht auf sie mit Gewißheit die Kriegsgefahr vermindert.

Demnach sind theoretisch zwei sicherheitspolitische Optionen denkbar, von denen aber keine eine absolute Sicherheit garantiert: einerseits der Verzicht auf Macht und Gewalt, der dem Eroberer (falls er kommt) nur mit passivem Widerstand entgegentritt, und andererseits die Abschreckung durch ein quantitativ und qualitativ eindrucksvolles Abwehrpotential mit der Entschlossenheit, davon notfalls Gebrauch zu machen, selbst wenn der eigene Untergang damit im Kriegsfall nicht abgewendet werden kann. Die erste der beiden Optionen hat den Vorzug, keinen Waffeneinsatz zu provozieren, aber den paradoxen Nachteil, daß sie mehr Mut und Selbstverleugnung erfordert als die Abschreckung. Politisch hat sie in der Bundesrepublik immer nur bei einer kleinen Minderheit Anklang gefunden und ist schon deswegen nicht durchsetzbar gewesen. Die zweite Option hat sich mehr als drei Jahrzehnte in der Praxis insoweit bewährt, als es tatsächlich an der zentralen Front keinen Krieg gegeben hat. Sollte sie allerdings einmal versagen, wäre eine unvorstellbare Katastrophe unvermeidlich.

Freilich beruht die Verteidigungsdoktrin der NATO auf der Annahme, daß im Kriegsfall der nukleare Holocaust durch eine Strategie der Eskalationskontrolle vermieden und der Schaden begrenzt werden könnte. Das setzt voraus, daß der potentielle Gegner, die Sowjetunion, Westeuropa allein mit konventionellen Waffen angriffe. In diesem Falle könnten die Verluste — immer nach der NATO-Doktrin — selbst dann noch in Grenzen gehalten werden, wenn der Westen durchbrechende Panzerverbände mit zielgenauen Neutronenwaffen außer Gefecht setzte. Die Prämissen dieser Doktrin lassen sich mit guten Gründen bezweifeln: Warum sollte die Sowjetführung, wenn sie schon das Risiko eines Krieges auf sich nähme, ihre Panzerarmeen in den sicheren Tod schicken, um erst danach in die nukleare Dimension zu eskalieren? Und warum sollten die Kremlführer den amerikanischen Präsidenten für so zimperlich halten, daß sie ihm den nuklearen Gegenschlag nicht von Anfang an zutrauten? Im übrigen besteht die Gefahr, daß sich die Strategen auf beiden Seiten zu der Annahme verleiten lassen, ein Krieg werde nun auch mit („sauberen") nuklearen Waffen wieder eher führbar.

Ein rein konventionelles Potential allerdings dürfte einen verläßlichen Abschreckungseffekt gegen die nuklear gerüstete Sowjetunion (falls diese wirklich aggressiv wäre) kaum erzielen können. Wer Zweifel an der Notwendigkeit (und wohl auch an der Praktikabilität) der Eskalationskontrolle hegt und deswegen auch die amtliche Begründung für die Produktion von Neutronenwaffen verwirft, besitzt damit noch kein durchschlagendes Argument gegen den Abschreckungswert nuklearer Waffen im ganzen. Wer also Kernwaffen überhaupt ablehnt — vielleicht, weil er eines Tages ein ungeheures, ja unlösbares Entsorgungsproblem auf die Menschheit zukommen sieht —, muß auf die Abschreckung überhaupt verzichten und sich fragen lassen, welche andere realistische Form von Sicherheitspolitik er denn glaubt durchsetzen zu können.

Dem Verfechter der Abschreckung wiederum geht es kaum besser. Da Abschreckung nur „glaubwürdig" ist, wenn dahinter der feste Wille steht, die nuklearen Höllenhunde notfalls loszulassen, würde ihr Versagen zur Vernichtung Zentraleuropas führen. Diese Sicherheitspolitik setzt also die prinzipielle Bereitschaft zum Selbstmord voraus — und diese ist rein logisch das Gegenteil von Sicherheitspolitik. Logisch (und übrigens auch ethisch) gerät der Verfechter der Abschreckung damit in dieselbe Aporie wie der Abschreckungsgegner. Hier kann keiner absolut „recht haben"; jede Entscheidung ist nur eine Entscheidung für das Übel, das man für das kleinere oder das weniger wahrscheinliche hält. Allein diese Erkenntnis macht es möglich, den Vertreter der anderen Meinung zu ertragen und eine Mehrheitsentscheidung hinzunehmen.

Weniger prinzipieller als taktischer Natur ist demgegenüber die Frage nach der „Nachrüstung". Die Befürworter der Ausstattung der europäischen NATO-Streitkräfte mit Mittelstreckenraketen, die etwa Moskau erreichen können, ohne daß den Kreml-Führern eine Vorwarnzeit verbleibt, und mit Marschflugkörpern, gegen die die sowjetische Luftabwehr derzeit machtlos ist, berufen sich auf die „Vorrüstung" der Sowjetunion mit der SS 20 und dem „Backfire"-Bomber und postulieren außer dem globalen auch ein regionales Gleichgewicht der Kräfte für Europa. Während mit guten Gründen vermutet werden kann, daß die Sowjetunion in Europa eine Überlegenheit auch mit dem Ziel anstrebt, Westeuropa als Geisel gegen den Hauptgegner USA zu benutzen, führt die Forderung der westlichen Regierungen nach einem regionalen Kräftegleichgewicht ihre eigene Gleichgewichtstheorie ad absurdum; aus geostrategischen Gründen ist das globale Gleichgewicht mit dem regionalen für Europa offensichtlich nicht vereinbar. Ob die Wirksamkeit der Abschreckung die „Nachrüstung" voraussetzt, ist umstritten; weder diese These noch die Gegenthese läßt sich beweisen, denn die neuen Waffen werden zwar einerseits das regionale Ungleichgewicht aufheben, andererseits aber die Sowjetunion bedrohen, ob sie nun an Angriff oder Verteidigung denkt. Daß die sowjetische Führung weise genug ist, sich durch den NATO-Doppelbeschluß in Verhandlungen zu einer Zurücknahme ihrer „Vorrüstung" bewegen zu lassen, und daß damit die „Nachrüstung" entbehrlich wird, ist vorerst nur eine Hoffnung, die durch die Erfahrung mit dem Autismus von Rüstungsprozessen nicht gerade gestärkt wird.

In der strategischen Zentralregion Europa und überhaupt zwischen den beiden Supermächten besteht die wichtigste Kriegsgefahr mit großer Wahrscheinlichkeit nicht in einem Aggressionstrieb (der freilich auch zur Natur des Menschen zu gehören scheint), sondern in übertriebenem Sicherheitsbemühen, also in Angst. Eine absolut pazifistische Politik könnte die Angst beim potentiellen Gegner zwar vermindern, würde aber bei der Mehrzahl der Nichtpazifisten im eigenen Lager die Angst und damit die Kriegsgefahr steigern. Pazifismus ist daher ebensowenig ein sicheres Mittel der Kriegsverhütung wie Rüstung. Optimal, wenn auch keineswegs ideal ist vermutlich eine maßvolle Rüstung zur Abschreckung potentieller Gegner, verbunden mit intensiven Bemühungen um Entspannung in den internationalen Beziehungen, um die Suche nach gemeinsamen Interessen, um Zusammenarbeit in für alle Beteiligten vorteilhaften Bereichen und um Rüstungskontrolle.

Eine hohe Destabilisierungsgefahr besteht in der stets gegebenen Möglichkeit, daß sich das militärische Kräfteverhältnis aufgrund technologischer Weiterentwicklung verschiebt oder eine solche Verschiebung befürchtet wird. Die Gefahr eines qualitativen Wettrüstens läßt sich wohl auch durch Abkommen kaum bannen, wie die beiden SALT-Abkommen zeigen, die trotz Nichtratifizierung von beiden Supermächten eingehalten werden; auf die „vertikale Proliferation" jedoch, also auf die qualitative Verstärkung der Nuklearwaffen, haben sie sich nicht wesentlich bremsend auswirken können. Die Nuklearmächte haben die Verpflichtung zum Abbau ihres Kernwaffenpotentials, die sie in dem 1968 abgeschlossenen Nichtverbreitungsvertrag übernommen haben, bisher nicht eingelöst.

Zwar ist ein Kernwaffeneinsatz zwischen großen Nuklearmächten relativ unwahrscheinlich, schon weil es für jede Macht schwer sein dürfte, eine „first strike capability"* zu erreichen — allein die „nationalen Aufklärungsmittel" der Supermächte können wenigstens bei den strategischen Waffen einen Abschuß wohl noch rechtzeitig für den Gegenschlag melden; doch wird damit die Furcht vor einer Pression, die eine starke Macht — nuklear oder konventionell — auf eine schwächere ausüben könnte, nicht entschärft. Als Mittel zur Reduzierung dieser Furcht bietet sich an, Abkommen über eine verifizierbare Beschränkung der Angriffsmöglichkeiten (im Sinne der wichtigsten militärischen Optionen) abzuschließen und hierbei den Überraschungsangriff besonders zu berücksichtigen.

Allerdings kann der Zweifel, daß die Einhaltung aller Vereinbarungen wirklich verifizierbar ist (und ein solcher Zweifel wird angesichts der technologischen Entwicklung seit der Entwicklung der Mehrfachsprengköpfe von Jahr zu Jahr mehr begründet) zu einer neuen Quelle von Angst und damit zu einem destabilisierenden Faktor werden. Daher sind zusätzliche vertrauensbildende Maßnahmen nötig, die nicht so sehr militärischen als politisch-psychologischen Zwecken dienen, vor allem die allgemeine Meldepflicht größerer militärischer Bewegungen. Eine solche Meldepflicht müßte im KSZE-Bereich jeweils gegenüber *allen* KSZE-Staaten bestehen, weil eine Meldung nur an den betroffenen Staat ja gerade die Pression bewirkte. Eine Meldung an alle KSZE-Teilnehmerländer würde diese alle alarmieren (weil jeder von ihnen einmal in die Lage des Opfers einer Pression geraten könnte) und einen multilateralen diplomatischen Prozeß auslösen, der am ehesten geeignet wäre, die Absicht einer bilateralen Pression zu vereiteln.

In den wirtschaftlichen Beziehungen zwischen den Industrieländern könnte es in Zukunft zu existenzgefährdenden Auseinandersetzungen kommen, wenn für Exporte bei Überschreiten einer kritischen Schwelle der Marktstörung im Einfuhrland nicht eine Selbstbeschränkung vereinbart und gegebenenfalls durch eine obligatorische Schiedsgerichtsbarkeit abgesichert würde. Dasselbe gilt mit noch größerer Dringlichkeit im

---

* = Erstschlagsfähigkeit

Nord-Süd-Verhältnis, und zwar besonders für Exporte aus Industrieländern in Entwicklungsländer. Hier müßte eventuell überlegt werden, ob die Förderung intraregionaler Wirtschaftsbeziehungen zwischen Entwicklungsländern einen zusätzlichen Beitrag zur Stärkung ihrer Wettbewerbsfähigkeit und damit ihrer Überlebenschancen bieten könnte.

Wenn es sich als zutreffend erweisen sollte, daß die Umwelt in Schweden durch die Übertragung von Schadstoffen aus Westeuropa durch die Luft schwer beeinträchtigt wird, wäre dies ein neues Beispiel für die Konfliktgefahr, die auch international aus der Umweltverseuchung erwächst. Hier sind energische Anstrengungen erforderlich, sowohl im nationalen Rahmen die Schädigung Schritt für Schritt abzubauen, als auch internationale Konventionen abzuschließen, die freilich nur sehr schwer zu erreichen sind und deren Einhaltung kaum zu erzwingen ist. Ebenso wie die friedliche Nutzung der Kernenergie muß die Herstellung von Kernwaffen der Geheimhaltung entzogen und seiner strikten Kontrolle unterworfen werden. Diese muß in den Demokratien zunächst im nationalen Rahmen ausgeübt werden, unter der Leitung gewählter Gremien stehen und justiziabel sein. Im internationalen Rahmen sollte angestrebt werden, die Zuständigkeit der Internationalen Atomenergieagentur auf die Überwachung der Produktionsstätten von spaltbarem und fusionsfähigem Material für militärische Zwecke auszudehnen.

Die Vielfalt der Konfliktgefahren spricht dagegen, daß die Probleme mit technokratischen Patentrezepten, die sich ja immer nur auf Teilgebiete beziehen und auf den Gesamtzusammenhang meist gar keine Rücksicht nehmen, einfach zu regeln sind. Für den einzelnen wird es so gut wie unmöglich sein, alle wichtigen Aspekte angemessen zu beurteilen. Um so dringender ist es in der sicherheitspolitischen Diskussion, alle Bedrohungsvorstellungen ernst zu nehmen und wenigstens den Versuch zu unternehmen, ihnen in angemessener Weise Rechnung zu tragen. Gegenüber Vertretern anderer Auffassungen von optimaler Friedenssicherung ist ein Austausch rationaler Argumente anzustreben und Toleranz auch dann zu üben, wenn eine Übereinstimmung der Meinungen nicht erzielt werden kann, weil sich Intoleranz und Fanatismus — selbst bei bester Absicht — immer wieder als die größten Gefahren für den Frieden erwiesen haben.

LOTHAR DOMRÖSE

Der bewaffnete Friede

Die Diskussion um „Rüstung" und „Abrüstung", um die „richtige Strategie", um „Waffen zur Abschreckung" oder „Waffen zur Kriegführung", um „Friedensdienst mit und ohne Waffen" ist im Sommer und Herbst 1981 bei uns in der Bundesrepublik Deutschland zum dominierenden Thema geworden. Und dies trotz stagnierender Einkommen, steigender Arbeitslosenzahlen und unübersehbarer Probleme der Wirtschaft.

Grundlagen der Sicherheits- und Verteidigungspolitik werden angegriffen oder in einem Maße in Zweifel gezogen, wie es seit der Debatte um die Wiederbewaffnung unseres Vaterlandes in den fünfziger Jahren nicht mehr der Fall war.

Gewiß, die Militär-Strategie unserer Allianz der Freien ist nicht einfach zu verstehen. Es besteht anscheinend ein Widerspruch zwischen dem Ziel des Friedens und den Mitteln des Krieges oder zwischen Rüstungsbeschlüssen und Abrüstungsbereitschaft, wie sie auch eine nur auf Verteidigung ausgerichtete Strategie braucht.

Information, und zwar fortwährende Information, ist daher zwingend, weil sonst keine Auflösung der Zweifel zu erwarten ist und der notwendige Konsens in unserem Staatswesen verlorengeht. Und ohne Konsens über Ziel und Mittel unserer Sicherheitspolitik kann es keinen wirksamen Beitrag zu dem bewaffneten Frieden geben, der allein heute und für die vorhersehbare Zukunft Unabhängigkeit und Freiheit unseres Staates zu erhalten verspricht.

Zur Rechtslage

Basis politischen Verhaltens von Staaten untereinander muß die am 24. Oktober 1945 — unter dem Eindruck unsäglichen Leids des Krieges — unterzeichnete „Charta der Vereinten Nationen" sein. Als Ziel und Grundsätze stellt sie besonders heraus:

— „den Weltfrieden und die internationale Sicherheit zu wahren, Bedrohungen des Friedens zu verhüten und zu beseitigen,

— freundliche Beziehungen zwischen den Nationen zu entwickeln, die auf der Achtung der Gleichberechtigung und des Selbstbestimmungsrechtes der Völker beruhen,

— durch Zusammenarbeit internationale Probleme politischer, wirtschaftlicher, sozialer, kultureller und humanitärer Art zu lösen".

Trotz dieser Zielsetzung übersieht die Charta der Vereinten Nationen nicht denkbare, diesen Zielen zuwiderlaufende Konflikte und kriegerische Handlungen von Staaten oder Staatengruppen.

Sie anerkennt im Artikel 51 daher das Recht zur Verteidigung: „Diese Charta beeinträchtigt im Falle eines bewaffneten Angriffs gegen ein Mitglied der Vereinten Nationen keineswegs das *naturgegebene* Recht zur individuellen oder kollektiven Selbstverteidigung, bis der Sicherheitsrat die zur Wahrung des Weltfriedens und der internationalen Sicherheit erforderlichen Maßnahmen getroffen hat. Maßnahmen, die ein Mitglied in Ausübung dieses Selbstverteidigungsrechts trifft, sind dem Sicherheitsrat sofort anzuzeigen; sie berühren in keiner Weise dessen auf dieser Charta beruhende Befugnis und Pflicht, jederzeit die Maßnahmen zu treffen, die es zur Wahrung oder Wiederherstellung des Weltfriedens und der internationalen Sicherheit für erforderlich hält."

Bemerkenswert ist im Artikel 51 der Bezug auf „das *naturgegebene* Recht" zur *Selbstverteidigung*. Damit ist eine international gültige Norm anerkannt oder geschaffen. Sie zumindest stellt einen legalen Bezugspunkt zur Planung der Selbstverteidigung eines Staates genauso dar wie die Bereitstellung der entsprechenden militärischen Mittel für diesen Zweck.

Daran zu denken, die Charta zu ändern und das „naturgegebene Recht" zur Selbstverteidigung aufzugeben, halte ich für unrealistisch. Zu offensichtlich nämlich ist die Gewaltanwendung — der Krieg noch „Mittel des politischen Verkehrs zwischen Staaten" in weiten Bereichen der Welt —, trotz der Versicherungen in der „Charta der Vereinten Nationen".

Und Gewaltanwendung ist nicht beschränkt auf Auseinandersetzungen zwischen *Nicht-Nuklear-Staaten*. Die Besetzung Afghanistans durch die Nuklearmacht UdSSR gibt einen Hinweis auf Möglichkeiten und Grenzen des Einschlusses des Atoms zur Friedenssicherung. Dagegen gilt es, Wege und Mittel zu entwickeln oder zu stärken, die denjenigen Staat strafen, der gegen die Grundsätze der Charta verstößt. Viel wäre erreicht, wenn *militärische Hilfeleistung* — in Form von Waffenlieferung oder Ausbildungshilfe — unter diesem Gesichtspunkt gesehen und verfolgt würde. Die UNO — gestützt von leistungsfähigen Staaten — könnte hier manches leisten. Die Sicherheitspolitik der Bundesrepublik Deutschland, die Sicherheitspolitik aller NATO-Staaten deckt sich mit der Charta der Vereinten Nationen.

So stellt der Nordatlantikvertrag vom 4. April 1949 unverändert in seiner Präambel fest:

„Die Parteien dieses Vertrages bekräftigen erneut ihren Glauben an die Ziele und Grundsätze der Satzung der Vereinten Nationen und ihren Wunsch, mit allen Völkern und allen Regierungen in Frieden zu leben.

Sie sind entschlossen, die Freiheit, das gemeinsame Erbe und die Zivilisation ihrer Völker, die auf den Grundsätzen der Demokratie, der Freiheit der Person und der Herrschaft des Rechts beruhen, zu gewährleisten.

Sie sind bestrebt, die innere Festigkeit und das Wohlergehen im nordatlantischen Gebiet zu fördern.

Sie sind entschlossen, ihre Bemühungen für die *gemeinsame Verteidigung* und für die *Erhaltung des Friedens* und die *Sicherheit* zu vereinigen."

Die Bundesrepublik Deutschland hat erst nach totaler Entwaffnung, also vollständiger Abrüstung, unter dem Zwang der politischen Entwicklung in Europa und in der Welt durch Gesetz vom 19. März 1956 beschlossen, mit eigenen Streitkräften zu ihrer Sicherheit beizutragen. Der Artikel 87a des Grundgesetzes bestimmt: „Der Bund stellt Streitkräfte zur Verteidigung auf." Artikel 115a regelt im einzelnen die Feststellung des Verteidigungsfalles und damit die Erlaubnis zum Einsatz der Bundeswehr:

„115a (1): Die Feststellung, daß das Bundesgebiet mit Waffengewalt angegriffen wird oder ein solcher Angriff unmittelbar droht (Verteidigungsfall), trifft der Bundestag mit Zustimmung des Bundesrates. Die Feststellung erfolgt auf Antrag der Bundesregierung und bedarf einer Mehrheit von zwei Dritteln der abgegebenen Stimmen, mindestens der Mehrheit der Mitglieder des Bundestages."

Es scheint für mich nur logisch und konsequent zu sein, daß, wenn man Ziele und Grundsätze der Charta anerkennt — einschließlich des Rechts auf Selbstverteidigung — man Streitkräfte ausschließlich für die Verteidigung unterhält und eine Sicherheits- und Verteidigungspolitik verfolgt, die auf Kriegsverhinderung oder Kriegsverhütung ausgerichtet ist.

Unbestritten ist, daß es nicht militärische Mittel allein sind, die die Sicherheit vor äußerer Gewalt gewährleisten. Völkerrechtliche Vereinbarungen, Gewaltverzichtserklärungen, Rüstungsbegrenzungsverträge, vertrauensbildende Maßnahmen, wirtschaftliche Kooperation können Spannungen abbauen und damit die Wahrscheinlichkeit militärischer Auseinandersetzungen mindern.

Bei der Entscheidung, welche militärischen Mittel und Kräfte dem Ziel der *Friedenssicherung* unter den gegenwärtigen, politischen Gegebenheiten am wirkungsvollsten dienen, muß die Bundesrepublik von der Bedrohung ausgehen, die ihr Staatswesen und ihre Bürger betrifft. Und diese kann nur von der Macht in Europa ausgehen, in der die *Menschenrechte,* die *Freiheit des einzelnen,* die *Demokratie* nicht oder unvollkommen verwirklicht sind. Dies ist die Sowjetunion — eine Nuklearmacht im militärstrategischen Sinne außerdem.

Zur Waffenentwicklung

Kriegsverhinderung kann heute und morgen im militärischen Bereich nur auf dem *Gleichgewicht der Kräfte* basieren.

Wie schwer auch immer in der Praxis die Mittel zur Herstellung oder Aufrechterhaltung des Gleichgewichts der Kräfte zu bestimmen sind, so sicher ist, daß gegenüber einer Nuklearmacht Nuklearwaffen auf der eigenen Seite unverzichtbar sind.

Festzuhalten bleibt, daß mit der „Erfindung" und Einführung von Nuklearwaffen und mit der Einführung von Kontinente übergreifenden Raketen eine radikale Veränderung im Bereich der Kriegsmittel eingetreten ist.

Zum ersten Male in der Geschichte der Menschheit können — *von jedem Ort* dieser Erde ausgehend — mit Hilfe von Raketenwaffen, Nuklearwaffen mit ihrer alles zerstörenden Kraft, *an jeden Ort* dieser Erde getragen werden. Dabei rechnet man eher in Minuten denn in Stunden.

Und dies alles kann passieren ohne sichtbare Warnung, ohne Veränderung der Tag für Tag gegebenen Dislozierungen der nuklearen Trägermittel und Nuklearwaffen.

Die Zerstörungskraft von Nuklearwaffen entzieht sich der Vorstellungskraft, sie ist so, daß sie menschliches Leben in Städten, ja in Regionen auszulöschen vermag. Und wer weiß, *wann* und *welche* Art von Leben in solchen Zonen nach einem Nukleareinsatz wieder möglich sein wird?

Unerläßlich muß und wird daher die Suche in der Politik sein, die Nuklearwaffen zu verbannen. Doch kann man einmal *Erfundenes, Entdecktes* aus dem Wissen von Menschen verbannen?

Für unsere Sicherheit gibt es daher für die vorhersehbare Zukunft nur einen praktischen Weg zur Friedenserhaltung und Kriegsverhinderung im Verhältnis der sozialistischen Staaten um die Sowjetunion und der freien, demokratischen Staaten des Westens, den Weg der Abschreckung.

Die NATO-Strategie der „flexible response" trägt dem Rechnung. Sie sagt nichts über den Umfang der benötigten Mittel, sie baut aber als Voraussetzung ihrer Wirksamkeit auf dem Prinzip des „Gleichgewichts der Kräfte" auf.

In diesem Beitrag beschränke ich mich auf die militärischen Aspekte. Welche Bedeutung dem „Gleichgewicht der Kräfte" zukommt, stellte Bundeskanzler Helmut Schmidt im November 1979 — also vor der Afghanistan-Besetzung — in einem Interview für die Beilage „Europa und die Welt" fest:

„Das Gleichgewicht der Kräfte ist unabdingbare Voraussetzung für eine wirksame, kontinuierliche, zuverlässige Friedenspolitik. Das heißt für den militärischen Bereich: Wenn das Gleichgewicht irgendwo gestört werden sollte, muß man es wiederherstellen.

Wenn Gleichgewicht besteht, muß man versuchen, es auf niedrigere Ebenen herunterzutransportieren, zu verringern; in beiderseitigem Einverständnis und, wenn es geht, in einem vertraglich kontrollierten Einverständnis.

Man muß die Gleichgewichtspolitik betreiben und zugleich die Friedenspolitik betreiben. Wenn man im internationalen strategischen Bereich Parität herstellt, dann kann man gefährliche Ungleichgewichte in anderen Bereichen wie dem euro-strategischen nicht bestehen lassen. Gleichgewicht ist auch eine regionalpolitische Kategorie, es ist nicht nur eine Vorstellung, die sich an bestimmte Waffengattungen heftet."

Hier ein weiterer wesentlicher Punkt zur Friedenssicherung durch Abschreckung: Wenn Nuklearwaffen mit ihrer Zerstörungskraft von jedem Platz der Erde an jeden Platz der Erde mit absoluter Genauigkeit in Minuten Vernichtung tragen können, dann heißt das, daß mit der Einführung dieser Waffen der Zustand für die Abwehr dementsprechend anzupassen ist. Deshalb ist ein ständiger Zustand der Abwehr- und Verteidigungsbereitschaft, ein „readiness-Zustand", zu fordern. Ein „Zurück" — auch über Abkommen — in einen Zustand militärischer Verhaltensweisen wie bis zum Zweiten Weltkrieg ist solange, wie diese beiden Kriegsmittel im Spektrum der Waffen dominieren, nicht mehr gegeben. Dem hat jede militärische Strategie Rechnung zu tragen.

Die NATO folgt diesem Grundprinzip mit dem

„Bereithalten", der „Präsenz" integrierter Hauptquartiere und Streitkräfte im Verbund der TRIADE, nämlich

— der strategischen Nuklearwaffen,

— der Theater Nuclear Forces (TNF) und

— der konventionellen Streitkräfte.

Die Allianz folgt seit 1967 mit ihrer Strategie der „flexiblen" Abschreckung diesem Prinzip, indem sie jedem Angreifer gegen einen oder mehrere NATO-Mitgliedsstaaten androht, auf jede von einem Aggressor gewählte Aggressionsform in angemessener Weise zu reagieren — auf der vom Aggressor gewählten Stufe oder durch Eskalation des Konflikts. Und dies im Rahmen der Vorneverteidigung, d. h. unmittelbar an den Grenzen der NATO-Staaten und unter Einschluß der gesamten Staatsgebiete. Die Fähigkeit, jeden Angriff mit gleichartigen Mitteln abwehren zu können oder zu eskalieren, gegen einen konventionellen Angriff mit konventionellen Mitteln zu verteidigen oder/und in den Nuklearbereich zu eskalieren, auf eine nukleare Reaktion entsprechend nuklear zu reagieren oder auch mit dem Einsatz aller Nuklearmittel, verweigert dem Angreifer jeden militärischen und politischen Erfolg. Die Verluste an Menschen und Gütern wären unvorstellbar, ein absolut untragbares Risiko für jede Staatsführung. Und dieses Risiko muß für jede Stufe der Mittel gelten, die der Angreifer wählt.

Diese unvorstellbare und im letzten unkontrollierbare Zerstörungs- und Vernichtungskraft der Nuklearwaffen begründet zwei Folgerungen:

— Ein Krieg zwischen Nuklearmächten und ihren Verbündeten ist nicht mehr „führbar", er hinterließe nicht mehr einen „Sieger".

— Nur der Besitz von Nuklearwaffen in der Hand der Vereinigten Staaten von Amerika gibt den USA und den mit ihr verbündeten Staaten wirksame Mittel zur Kriegsverhinderung gegenüber jedem Aggressor, wirksame Mittel gegenüber politischer Pression durch Waffenbesitz oder Waffendrohung im Rahmen des *Gleichgewichts der Kräfte*.

Zur Rolle der Nuklearwaffen

Jede Überlegung zur Verteidigungs- und Sicherheitspolitik, jede Strategie hat die Existenz von Nuklearwaffen oder die Möglichkeit, Nuklearwaffen mit Kriegsbeginn zu produzieren, einzubeziehen. Dies gilt zumindest für Staaten im Einwirkungsbereich von Nuklearmächten oder Staaten mit der Fähigkeit, Nuklearwaffen herzustellen.

Die Zerstörungs-, ja Vernichtungskraft von Nuklearwaffen hat keine vergleichbaren Parallelen im Bereich der bisher bekannten, sogenannten „konventionellen Waffen", wie sehr auch immer ihre Zerstörungskraft gesteigert wurde. Der Einsatz von Nuklearwaffen ist letztlich nicht „kontrollierbar". Dies gilt sowohl für die unmittelbaren und mittelbaren Folgen auf Menschen und Sachen, dies gilt aber genauso für politische und militärische Entscheidungs- und Befehlszentren mit ihren unverzichtbaren Kommunikationssystemen. An diesen Gegebenheiten wird sich nach meiner Auffassung in den vor uns liegenden zwei Jahrzehnten keine wesentliche Änderung ergeben.

Um Mißverständnisse auszuschließen, sei ganz präzise gesagt, daß man mit einem großen Grad an Genauigkeit die Schadenswerte auch eines einzelnen Nuklearsprengkörpers bestimmter Größe an einem bestimmten Ziel — sei dies nun ein militärischer Truppenverband, eine militärische Einrichtung, eine Stadt oder Industrieanlage — vorherbestimmen kann. Dies gilt auch noch für eine begrenzte Zahl von Nuklearsprengkörpern begrenzter Werte in festgelegter Zeitfolge.

Dies gilt nicht für den Einsatz einer größeren Zahl von Nuklearsprengkörpern. Dort beginnt — sehr einfach ausgedrückt — die Unberechenbarkeit des Schadens, die Vernichtung von Menschen und die Zerstörung von Gütern. Und Unberechenbarkeit heißt, daß keiner mehr vorher bestimmen kann, welchen Zugewinn für sein Land durch den Einsatz von Nuklearsprengkörpern die militärischen Mittel im Kriege erzielen könnten. Im Gegenteil, in Ost wie West weiß man, daß ein Krieg mit Nuklearwaffeneinsatz unvorstellbare Verluste sowohl beim Angegriffenen wie beim Angreifer zur Folge hat und das Wesen des Staates und Volkes in seinem Kern bedroht ist. Krieg *garantiert* keine Beschränkung des Einsatzes von Waffen, auch nicht von Atomwaffen. Auch die Ächtung bestimmter Waffen oder der Massenvernichtungswaffen ist keine *Garantie* für ihre Nichtanwendung. Deshalb schließt der Besitz von Nuklearwaffen zusammen mit den konventionellen Machtmitteln die Führbarkeit eines Krieges zwischen den Vereinigten Staaten von Amerika und der Sowjetunion mit ihren Verbündeten in der NATO und dem Warschauer Pakt aus.

Carl Friedrich von Weizsäcker führt in seiner Einleitung zu „Kriegsfolgen und Kriegsverhütung" aus:

„Wer eine wissenschaftliche Untersuchung über Folgen eines möglichen zukünftigen, atomar geführten Krieges in unserem Lande vorlegt, der muß zunächst davon Rechenschaft geben, was ihn zur Wahl eines so grauenhaften Themas veranlaßt hat. Er kann dafür nur eine Rechtfertigung finden: Die Hoffnung, durch seine Arbeit dazu beizutragen, daß das Unglück, das er beschreibt, verhindert werde."

Dies gilt auch für die Autoren dieses Buches.

Von Weizsäcker fährt fort:

„Unsere Arbeit ist jedoch über eine bloße Schadensschätzung sehr weit hinausgewachsen. Dafür waren zwei Gründe maßgebend:

1. erwies sich rasch, daß eine Schadensabschätzung überhaupt unmöglich ist, ohne gewisse Annahmen über die politischen Ziele, die die kriegführenden Parteien verfolgen. Der Schaden hängt ab von Art, Menge und

Ort der eingesetzten Waffen. Dieser Einsatz ist bestimmt durch die Strategie, die die Kriegführenden wählen. Welche Strategie sie wählen, wird aber auch von ihren politischen Zielen abhängen. Zwar haben wir versucht, von Annahmen über diese Ziele dadurch so unabhängig wie möglich zu werden, daß wir das ganze Feld des militärisch-technisch möglichen Waffeneinsatzes durch formale Variation gewisser Parameter überdecken. Es zeigt sich aber, daß der Spielraum der möglichen Kriegsfolgen, die wir dann zu erwägen haben, von verhältnismäßig unbedeutenden Schäden bis an die Auslöschung allen Lebens in unserem Lande reicht; damit bleibt für eine realistische Überlegung die Frage, welche Art des Waffeneinsatzes in einem Krieg wirklich gewählt würde, doch unerläßlich. Zu dieser politischen Erwägung muß eine wirtschaftliche und medizinische treten. Es kommt nicht darauf an, welches Maß an Schäden am Ende bestimmter Kriegshandlungen eingetreten ist, sondern vor allem auch darauf, ob unser Land sich aus einem derartigen Zustand wirtschaftlich würde wieder erholen können oder ob es an den Nachwirkungen der Schäden — Hunger, Krankheiten, Zerstörung der Produktionsmittel, Desorganisation — nachträglich noch zugrunde gehen würde.

2. Ein zweiter Grund für die Ausweitung der Untersuchung über eine bloße Schadensanalyse hinaus erwies sich für uns im Fortschritt der Arbeit als ebenso zwingend und noch bedeutsamer als der erste. Man bringt es, wenn man sich als Staatsbürger für das Wohl des Ganzen mitverantwortlich fühlt, nicht über sich, bloß mögliche Schäden auszusprechen und als Material für sicherheitspolitische Diskussionen anzubieten. Man kann nicht umhin, sich selbst die Frage zu stellen, was getan werden kann, um ein so großes Unglück zu verhindern oder doch weniger wahrscheinlich zu machen. Eine Studie über Kriegsfolgen führt mit menschlicher Zwangsläufigkeit weiter zu einer Studie über Kriegsverhütung. Hiermit aber weitet sich notwendigerweise der politische Horizont. Ob ein Krieg in unserem Lande verhütet werden kann, hängt heutzutage nur in begrenztem Maße von den Verhältnissen in eben diesem, unserem Lande ab.

Hierbei ist auch der Begriff der Zerstörung oder Auslöschung noch aufzugliedern. In der amerikanischen Abschreckungsstrategie spielt der Begriff des Überlebens als lebensfähige Industriegesellschaft eine wichtige Rolle. Man geht davon aus, daß ein moderner Industriestaat schon dann von einer bestimmten Handlung abgeschreckt werden kann, wenn ihm als „Strafe" für diese Handlung die Zerstörung als lebensfähige Industriegesellschaft droht, selbst wenn keineswegs alle Menschen getötet würden oder die Bestellbarkeit der Äcker vernichtet wäre. Man schätzt, daß die amerikanische wie die sowjetische Industrienation nicht als solche überleben kann, wenn sie mehr als 20 bis 25 Prozent ihrer Bevölkerung und 50 Prozent der Industriekapazität verliert.

Unsere Studie über den wirtschaftlichen Wiederaufbau hat uns zu der Auffassung geführt, daß dies nicht so sehr an den quantitativen Verlusten liegt, außer in gewissen Schlüsselindustrien, sondern primär an einem Zusammenbruch des Organisationsnetzes. Eine so schwer getroffene Gesellschaft wird nicht mehr mit unverletzten Gesellschaften konkurrieren und sich ohne deren aktive Hilfe auch nicht selbst wiederherstellen können. Sie wird ebensowenig in eine moderne konkurrenzfähige Agrargesellschaft überführt werden können. Wenn sie in einen Zustand bloßer Subsistenzwirtschaft zurücksinkt, so wird sie vermutlich nicht einmal alle Überlebenden ernähren können. Selbstverständlich ist all dies in hohem Grade hypothetisch. Doch darf man annehmen, daß die genannten Verlust-Prozentzahlen etwa dasjenige Risiko bezeichnen, das keine der beiden Weltmächte heute zu laufen bereit ist" [1].

Der amerikanische Radiologe und Harvard-Professor Herbert Abrams stellt in einem Beitrag zum „New England Journal of Medicine" fest, daß von etwa 60 Millionen Amerikanern, die wahrscheinlich einen Nuklearkrieg ohne schwere Verwundungen oder die gefährliche Strahlenbelastung überleben würden, bis zu 15 Millionen durch Infektion und die Ausbreitung ansteckender Krankheiten binnen kürzester Zeit sterben würden.

Dies führe ich an, um zu zeigen, daß in Ost und West soviel Wissen um die furchtbare Vernichtungskraft der Nuklearwaffen besteht, daß jeder Verantwortung Tragende die *Führbarkeit eines Krieges* mit Atomwaffen ausschließt.

Übrig bleibt die Bestimmung ihrer Rolle zur *Kriegsverhinderung* und der Mittel, die Eskalation nach Ausbruch eines Krieges mit dem ausschließlichen Ziel der schnellen Beendigung eines Krieges, um die Opfer, vor allem von Menschen, aber auch die Verluste an Gütern so gering wie möglich zu halten.

Diesem Grundgedanken dient die Strategie der NATO, die „flexible response". Ihr Ziel ist *Kriegsverhinderung*. Militärische Mittel zur Implementierung dieser Strategie sind sowohl Nuklearwaffen als auch konventionelle Kräfte. Beide sind unverzichtbar.

Strategische Nuklearwaffen

Die strategischen Nuklearwaffen sind und bleiben Rückgrat und Kern der Waffensysteme der TRIADE zur Ausfüllung der Strategie der „flexible response", der Strategie zur Verhinderung eines Krieges zwischen

NATO und Warschauer Pakt. Sie werden von den USA bereitgestellt und präsent gehalten. Sie bilden das Arsenal umfassender Zerstörungskraft. Sie sind daher unverzichtbares Abschreckungsinstrument im Rahmen der jetzt gültigen Strategie der „flexible response", genauso wie sie es im Rahmen der Strategie der „massive retaliation" waren. Doch mit dem wesentlichen Unterschied gegenüber der Geltungsdauer der überholten Strategie, daß Art und Zahl des Arsenals strategischer Nuklearsysteme durch die Verträge SALT I und II festgelegt sind und der Forderung nach dem „Gleichgewicht der Kräfte" durch Parität entsprechen. Hier ist ein ausreichend verifizierbares Abkommen im Rüstungsbereich getroffen worden, das von außerordentlicher politischer Bedeutung ist: Es anerkennt die Gleichheit, die Ebenbürtigkeit von USA und UdSSR in diesem überragenden Bereich militärischer Machtmittel. Die Dekaden dominierenden Vereinigten Staaten von Amerika haben mit diesem Vertrag zwei entscheidende Feststellungen getroffen:

1. Das Anerkenntnis der Sowjetunion als gleichwertiger Supermacht.

2. Das Anerkenntnis, daß Nuklearwaffen bei Gleichwertigkeit auf beiden Seiten ihre Verwendung zur Führung von Kriegen ausschließen.

Zu diesen „strategischen Nuklearwaffen" zählen landgestützte Raketensysteme, luftgestützte und seegestützte Systeme, mit denen vor allem eine Nuklearmacht der anderen Nuklearmacht solche Verluste an Menschen zuzufügen imstande ist, daß diese Verluste zusammen mit den gewaltigen Zerstörungen an Städten und Industrieanlagen, Vorräten und Verteileinrichtungen, Energieanlagen, zivilen und militärischen Kommando- und Fernmeldeeinrichtungen, das Staatswesen, die Nation so treffen, daß der so getroffene Staat zumindest für eine längere Zeit nicht mehr als geordnetes Staatswesen funktionieren kann. Zumindest soll die Fortführung des Krieges unmöglich gemacht werden.

In keinem Fall ist etwa die Ausrottung, die Vernichtung der Völker selbst Ziel dieser von den Vereinigten Staaten von Amerika wie von der UdSSR durch SALT I und II akzeptierten Nuklearrüstungen.

Gegen diese Nuklearwaffen gibt es gegenwärtig und für die überschaubare Zukunft keinen aktiven und passiven Schutz, abgesehen von denkbaren Vorkehrungen zur Schadensminderung. Keine dieser Vorkehrungen kann aber die Zerstörung des Staatsgefüges verhindern.

In dieser Zerstörungskraft und Zerstörungsdrohung liegt die Wahrscheinlichkeit, wenn nicht „Sicherheit" begründet, daß eine Nuklearmacht mit ihren Verbündeten nicht die andere Nuklearmacht mit ihren Verbündeten mit Krieg überzieht.

Die SALT-Verträge anerkennen die „Parität", das vollständige Gleichgewicht bei den „strategischen Nuklearsystemen" und begrenzen gleichzeitig die Stationierung von Raketenabwehrsystemen (ABM). Damit kommt der Verzicht auf eine Erstschlagskapazität zum Ausdruck, die Fähigkeit nämlich, die es einer Seite erlauben würde, durch den Ersteinsatz ihrer strategischen Nuklearwaffen alle oder so viele strategische Nuklearwaffen der anderen Seite, der Angegriffenen, zu vernichten, daß dem Angegriffenen die Fähigkeit zu einem zerstörerischen Gegenschlag auf den Angreifer genommen wird.

Die Mittel der strategischen Nuklearwaffensysteme haben dieser Aufgabe gerecht zu werden. Sie müssen einerseits diese ungeheure, erforderliche Zerstörungskraft und Überlebensfähigkeit besitzen, und sie müssen gleichzeitig so beschaffen sein, daß durch sie allein oder im Verbund mit anderen militärischen Mitteln keine Dominanz des Westens oder der Vereinigten Staaten allein über die Sowjetunion und ihre Verbündeten aus Besitz und Fähigkeiten dieser Mittel abgeleitet werden kann. Dies gilt genauso im umgekehrten Verhältnis.

Ein solches Konzept muß bei aller Logik labil erscheinen. Es hebt ja nicht die Unterschiede der Wehrgeographie auf, noch die Verschiedenartigkeit der politischen Systeme mit ihren unterschiedlichen Wertvorstellungen.

Dieses Konzept läßt das weltweite Umfeld mit all seinen ständig wirkenden Einflüssen weitgehend unberücksichtigt. Konzepte und Strategie der „flexible response" sind zunächst und zuallererst auf das unmittelbare Verhältnis der USA zur UdSSR mit ihren NATO- und Warschauer Pakt-Verbündeten gerichtet. Darin liegen Begrenzung und Stärke.

Eine auf Kriegsverhinderung zielende Strategie erhält ihre endgültige Glaubwürdigkeit nur durch Annahme und Verhalten der anderen Seite.

Es gibt zahlreiche Hinweise dafür, daß die entscheidenden Kräfte in der Sowjetunion die Logik der NATO-Strategie akzeptieren.

Die SALT-Verträge sind Ausdruck, ja Bestätigung dafür, daß auch die Sowjetunion die Möglichkeit ausschließt, ein unter Einsatz strategischer Nuklearsysteme geführter Krieg könnte — im klassischen Sinne — „geführt" und daher „gewonnen" oder „verloren" werden.

Die SALT-Verträge akzeptieren das Prinzip *gegenseitiger* Zerstörungsfähigkeit. In SALT wird nämlich anerkannt, daß heute und in nächster Zukunft auf wirksame Abwehrwaffen gegen die strategischen Nuklearsysteme verzichtet werden muß. Die eigene, ungeheuer große Verwundbarkeit, der Tod von vielen Millionen eigener Bürger wird damit bewußt in Rechnung gestellt. Das tut *niemand,* der einen Krieg mit diesen Waffen führen will.

Unverzichtbar für die Zukunft ist, das Prinzip der Verwundbarkeit als Garant der Kriegsverhütung zu erhalten. Abwehrsysteme im Weltraum etwa stünden dem entgegen. Wirksame Abkommen für diesen Bereich sind daher zwingend. Eine Ausweitung der Teilhaberschaft an strategischen Nuklearwaffen über den jetzigen Zustand hinaus in West und Ost wäre ein Moment, das Instabilität und Unsicherheit hervorriefe. Jede Ausweitung ist daher abzulehnen.

Es bleibt noch nach der Zahl der notwendigen Nuklearwaffen für diesen Bereich zu fragen. Die in SALT I und II festgelegten Zahlen sind höher — nach meiner Auffassung — als für die oben geschilderte Zweckbestimmung der Kriegsverhinderung nötig. Deshalb streben maßgebliche Kreise im Westen Neuverhandlungen zwischen den USA und der UdSSR an. Sie werden im Frühjahr 1982 beginnen. Amerikanische und einige NATO-Offizielle sprechen von START, Strategic Arms Reduction Talks. Das Wort „Reduzierung" ist wichtig. Ich bin überzeugt, in einem neuen Abkommen wird eine kleinere Zahl strategischer Nuklearwaffen festgeschrieben werden als in den SALT-Abkommen. Meine Hoffnung ist, daß auch eine starke Begrenzung der Systemarten und neuer Entwicklungen vereinbart wird.

Doch jedes Abkommen hat dem *Prinzip des Gleichgewichts* der Kräfte zu folgen. Entwicklungen in den folgenden Bereichen beeinflussen daher START-Abkommen genauso wie die eigenen nationalen Verteidigungsleistungen.

Die regionalen Nuklearwaffen

Den zweiten Bereich der TRIADE der NATO bilden die Theater Nuclear Forces (TNF) in Europa. Nur sie erlauben — im strategischen Konzept mit den strategischen Nuklearwaffen und den konventionellen Kräften zur TRIADE verbunden — die notwendigen militärischen Reaktionen als wesentlichen Teil eines lückenlosen Waffenspektrums. Sie sind daher unverzichtbar für die Abschreckungsfähigkeit. Und nur sie ist es, die für die vorhersehbare Zeit Krieg von Europa fernhalten wird. Welche Art von Trägern und Waffen zu den TNF gehören sollten, richtet sich nach dem strategischen Konzept und dem Grundsatz des militärischen Gleichgewichts der Kräfte, wird also wesentlich von der Sowjetunion beeinflußt oder „mitbestimmt". Hier ist daher die Information aus einer Broschüre des Bundesministeriums der Verteidigung in Bonn vom 22. April 1980 interessant:

„Die nuklearen Mittelstreckenpotentiale blieben von den SALT-Verhandlungen ausgeschlossen. Die Sowjetunion verlangte zwar die Berücksichtigung der von ihr als strategische Bedrohung gesehenen amerikanischen Mittelstreckenwaffen in Europa. Amerikanische schwere Jagdbomber vom Typ F-111 waren Anfang der 70er Jahre in einer Stückzahl von rd. 65 Flugzeugen in Großbritannien stationiert worden, um abgestufte nukleare Reaktionen zwischen der Stufe taktischer und der Stufe international-strategischer Nuklearwaffen gemäß der Strategie der flexiblen Reaktion wählen zu können. Gleichzeitig lehnte die Sowjetunion aber Verhandlungen über ihre nuklearen Mittelstreckenwaffen in Europa mit dem Argument ab, daß diese Waffen amerikanisches Territorium nicht erreichen, mithin für die USA keine strategische Bedeutung haben."

Während die NATO mit dem LRTNF-Modernisierungs- und Rüstungskontrollbeschluß am 12. Dezember 1979 der Sowjetunion ein Angebot zu einer Begrenzung dieser Nuklearwaffen gemacht hat, hat die Sowjetunion die Erweiterung ihres nuklearen Arsenals fortgesetzt. Seit 1977 in der Einführung, bedrohen heute mehr als 250 Systeme SS-20 Europa. Die SS-20 übertrifft mit ihren 3-Sprengköpfen, ihrer Reichweite bis etwa 5 000 km, ihrer Zielgenauigkeit und ihrer Überlebensfähigkeit aufgrund ihrer Mobilität alle bisherigen russischen Mittelstreckensysteme. Systeme, die sogar ostwärts des Urals stationiert werden, stellen noch eine Bedrohung für Europa dar.

Hier bleibt nochmals festzustellen, daß TNF ein unverzichtbarer Bestandteil der NATO-TRIADE im Rahmen der Strategie der „flexible response" sind, nicht um einen Krieg führen zu können, sondern um jede Art von Krieg in Europa verhindern zu können, denn auch „konventionelle Waffen" bedeuten Tod und Zerstörung.

Von 1900 bis 1945 sind durch „konventionelle Waffen" mehr als 100 Millionen Menschen durch Kriegseinwirkungen ums Leben gekommen. Die Zahl der Toten in „konventionellen Kriegshandlungen" nach 1945 schätzt man auf mehr als 55 Millionen Menschen in der Welt. Keine Kriegstoten haben wir dagegen seit 1945 in Europa. Dies spricht auch für die Logik der geltenden NATO-Strategie, der ihr entsprechenden bereitgestellten militärischen Machtmittel und vor allem dem dadurch beeinflußten politischen Verkehr der Staaten in Europa und Nordamerika.

Die TNF haben zwei Aufgaben zu erfüllen:

Sie verbinden die Mittel der europäischen Allianzpartner sowie der USA und Kanadas in Europa mit den strategischen Nuklearsystemen der Vereinigten Staaten von Amerika zu einer unauflöslichen Einheit, einem Abschreckungsverbund. Sie manifestieren die gleiche Schutzgarantie für jeden NATO-Partner bei ähnlichem Risiko. Sie drohen dem potentiellen Angreifer an, auch bei Verwendung nur konventioneller Streitkräfte *selektiv* und *gezielt* Nuklearwaffen gegen ihn einzusetzen. Dies ist zwingend, denn ein konventioneller Krieg in Europa wäre für unser Land und Volk tödlich.

Für diese Abschreckung auch eines konventionellen Angriffs sind Nuklearwaffen nötig, die

— bis in die westlichen Militärbezirke der UdSSR reichen,

— mobil und überlebensfähig sind,

— zielgenau und in ihrer Wirkung begrenzt sind sowie

— mit großer Sicherheit die Luftverteidigung durchdringen können.

Das sind die zur Einführung ab 1983 vorgesehenen Pershing II und Cruise Missiles. Sie haben keine Erstschlagskapazität. Sie können nicht die russischen SS-20 ausschalten, das sollen sie auch nicht.

In letzter Zeit wurden vermehrt Forderungen in Westeuropa laut, Nuklearwaffen aus den Arsenalen der Westmächte aus Europa zu entfernen und zu verbannen. Verbunden damit ist häufig die Forderung nach Verhinderung eines Atomkrieges, besonders eines auf Europa begrenzten Atomkrieges. Diese Forderungen verkennen das oberste politische Ziel und Handeln unseres Staates. Die Sicherung des Friedens in Freiheit. Diesem Ziel haben sich alle Bundesregierungen ohne Unterschied verpflichtet gefühlt. Dieses Ziel fordert kategorisch die *Verhinderung jeder Art von Krieg.* Auf dieses Ziel sind alle militär-strategischen Planungen und Handlungen sowie Streitkräfte-Entscheidungen der Bundesrepublik Deutschland und der NATO ausgerichtet.

Im Warschauer Pakt sind bisher keine Hindernisse zu erkennen, auf TNF-Systeme zu verzichten. Im Gegenteil, neben den bekannten SS-20 rüsten die Sowjets seit kurzem ihre Streitkräfte in Mitteleuropa mit den modernen Nuklearsystemen SS-21, SS-22 und SS-23 aus. Ich vermag keine zwingende Notwendigkeit für dieses Rüstungsvorhaben zu erkennen. Dies gilt zunächst vom Standpunkt der Kriegsverhinderung aus gesehen. Ich vermag aber auch nicht zu sehen, daß die sowjetischen Streitmächte durch die Ausstattung mit diesen für Gefechtsfeldentfernungen geeigneten Nuklearsystemen eine Kriegsführungsfähigkeit gewinnen könnten. Hierhin gehört die Aussage von Generalsekretär Breschnew in „Der Spiegel" vom 2. November 1981:

„Spricht man aber vom Kern der Sache, kann es einen ‚begrenzten' Kernwaffenkrieg überhaupt nicht geben. Einmal ausgebrochen — in Europa oder anderswo —, würde ein Kernwaffenkrieg unvermeidlich und unabwendbar weltweiten Charakter annehmen. So ist nun einmal die Logik, die dem Krieg an sich und dem Charakter der heutigen Waffen und internationalen Beziehungen innewohnt. Das muß man klar sehen und begreifen."[2]

Aus meiner Sicht bleibt ein Widerspruch zwischen diesen Aussagen und der zur gleichen Zeit stattfindenden Ausrüstung sowjetischer Streitkräfte mit den genannten Nuklearsystemen. Dagegen besteht zwischen der Breschnew-Aussage und der NATO Übereinstimmung darüber, daß es keinen „begrenzten Krieg in Europa" geben kann, weder konventionell noch nuklear. Das schließen die unauflösliche Verzahnung von Streitkräften, Streitkräftemitteln und Waffenwirkung im Verbund der NATO-TRIADE genauso aus wie das Beistandsversprechen des NATO-Vertrages. Übereinstimmung zwischen Ost und West aber in der Unmöglichkeit der Führung eines auf Europa begrenzten Kernwaffenkrieges — und nur von dieser Art Krieg spricht Breschnew — sollte von der Logik her zur Möglichkeit einer erheblichen Reduzierung der TNF-Systeme in Europa auf beiden Seiten führen. Die Ende 1981 begonnenen Verhandlungen zwischen den USA und der UdSSR sind der erste folgerichtige Schritt in diesem Bereich.

Bisweilen wird gefragt, ob nicht die Einführung der Pershing II und Ground Launched Cruise Missiles (GLCM) einen begrenzten Krieg möglich mache. Diese Waffen, Pershing II und Cruise Missiles bedrohen Armee-Hauptquartiere, Flugplätze, Fernmeldezentralen, Verschiebebahnhöfe an der Spurwechselzone, alles Einrichtungen, die — wenn zerstört — auch den konventionellen Krieg zumindest erschweren. Dies sind die weitreichenden Atomwaffen des Westens in Europa. Diese Waffen sollen andere in der NATO ab 1983 ersetzen — insgesamt werden weniger Nuklearwaffen die Folge sein. 1000 haben die USA deshalb bereits mit unserer Zustimmung im Jahre 1980 abgezogen. Das sollte man zur Kenntnis nehmen und nicht übersehen. Diese Maßnahme ist Ausdruck sowohl des politischen als auch des militär-strategischen Zieles: Kriegsverhinderung auf einem niedrigen Rüstungsniveau. Bleibt die Frage nach den Verteidigungsmitteln für den Nahbereich, das Gefechtsfeld oder die „Front".

Ausreichende konventionelle Kräfte sind zwingend notwendig, aber auch die gleiche Zahl von Divisionen auf der NATO-Seite in Mitteleuropa allein schließt nicht aus, daß der potentielle Gegner den „Erfolg" mit militärischen Mitteln sucht oder versucht. Auch aus anderen als militärischen Gründen werden wir für lange Zeit noch die russische Überlegenheit des Warschauer Paktes im konventionellen Bereich anzunehmen haben.

Der Sowjets stärkstes Drohelement beim Heer ist der Kampfpanzer im Verbund mit mechanisierter Infanterie und gepanzerter Artillerie. Diese

Massen gepanzerter Kräfte sind eine Gefahr. Solange durch Verhandlungen keine Verringerung zu erreichen ist, ist durch Drohung mit militärischen Mitteln ihr Wert zu verringern. Und das tut besonders die Neutronenwaffe. Sie ist kein Ersatz für konventionelle Truppen und Waffen, die in jedem Falle zum Kampf gegen gepanzerte Angriffskräfte benötigt werden. Sie sind ein Abschreckungsmittel auch in dem konventionellen Bereich.

Die Neutronenwaffe ist und bleibt eine Atomwaffe. Ihr Einsatz muß auch für alle Zukunft politischer Entscheidung unterworfen bleiben. Die *Existenz* der Neutronenwaffe aber zwingt jeden Angreifer zum Umdenken. Die bloße Existenz ist eine permanente und immanente Bedrohung des Kampfpanzers auf dem Gefechtsfeld. Um den Wert des Kampfpanzers zu nutzen, muß er für erfolgversprechende Angriffsoperationen massiert eingesetzt werden, zusammen mit gepanzerter Infanterie und Artillerie. Und diese Massierung kann der Kommandeur von Angriffstruppen nicht mehr wagen, wenn jederzeit die Neutronenwaffe die Vernichtung für diese Kräfte bringen kann. Die Drohung, sie einzusetzen, ist glaubwürdiger als die mit jetzigen Atomwaffen. Die Neutronenwaffe hat keine Erstschlagskapazität. Man kann mit ihr nicht die sowjetischen Nuklearträger bedrohen. Das ist wichtig für eine Strategie der Kriegsverhinderung. Die Neutronenwaffe ist eindeutig eine Waffe zur Drohung oder zum Einsatz gegen massierte, konventionelle Angriffskräfte, aber nur nach *Kriegsbeginn*. Ihre Existenz schränkt die konventionelle Operationsfähigkeit erheblich ein; darin liegt ihr Wert zur Abschreckung und Kriegsverhinderung in einem bisher nicht gleichermaßen abgedeckten Bereich. Und dies wird die weitere Verringerung der Zahl der Nuklearwaffen in Europa zur Folge haben.

Die Rolle konventioneller Streitkräfte

Wenden wir uns nun den konventionellen Streitkräften zu, die den verbleibenden Teil der TRIADE zur Strategie der „flexible response" ausmachen. Die Notwendigkeit dieser Kräfte wird — nach meiner Auffassung — in der Öffentlichkeit nicht bestritten. Dagegen wird ihre Rolle im sicherheitspolitischen Konzept der Bundesrepublik Deutschland genauso unterschiedlich interpretiert wie ihre Rolle in der Strategie der „flexible response". Da wird häufig der Vorschlag gemacht, die konventionellen Streitkräfte in Europa zu vermehren, ihre Waffenwirkung so zu steigern, daß sie Nuklearkräfte in Europa ersetzen, eben überflüssig machen. Da werden Vorschläge gemacht, die Bundeswehr, besonders das deutsche Heer neu so zu strukturieren, daß es „flächendeckend" in einer „Raumverteidigung" die Bundesrepublik Deutschland verteidigen kann. Da werden Vorschläge gemacht, das „Gefecht" in eine Kette von „kleinen Gefechten", ja „Scharmützeln" aufzulösen durch „Techno-Kommandos" kleinerer Größe geführt, um so dem Gegner kein „Atom-Ziel" in Größe etwa einer Brigade zu bieten.

Manche dieser Ideen sind interessant, vom Standpunkt der *Führung des Gefechts* aus gesehen — also nach Ausbruch eines Krieges.

Diese Vorschläge haben aber diesen entscheidenden Nachteil: Sie sind kein Beitrag zu einer Strategie der Kriegsverhinderung zwischen NATO und Warschauer Pakt. Und das ist das entscheidende Kriterium. So bleibt zu fragen, welches sind denn die wesentlichen Kriterien, an denen Umfang, Bewaffnung, Struktur, Dislozierung der konventionellen Komponente der TRIADE zu messen sind?

Die Antwort:

a) Sie müssen genügen, um *jederzeit* — an jedem Tag des Jahres — Übergriffen unmittelbar an den Grenzen der NATO-Partner wirkungsvoll zu begegnen und die Zeit zur vollen Abwehrbereitschaft im Wege der Direktverteidigung zu gewährleisten.

b) Sie müssen stark genug sein, um — durch Verteidigung — Zeit zur Entscheidung von Mitteln und Umfang zur Eskalation zu gewinnen, — ohne den zu frühen — beinahe „automatischen" Zwang zum atomaren „Vergeltungsschlag".

Ziel der Eskalation ist die schnelle Beendigung eines Krieges, der Feindseligkeiten. Ziel ist somit, auch jeden „konventionellen Krieg" in Europa unter allen Umständen und mit allen Mitteln zu verhindern, denn auch diese Art Krieg wäre für unsere Zukunft in Europa tödlich.

Konventionelle Kräfte dienen eben *zusammen* mit den Theater Nuclear Forces (TNF) in Europa und den strategischen Nuklearwaffen der USA zuallererst dem obersten Ziele der Allianzstrategie: der Kriegsverhinderung.

Löste man den Verbund zu den Nuklearwaffen, gründete man die Sicherheit NATO-Europas etwa auf konventionelle Kräfte — wie stark auch immer — wäre die Führung eines Krieges wieder denkbar — und gerade das zu verhindern, ist Ziel der NATO-Strategie.

Besonders konventionelle Streitkräfte bedürfen daher — bereits im Frieden

— ständiger, integrierter Hauptquartiere;

— ständiger, möglichst integrierter Aufklärungsmittel;

— ständiger, möglichst integrierter Fernmeldemittel;

— ständiger, integrierter Luftverteidigungskräfte und

— solcher Heeresverbände, die unmittelbar an den Grenzen zu wirkungsvoller Verteidigung befähigt sind.

Diesen präsenten, schlagkräftigen Verbänden der „ersten Stunde" sind weitere Kräfte zur Seite zu stellen, die entweder schnell mobilisierbar sind oder/und als Verstärkungskräfte aus Übersee schon in Spannungszeiten nach Europa überführt werden — im Rahmen des Rapid Reinforcement Programme (RRP) der NATO etwa. Auf diese Kräfte zur Vorneverteidigung gilt es, sich voll zu konzentrieren. Strategie und Auftrag erfordern dies, ohne bei dem potentiellen Aggressor Zweifel aufkommen zu lassen, daß die NATO willens ist, in den Nuklearbereich zu eskalieren mit dem Ziel der schnellen Beendigung eines bewaffneten Konflikts, eines Krieges.

Der Verstärkung der präsenten, also im Frieden in einer Region bereits vorhandenen konventionellen Kräfte kommt doppelte Bedeutung zu: Mit der Verstärkung signalisiert die NATO ihre Entschlossenheit, sich gegen eine immanente militärische Bedrohung entschieden zur Wehr zu setzen. Mit dieser „Eskalation" vor einem Ausbruch von Feindseligkeiten verbindet sich die Absicht, den potentiellen Aggressor in letzter Minute zu veranlassen, vom Einsatz militärischer Machtmittel abzusehen. Dieser Verstärkung konventioneller Kräfte in einer Krise kommt zum Zwecke der Kriegsverhinderung *strategischer* Rang zu.

Die Verstärkung der konventionellen Kräfte erhöht die Verteidigungsfähigkeit in dem Moment des Ausbruchs von Feindseligkeiten. Erhöhte konventionelle Verteidigungsfähigkeit schafft einen größeren Entscheidungsspielraum über die Art und den Zeitpunkt des Einsatzes der Eskalationsmittel, um den militärischen Konflikt oder den Krieg zum frühestmöglichen Zeitpunkt und auf der niedrigsten Verluststufe zu beenden. Dieser Verstärkung konventioneller Kräfte kommt daher zum Zwecke der Kriegsbeendung *strategischer* Rang zu.

Abschließend bleibt festzuhalten, daß das Streben nach Macht und Einfluß, verbunden mit der jahrtausendealten Übung, militärische Machtmittel zur Regelung von Interessenkonflikten einzusetzen, weder durch die eingegangenen Verpflichtungen im Rahmen der Charta der Vereinten Nationen noch durch die Einsicht in die unvorstellbaren Zerstörungskräfte moderner Waffen die Gewalt aus dieser Welt verbannt. Zu unterschiedlich und kontrovers sind auch heute noch Lebensbedingungen und Lebensformen auf dieser Welt, als daß Gewaltfreiheit zwischen Staaten und Völkern als garantiert angesehen werden kann. So stellt das Kommuniqué der Ministertagung der Nordatlantikstaaten vom 4. und 5. Mai 1981 richtig fest: „Die Stärke und der Zusammenhalt der Allianz bleiben unerläßlich für die Gewährleistung der Sicherheit ihrer Mitglieder und damit für die Förderung stabiler internationaler Beziehungen."

Anmerkungen

1 Carl Friedrich von Weizsäcker: ,,Einleitung" zu ,,Kriegsfolgen und Kriegsverhütung", München 1971, Seite 4 f.
2 Der Spiegel, Nr. 45, vom 2. November 1981, Seite 37.

FRIEDHELM KRÜGER-SPRENGEL

Rüstung, Rüstungskontrolle und Dritte Welt

Die theologische Friedensdiskussion und Fachfragen der Rüstungskontrolle haben durch zunehmendes Problembewußtsein zum Thema Friedenswahrung einen erhöhten fachlichen wie politischen Stellenwert erhalten. Dies gilt unabhängig von der Frage, ob man in Einzelaktionen, wie der Bonner Friedensdemonstration, einen andauernden Prozeß sieht[1] oder eher eine Reaktion auf enttäuschte Erwartungen während der vergangenen Dekade der Entspannungspolitik.

Konfliktbezogene Veränderungen des internationalen Umfeldes und des nationalen Interesses werden in Europa aufmerksam registriert, weil mehr als drei Jahrzehnte relativer Stabilität und mehr als zehn Jahre Politik des Ausgleichs mit östlichen Nachbarstaaten einen Hintergrund und Vergleichsmaßstab bieten, wie er außerhalb Mitteleuropas nicht existiert. Diese Bewußtseinslage vor allem in der deutschen Öffentlichkeit führt zu der Frage, ob Friedenswahrung als gemeinsamer Nenner sowohl für Rüstung wie für Rüstungskontrolle und Abrüstung verstanden und betrachtet werden kann. Ein solcher minimaler Ausgangspunkt ist zwar nicht sehr aussagekräftig. Er erleichtert aber das Auffinden von Lösungen, die der Komplexität der Probleme von Rüstungskontrolle und Friedenswahrung angepaßt sind. Dies gilt auch für das Verhältnis zu den Ländern der Dritten Welt. Diese Gruppe von mehr als 130 Staaten läßt sich nicht mit einem einheitlichen Maßstab, sei es der der Ost-West-Konkurrenz, sei es der des Rüstungsexports, sei es der der Entwicklungshilfe in Kombination mit Rüstungskontrolle, messen. Differenzierte Ansätze und Lösungen sind nötig.

In Europa richten sich konkrete Fragen zu Frieden und Abrüstung darauf, ob die in den siebziger Jahren begonnenen Ost-West-Verhandlungen, wie die militärischen Aspekte der Konferenz über Sicherheit und Zusammenarbeit in Europa, die Wiener MBFR-Verhandlungen, die Mittelstreckenwaffenverhandlungen sowie die neu aufzunehmenden Gespräche über die Verminderungen strategischer Waffen in absehbarer Zeit zu Vertrauensbildung und Reduzierungsergebnissen führen oder ob für die europäischen Staaten vermehrter Verteidigungsaufwand auf längere Dauer hin unerläßlich bleibt. Weltweit steht die Frage an, ob die Zweite Abrüstungsdekade der Vereinten Nationen und die Zweite Sondergeneralversammlung der Vereinten Nationen für Abrüstung im Jahre 1982 das Verhalten der Staaten im Sinne Vertrauensbildung, Rüstungsbegrenzung und verstärkter friedlicher Kooperation beeinflussen kann.

Insgesamt ließe sich die gegenwärtige Unruhe in der Formel zusammenfassen: Ist das Thema Friedenssicherung und Friedenswahrung ein wirksamer Nenner, ein festes Bindeglied zwischen den Staaten, oder erschweren die als vorrangig angesehenen nationalen Interessen und das Streben nach Machteinfluß und Sicherheit die gute Absicht, das bonum commune, die Stabilität und das Erbe der gesamten Menschheit für die Zukunft zu bewahren? Eine klare Antwort dürfte in allgemeiner Form kaum zu geben sein. Aussagen über begrenzte internationale Materien und ihre Beziehung zur Friedenswahrung können aber Ansätze für eine die einzelnen Fachdisziplinen überschreitende Gesamteinschätzung liefern. Diesem begrenzten Zweck sollen die folgenden Überlegungen dienen.

Kritische Veränderungen im internationalen Umfeld

Die gegenwärtige internationale Lage bietet keine günstigen Aussichten für Rüstungskontrolle. Vergleicht man sie mit den Bedingungen zu Beginn der siebziger Jahre, so sind bei allen drei genannten Problembereichen der Rüstung, der Rüstungskontrolle und den Beziehungen der Industriestaaten zur Dritten Welt konfliktträchtige Veränderungen so deutlich, daß es dazu keiner Expertenbefragung bedürfte.

Was das Problembewußtsein zur Rüstung und Rüstungskontrolle betrifft, so haben Zahl und Intensität von Appellen, Demonstrationen und Aktionen für Abrüstung und gegen Kernwaffen in West-Europa vehement zugenommen. Vergleiche mit der Anti-Atom-Bewegung in den fünfziger und sechziger Jahren werden gezogen. Plakative Angaben aus internationalen Dokumentationen wie die jährlichen Weltrüstungsausgaben mit 500 Mrd. US-Dollar[2], die errechnete Sprengkraft von etlichen Tonnen TNT pro Kopf der Erdbevölkerung[3] oder die befürchtete Zahl von mehreren 100 Millionen Opfern im Falle eines Nuklearkrieges[4] hinterlassen nachhaltige Wirkung in der Öffentlichkeit, während die amtlichen oder wissenschaftlichen Analysen bemüht sind, der Kompliziertheit der Materie gerecht zu werden und häufig schon deshalb in ihren Ergebnissen weniger einprägsam bleiben[5].

Das wachsende Problembewußtsein wird durch ein rein formales und dialogorientiertes Bemühen in jahrelang andauernden, aber in der Sache erfolglosen Rüstungskontrollverhandlungen eher genährt als beruhigt. Hinzu kommt die Gefahr, daß die wenigen noch bestehenden Abkommen, z. B. der Weltraumvertrag oder der ABM-Vertrag, durch fortgeschrittene Rüstungstechnologien und deren Anwendung im Weltraum an Gewicht verlieren.

Ähnliches gilt für manche allgemeine Vergleiche zwischen Rüstungsaufwand und Entwicklungshilfe. Andere problematische internationale Umfeldveränderungen zeigen sich in der sich immer weiter öffnenden Schere zwischen Industrieländern und Entwicklungsländern oder in den bekannten Interessengegensätzen auf der Seerechtskonferenz der Vereinten Nationen, bei der bis zum September 1982 die Aufteilung der letzten hoheitsfreien Räume und Ressourcen der Erde entschieden wird. Der entscheidende Grundstein für eine künftige Weltwirtschaftsordnung dürfte in der Frage der Meeresnutzungsordnung de facto entschieden werden, noch ehe die auf der Nord-Süd-Konferenz im mexikanischen Cancun anvisierten Globalverhandlungen Ergebnisse haben können. Schließlich gilt es zu erkennen, daß es ein im Verteilungswettbewerb und in begrenzten bewaffneten Konflikten in der Dritten Welt sichtbares und originäres Bestreben gibt, mit militärischer Macht die eigenen Interessen wahrzunehmen. Der Wettbewerb von Ost und West um Rohstoffe und politischen Einfluß kann solche Konfliktlagen noch verschärfen[6].

Der Gesamteindruck aus der gegenwärtigen internationalen Lage geht dahin, daß weder in den traditionellen Bündnissen, die sich auf eine Verstärkung militärischer Machtmittel zur Wahrung des Gleichgewichts konzentrieren, noch in den Staaten der Dritten Welt ausreichende Bedingungen für eine durchschlagende Umschichtung von militärischen Rüstungen hin zu zivilen Projekten bestehen. Allerdings steigt die Erkenntnis, daß auf Dauer die Bereiche Rüstung, Rüstungskontrolle und Hilfe für die Dritte Welt nicht beziehungslos nebeneinander stehen können[7].

Rüstung und traditionelle Rüstungskontrolle

Wechselbeziehungen zwischen Rüstung und Rüstungskontrolle liegen in der Natur der Sache. Betrachtet man die traditionelle Rüstungskontrolle, wie sie in den Verträgen und Verhandlungen der letzten Jahrzehnte ihren Niederschlag gefunden hat[8], so liegt eine klare Bindung darin, daß bestimmtes Rüstungsverhalten verboten, bestimmte Rüstungsoptionen begrenzt oder militärische Verhaltensweisen eingeschränkt werden sollen. Diese allgemeine Wechselbeziehung ist evident, die Rüstungskonsequenzen sind jeweils im vereinbarten Vertrag definiert. Nicht erfaßte militärische Programme und Verhaltensweisen bleiben erlaubt, soweit sie nicht ausnahmsweise als unerlaubte Umgehung erfaßt werden. Es gilt aber im Grundsatz eine Regel-Ausnahme-Beziehung mit der Folge, daß eine verteidigungs- und interessenorientierte Rüstungspolitik das normale Verhalten, die Rüstungskontrolle eine mögliche Einschränkung im Einzelfall darstellt.

Weniger klar ist die Wechselbeziehung zwischen Rüstungsverhalten und Rüstungskontrolle mit Blick auf laufende Verhandlungen. Unterschiedliche Beziehungen sind möglich. Müssen oder sollen die Verhandlungsparteien hinsichtlich des Gegenstandes, z. B. der Truppenstärke, Zurückhaltung üben, um die Verhandlungsatmosphäre oder informelle vorbereitende Absprachen nicht zu verletzen? Oder dient es einem möglichen Verhandlungsergebnis besser, wenn parallel zu den Abrüstungsbemühungen die eigene militärische Stärke rein nach eigenen politischmilitärischen Kriterien bestimmt wird? Die Richtigkeit der einen oder anderen extremen These ist in absoluter Form schwer zu belegen. Für die Wechselbeziehung zwischen Rüstungskontrolle und Rüstung ist aber festzuhalten, daß zu traditioneller Rüstungskontrolle das Prinzip der Gegenseitigkeit gehört. Sowohl de facto-Zurückhaltung während der Verhandlungen wie vereinbarte Rüstungskontrollen sind auf Gegenseitigkeit ausgerichtet. Für einseitige Maßnahmen läßt sich eher eine negative Bilanz ziehen. Hierzu ließen sich die als einseitige Vorleistungen getroffenen Rüstungsentscheidungen der Carter-Administration über den Aufschub der Produktion des B 1-Bombers und der Neutronenwaffe anführen. Das Ausbleiben einer positiven Reaktion der anderen Seite bringt die aufgeschobenen Rüstungsentscheidungen nun nach einigen Jahren doch zur Durchführung. Als einseitige Verminderung der konventionellen Truppenstärke hat die Sowjetunion den einseitigen Abzug von 20.000 Mann und 1.000 Kampfpanzern und anderen Fahrzeugen aus der DDR am 6. Oktober 1979 angekündigt und die Durchführung zum 1. August 1980 mitgeteilt. Die zur gleichen Zeit angelaufenen Umstrukturierungsprogramme relativierten diese aus den Verhandlungserfahrungen bei MBFR strukturierte Maßnahme. Auch der im Gegenzug durchgeführte einseitige Abzug von 1.000 amerikanischen nuklearen Sprengköpfen hat auf östlicher Seite im Zusammenhang mit dem Doppelbeschluß der NATO vom Dezember 1979 eine überwiegend kritische Aufnahme gefunden.

Als Ergebnis der Erfahrungen läßt sich festhalten, daß einseitige Abrüstungs- oder Rüstungsbegrenzungsschritte schwerlich vereinbarte Rüstungskontrollen ersetzen können. Sie wären nur denkbar als Teil eines gegenseitig vereinbarten Gesamtprogramms, als „unechte" einseitige Schritte oder als Abbau klarer einseitiger Überlegenheiten. Einseitige Maßnahmen lassen sich schwer mit dem Prinzip der Erhaltung der unverminderten Sicherheit vereinbaren. Sie setzen als logischen Schritt entweder die Erkenntnis der eigenen militärischen Überlegenheit in bestimmten militärischen Kategorien oder den Willen und Verzicht auf eine bestimmte Marge eigener Stärke voraus. Der Verzicht auf militärische Überlegenheit war bereits Gegenstand der gemeinsamen deutsch-sowjetischen Erklärung vom 6. Mai 1978[9]. Dies hat die Sowjetunion nicht gehindert, ihre nukleare Überlegenheit bei den Mittelstreckenwaffen weiter auszubauen. Daraus erhellt, wie schwierig es bleiben dürfte, militärische Überlegenheiten durch einseitige Abrüstungsmaßnahmen international einzugestehen oder sogar tatsächlich abzubauen.

So wie es dem Westen bisher nicht gelungen ist, die Sowjetunion zu bewegen, bestimmte westliche einseitige Entscheidungen zu honorieren, so mußte andererseits die Sowjetunion erkennen, daß es nichts anderes als eine Garantie der Erfolglosigkeit von Verhandlungen bewirkt, wenn solche Rüstungskontrollvorschläge vorgelegt werden, die sich in einseitiger Weise nachteilig für den Westen auswirken würden[10]. Erfolgsaussichten — und das belegen die bisherigen Erfahrungen in- und außerhalb der Verhandlungen — haben daher nur gegenseitige und in den Wirkungen ausgewogene Rüstungskontrollschritte.

Zugunsten möglicher einseitiger Rüstungskontrollmaßnahmen werden aber nicht nur Gesichtspunkte des Abbaues bestehender Überlegenheiten oder der Zweckmäßigkeit von Vorleistungen angeführt. Es wird mit Blick auf erfolglose Verhandlungen auf die Chance hingewiesen, den Rüstungswettbewerb zu unterbrechen. Erfahrungsgemäß löst jede Veränderung im Rüstungsspektrum einer Seite Gegenschritte der anderen Seite aus. Um diesen Kreislauf zu durchbrechen, signalisiert der NATO-Doppelbeschluß[11] der anderen Seite einen neuen Ansatz. Es wird vor Einführung neuer Waffen eine Information über Typ, Zahl und andere militärische Kriterien gegeben und die Implementierung des Rüstungsbeschlusses von Verhandlungen abhängig gemacht. Ein solches Herangehen wird — sofern die Sowjetunion es nicht nur formal, sondern auch in der Substanz für sich akzeptiert, in Zukunft Rüstungskontrollvereinbarungen erleichtern. Im Konzept ist ein solches Herangehen konform zu anderen rüstungsrelevanten internationalen Regeln[12].

Ohne die Problematik einseitiger Rüstungskontrolle zu erschöpfen, verdient ein weiterer Aspekt bedacht zu werden. Der in den westlichen Staaten im letzten Jahrzehnt angewachsene wirtschaftliche Druck erfaßt zunehmend die Verteidigungsausgaben. Für die Bundesrepublik Deutschland mit einer Wehrpflichtarmee kommen Schwankungen im Personalaufkommen hinzu. Solche wirtschaftlichen und innenpolitischen Zwänge könnten für sich genommen Anlaß geben, militärische Ausgaben und den Personalumfang der Streitkräfte zu vermindern. Unterstellt man, solche

innenpolitischen Zwänge würden, wie dies am Beispiel der Reduzierungs-
vorschläge für amerikanische Stationierungstruppen in Europa zu Beginn
der MBFR-Verhandlungen zu belegen wäre, bei der Abwägung der Ge-
samtbelange Wirksamkeit erlangen, so stellt sich die Frage, ob es prinzipiell richtig ist, für ohnehin einseitig notwendige Verminderungsschritte
einen sicherheitspolitischen Bonus von der anderen Seite abzuhandeln.
Die Komplexität von Rüstungskontrollverhandlungen läßt hier eine allge-
meingültige Lösung nicht zu. Verhandlungstaktisch wird man die Gegen-
seite kaum dazu veranlassen können, die eigenen innenpolitischen Probleme in einem Abkommen mit substantiellen Gegenleistungen zu honorieren. Die Gegenleistungen wären unter Umständen in versteckter Form auf
anderen Gebieten, z. B. erhöhte Einflußmöglichkeiten oder Kontrollbe-
dingungen, zu erbringen. Die äußere Gestaltung wäre für den substantiellen Gehalt einer Vereinbarung nur wenig aussagekräftig. Dem Interesse
an klaren Vereinbarungen und berechenbaren internationalen Beziehungen ist deshalb im Ergebnis besser gedient, wenn nachteilige Entscheidungen, die aus innenpolitischen oder wirtschaftlichen Gründen zu treffen
wären, außerhalb von Rüstungskontrollverhandlungen implementiert
würden. Die Erkenntnis der tatsächlichen Zwänge und deren offenes Eingeständnis würde im übrigen einer falschen Einschätzung der eigenen Sicherheit vorbeugen. Schließlich darf die Diskussion einseitiger Rüstungskontrollmaßnahmen nicht den Blick dafür verstellen, daß die traditionelle
Rüstungskontrollpolitik inzwischen ein breites Instrumentarium an Rüstungskontrollvereinbarungen geschaffen hat. Es wird ergänzt durch einen fest installierten Dialog in verschiedenen Verhandlungsformen. Diese
permanente Infrastruktur ist Voraussetzung für künftige substantielle
Verhandlungserfolge. Dabei bestehen gegenwärtig relativ günstige Erfolgsaussichten für vertrauensbildende Maßnahmen weltweit und in Europa wie Manöverankündigung, Beobachteraustausch sowie Austausch
militärischer Daten und Informationen.

Konventionelle Rüstungskontrolle in der Dritten Welt

Obwohl die im Jahre 1978 auf der ersten Sondergeneralversammlung
für Abrüstung von der Bundesregierung vorgeschlagenen vertrauensbildenden Maßnahmen allgemeine Unterstützung gefunden haben[13] und vertrauensbildende Maßnahmen auf weltweite geographische Ausweitung
hin angelegt sind, ist für die etwa 130 Staaten der Dritten Welt jede Aussage und Bestandsaufnahme über Rüstungskontrolle mit mehr Unsicherheit behaftet als dies nach einem Jahrzehnt von Verhandlungen in Europa

der Fall ist. Während es für Kernwaffen mit dem Vertrag über die Nicht-
weitergabe von Kernwaffen[14] eine gemeinsame Grundlage für Rüstungskontrolle zwischen Industriestaaten und Staaten der Dritten Welt gibt, ist
die konventionelle Rüstungskontrolle in der Dritten Welt nicht einmal in
Ansätzen erkennbar. Dieser Befund überrascht angesichts der unterschiedlichen Ausgangslage nicht.

Während für die westlichen und östlichen Industriestaaten ein etablier-
tes Niveau von Streitkräften und Rüstungen eine Grundlage für Rüstungskontrolle darstellt, sehen zahlreiche Staaten der Dritten Welt die
Etablierung einer modern ausgerüsteten Armee als das dringende und ihr
eigentliches Sicherheitsbedürfnis an. Rüstungskontrolle scheint hier ebenso wie noch vor wenigen Jahrzehnten in Europa vom Erreichen eines Sät-
tigungsgrades an Streitkräften und Waffen abhängig zu sein. Nicht Rüstungsbegrenzung oder -verminderung, sondern der Transfer von konventionellen Waffen und Produktionsanlagen sowie die Übertragung entsprechender Lizenzen ist das offen ausgesprochene Interesse zahlreicher
Staaten der Dritten Welt[15]. Einschlägige internationale Trends belegen
diese Erkenntnis. Rüstungsexport und militärische Ausbildungshilfe waren stets ein normaler Bestandteil der internationalen Beziehungen. Ohne
Unterstützung durch Industrienationen können modern ausgerüstete
Streitkräfte in der Dritten Welt weder aufgestellt noch auf Dauer unter-
halten werden.

Von Fällen konkurrierender Waffenlieferungen und einer deklaratori-
schen Verzichterklärung lateinamerikanischer Staaten auf Offensivwaffen im Jahre 1974 abgesehen, hat es innerhalb der Dritten Welt keine konkreten Initiativen gegeben, den geschilderten Zustand — etwa durch kollektive Importbeschränkungen für Rüstung — zu ändern. Bisherige Ansätze zur Rüstungskontrolle in der Dritten Welt beziehen sich vielmehr
auf die Unterzeichnung oder Ratifikation von abrüstungsrechtlichen
Übereinkommen, die weltweit gelten und damit auch die Dritte Welt formal Beschränkungen unterwerfen. In ihrer Verpflichtungssubstanz bleiben diese Verträge für die Staaten der Dritten Welt noch auf lange Zeit
ohne Belang. Hierunter fallen beispielsweise das Verbot der Stationierung
von Massenvernichtungswaffen im Weltraum und auf dem Meeresboden,
das Verbot der Herstellung, Lagerung und Anwendung biologischer Waffen sowie das Verbot der Umweltkriegführung. Einige neuere Abkommen
wie die im Jahre 1977 unterzeichneten beiden Zusatzprotokolle zu den
vier Genfer Abkommen vom 12. August 1949 und das Waffenüberein-
kommen vom 10. Oktober 1980 begründen zwar konkrete militärische
und rüstungskontrollpolitische Pflichten, die auch die Dritte Welt bela-

sten. Allerdings bleiben die meisten dieser Pflichten auf die Kriegsmittel und Kriegsmethoden bezogen, setzen also wiederum das Bestehen regulärer Streitkräfte voraus. So werden Abkommen des humanitären Kriegsvölkerrechts eher als Beleg dafür verstanden, daß Streitkräfte ein Statussymbol normaler internationaler Beziehungen darstellen. An dem Vorrang, dem der Aufbau solcher Streitkräfte vor der Rüstungskontrolle gegeben wird, vermögen sie nichts zu ändern.

Eine erste Initiative für Gespräche über die Beschränkung von Rüstungsexporten ging vor einigen Jahren von amerikanischer Seite aus. Die amerikanisch-sowjetischen Kontakte kamen aber über erste Sondierungen nicht hinaus.

Angesichts dieser Interessenlage konzentrierten sich rüstungspolitische Initiativen der Dritten Welt auf die Verminderung der Militärpotentiale der Industriestaaten, insbesondere auf nukleare Abrüstung. Die Staaten der Dritten Welt teilen die Staaten mit Blick auf die abrüstungspolitische Verantwortlichkeit in Kernwaffenstaaten, andere militärisch bedeutsame Staaten und übrige Staaten auf[16]. Sie reihen sich selbst in die dritte Kategorie der übrigen Staaten ein, für die Rüstungskontrolle ein nachrangiges Problem ist. Trotz dieser ungünstigen Voraussetzungen können die Industriestaaten nicht davon abgehen, darzulegen, daß Rüstungskontrolle auch für die 130 Staaten der Dritten Welt kulturell, wirtschaftlich und militärisch sinnvoll ist. Rüstungskontrolle kann auch in der Dritten Welt Militärpotentiale begrenzen, die Stabilität in verschiedenen Regionen erhöhen sowie eine Umschichtung der Ressourcen von militärischen auf zivile Projekte vorbereiten.

Stabilisierende und vertrauensbildende Maßnahmen können darüber hinaus Anreize zu weiterer Aufrüstung dämpfen.

Weit wirksamer als jede Rüstungskontrolle in den Staaten der Dritten Welt wären internationale Vereinbarungen über den Rüstungsexport. Diese Beschränkung des Rüstungsexports hängt aber davon ab, daß sich konkurrierende Lieferstaaten in Ost und West auf bestimmte Kriterien einigen. Eine solche Einigung braucht angesichts des Stillstandes der ersten Gespräche über Rüstungsexport noch Zeit. Sie wird außerdem durch Bedenken von Staaten der Dritten Welt selbst erschwert. Diese haben sich bereits im Vorfeld des Rüstungsexports den Bemühungen um zentrale Registrierung konventioneller Rüstungstransfers in den Vereinten Nationen widersetzt[17].

Nationale Rüstungspolitik und internationale Sicherheit

Somit bleibt die Hauptverantwortung für weltweite wie regionale Rüstungskontrolle bei den Industriestaaten, den traditionellen Akteuren der Rüstungskontrolle. Ihnen aber wird zunehmend das Rüsten an sich, die Teilnahme am Wettrüsten[18] oder das Prinzip der nuklearen Abschreckung[19] zum Vorwurf gemacht.

Besorgnisse über die mögliche in den nächsten Jahren steigende Kriegsgefahr werden von östlichen Diplomaten[20], westlichen Friedensforschern[21] und Schriftstellern[22] zunehmend dargelegt. Demgegenüber sollte nicht übersehen werden, daß Rüstungsbemühungen nicht die Ursache, sondern die Folge bestehender internationaler Spannungen sind. Folgende Faktoren haben für die gegenwärtig in Ost, West und weltweit zu beobachtende Phase gesteigerter Rüstung symptomatischen Charakter: die expansive, auf internationale militärische Demonstration abgestützte Politik der Sowjetunion, die neue amerikanische Politik des Gegengewichts und der geographischen Eindämmung der Sowjetunion, Energieverteuerung, allgemeine Verschlechterung der Wirtschaftslage in den Industriestaaten, Konflikte in der Dritten Welt und neue Probleme in bezug auf die Weltwirtschaftsordnung einschließlich der Aufteilung der Rohstoffe der See und des Meeresbodens.

a) Sowjetische Rüstungspolitik

Die Sowjetunion hat vornehmlich in den beiden letzten Jahrzehnten eine stete, langangelegte Aufrüstungspolitik betrieben, die die gesamte Breite des konventionellen und nuklearen Waffenspektrums erfaßte. Anzahl und Qualität von Waffen wurden erheblich gesteigert, neue Kategorien kamen hinzu. Während in Wien die MBFR-Verhandlungen liefen, über SALT verhandelt wurde und die Vereinigten Staaten ihre See- und Landstreitkräfte erheblich reduzierten, baute die Sowjetunion ihre strategischen Raketenstreitkräfte, ihre Seestreitkräfte und ihre Landstreitkräfte in einem Umfange aus, der in der Geschichte der Menschheit in den Zahlen und rüstungstechnischen Relationen ohne Beispiel ist. Die Zahl der Kampfpanzer stieg um mehr als 15.000, die Zahl der Geschütze um etwa 10.000, so daß gegenwärtig etwa 50.000 Kampfpanzer und 20.000 Geschütze in mehr als 180 Kampfdivisionen einsatzbereit sind[23]. Die sowjetischen Seestreitkräfte übertreffen an Zahl der Kriegsschiffe die Seestreitkräfte der Vereinigten Staaten, die strategischen Nuklearstreitkräfte haben die Parität mit der westlichen Führungsmacht zumindest erreicht, bei den Mittelstreckenwaffen in Europa und den Landstreitkräften in Mitteleuropa besteht eine sowjetische Überlegenheit[24].

Sowjetische Experten stellen die geschilderte Rüstungspolitik nicht prinzipiell in Frage, können aber keine letztlich überzeugenden Gründe für einen so weit verstandenen Begriff der nationalen Sicherheit angeben. Hinsichtlich des Ausbaus der Seestreitkräfte, der den USA den Anspruch auf weltweiten Einfluß besonders deutlich demonstriert, wird gelegentlich darauf verwiesen, daß die Sowjetunion als Weltmacht auch in allen Teilen der Welt ihre Interessen und den Frieden, ähnlich wie früher die Briten, zu wahren habe.

Gerade die zunehmende militärische Präsenz in allen Teilen der Welt — teilweise ohne den notwendigen Respekt vor dem Völkerrecht ausgeübt — ist geeignet, Spannungen zu erzeugen und damit den Rüstungswettlauf anzuheizen. Insgesamt ergibt sich folgendes Bild:

In Fernost erhöhte sie ihre Streitkräfte auf den besetzten Kurilen-Inseln und auf dem Festland gegenüber Japan. In Vietnam nahmen sowjetische Militärberater und Truppen die von Franzosen und Amerikanern aufgegebenen Positionen ein. Für die militärische Besetzung Afghanistans ist ein Ende nicht abzusehen. Im arabischen mittleren Osten unterhält die Sowjetunion Stützpunkte in Syrien und Süd-Jemen. Den afrikanischen Kontinent umrunden militärische Präsenzen, Stützpunkte oder Hafenrechte von Äthiopien, Mozambique, Angola bis nach Libyen. Ganz im Westen waren in jüngster Zeit erste Bestrebungen erfolgreich, über Kuba hinaus in Lateinamerika Einfluß zu gewinnen. Einzelne Rückschläge und Konflikte mit befreundeten Helfern ändern nicht das Gesamtbild[25].

In der internationalen Öffentlichkeit — in der Dritten Welt ebenso wie in Fernost und in Europa — wird die verstärkte militärische Präsenz zur See inzwischen deutlicher registriert als die — auf das von der Sowjetunion selbst beherrschte Territorium beschränkte — Aufrüstung bei den Landstreitkräften[26]. Jüngste Beispiele bilden große Seemanöver in der Ostsee, das Eindringen eines U-Bootes in innere Hoheitsgewässer Schwedens, das zunehmende Erscheinen sowjetischer Schiffseinheiten in der mittleren Nordsee, die verstärkte Präsenz vor den Küsten Norwegens und Seemanöver im Meeresgebiet zwischen Schottland und Island. Diese Aktivitäten hat die Sowjetunion begonnen, nachdem sie in den Jahren zuvor bereits eine umfangreiche Eskadra, zeitweise um 50 Schiffe stark, im Mittelmeer mit dauernder Präsenz aufgestellt hatte. Zwar bestehen hier keine Zweifel an der völkerrechtlichen Zulässigkeit des Vorgehens. Trotzdem bleiben die Kriegsschiffe vor den Küsten der betroffenen Staaten eine

Beunruhigung. Sie demonstrieren die Ausweitung der sowjetischen Macht und ermöglichen eine konzentrierte, mobile Wahrnehmung politischer und wirtschaftlicher Interessen[27].

b) Schwinden der Pax Americana

Den zum sowjetischen Machtaufstieg korrespondierenden Rückgang des amerikanischen Einflusses in der Welt, das Ende der Pax Americana, sieht James R. Schlesinger als Ursache der gegenwärtigen weltpolitischen Turbulenzen an[28]. Man glaubt sich gegen eine Entwicklung wenden zu müssen, derzufolge die USA, die noch während der Kubakrise im Jahre 1962 ihre militärische Überlegenheit zur See nutzen konnten, nun von der ohnehin stärksten Landmacht auch auf den zweiten Platz als Seemacht verwiesen werden könnte. Zudem könnte das globale Kräftegleichgewicht ins Wanken geraten, wenn die Sowjetunion ihre starken militärischen Landpositionen in der Golfregion und in Angola benutzen würde, um die freie Verfügbarkeit des Öls oder der Rohstoffe in Südafrika zu manipulieren. Insgesamt wird der militärische Konkurrenzdruck in der Dritten Welt und auf den Weltmeeren — der hier nicht weiter dargelegte bedrohliche Trend im erdnahen Weltraum kommt noch hinzu — so ernstgenommen, daß die USA in den kommenden Gesprächen über Rüstungskontrolle und Wirtschaftsbeziehungen eine Verknüpfung mit dem sowjetischen militärischen Verhalten in anderen Teilen der Welt herstellen wollen[29]. Es wird ein „linkage" gefordert. Schon Henry Kissinger war um ein solches Wohlverhalten in nicht vertraglich geregelten Konkurrenzbereichen der Dritten Welt bemüht. Es bleibt zu hoffen, daß sich die Sowjetunion, die ihrerseits nachteilige Entwicklungen wie die Situation in Polen, den Nachrüstungsbeschluß und die Neutronenwaffe zu verbuchen hat, in diesem Punkte hinreichend kooperationsbereit zeigt.

c) Absicherung nationaler innerer und äußerer Interessen

Den Staaten der Dritten Welt dürfte jede verstärkte Konfrontation der beiden Großmächte Nachteile für ihre Wirtschaft und Unabhängigkeit bringen. Dies ist ihnen bewußt. Sie sind einerseits um Militärhilfe bemüht, wollen andererseits aber eine Abhängigkeit neuer Art oder eine Gewährung von Stützpunkten mit den damit verbundenen Souveränitätseinbußen nach Möglichkeit vermeiden[30]. So stießen amerikanische Bemühungen um Rechte an Land im Golfgebiet auf große Reserve. Sie beschränken sich derzeit auf die Zusammenarbeit mit Ägypten, Israel, Saudi-Arabien und Sudan.

In Richtung eines verstärkten Rüstungsimports wirken ferner zahlreiche Konflikte innerhalb der Dritten Welt. Hierzu sei auf die Auseinandersetzungen zwischen Angola und Zaire, Somalia und Äthiopien, Libyen und Tschad und andere schwelende Konflikte in Afrika verwiesen, die kaum als endgültig besiegelt gelten können.

Regional und im Weltmaßstab die weitaus größten Lieferanten für Rüstungsgüter bleiben die USA und mit einigem Abstand die Sowjetunion[31]. Der Wert sowjetischer Waffenlieferungen an nichtkommunistische Entwicklungsländer bis zum Jahre 1979 wird auf etwa 35 Milliarden US-Dollar geschätzt. Die Lieferungen zeigen steigende Tendenz[32].

Schließlich sind einige Hinweise auf eine erst in den nächsten Jahrzehnten voll zum Tragen kommende internationale Entwicklung notwendig, eine Entwicklung, die in begrenzten, aber nicht zu übersehenden Einzelaktionen bereits ihre Schatten vorauswirft. Es handelt sich um machtmäßige Absicherung künftig erweiterter Hoheitsräume und ausschließlicher Wirtschaftszonen auf dem Meer, dem Meeresboden und in dem Luftraum darüber. Der Luftkampf im August dieses Jahres, bei dem zwei libysche Kampfflugzeuge über der von Libyen als Hoheitsgewässer beanspruchten Bucht von Syrte abgeschossen wurden, ist ein Musterfall für künftige Zwischenfälle in neu zu etablierenden nationalen Meereszonen. Er belegt, wie die Entwicklung der Seerechtskonferenz von dem Anliegen der Entmilitarisierung der freien See zur militärischen Behauptung territorialisierter Meeresgebiete umgeschwenkt ist. So stellte der maltesische Botschafter Arvid Pardo, als er 1968 in den Vereinten Nationen den Anstoß für diese größte aller Völkerrechtskonferenzen gab, fest, daß der Meeresboden Erbe der gesamten Menschheit sei und vor einem drohenden Wettrüsten zu bewahren sei. Es sollte ein Vorrang für friedliche Nutzung festgeschrieben und die Hoheitsansprüche von Küstenstaaten auf ein Küstenmeer von maximal 12 Seemeilen Breite begrenzt werden. Aber schon zu Beginn der eigentlichen Konferenz sicherten die Seemächte die friedliche Durchfahrt und den freien Transit durch Meerengen für Kriegsschiffe. Als Gegenleistung wurden den Staaten der Dritten Welt, vor allem den in der Gruppe 77 vertretenen Küstenstaaten, großzügige Rechte in der Fischerei und bei der wirtschaftlichen Ausbeutung des Meeresbodens zugestanden. Wirtschaftszonen bis zu 200 Seemeilen Breite, die bis zu einem Drittel der gesamten Meeresfläche darstellen, gehen in die ausschließliche wirtschaftliche Nutzung des jeweiligen Küstenstaates über. Für den verbleibenden Teil des internationalen Meeresbodens ist ein Nutzungssystem unter Beteiligung einer internationalen Meeresbergbaubehörde vorgesehen. Die Staaten der Dritten Welt sehen in dem Produktionsregime einschließlich eines Transfers der Meerestechnologie von Meeresbergbaustaaten an die neue internationale Behörde das Modell für eine neue

Weltwirtschaftsordnung[33]. Während die neue amerikanische Regierung mit deutscher Unterstützung Erleichterungen für den Meeresbergbau fordert, stellen eine Reihe von Küstenstaaten die Durchfahrtsrechte für Kriegsschiffe immer wieder zur Diskussion. Unabhängig von der Lösung solcher Einzelfragen ist schon heute sicher, daß die Küstenstaaten vor dem Problem stehen, die ihnen zuwachsenden Meeresgebiete, die häufig ein Mehrfaches des staatlichen Landgebietes ausmachen, gegen unbefugte Aktivitäten abzusichern oder lizensierte Unternehmen zu kontrollieren. Daraus erwächst ein hoher Bedarf von Streitkräften für Einsätze zur See und in der Luft. Er kann in absehbarer Zeit nur durch Lieferungen entsprechender Boote und Flugzeuge aus Industrieländern gedeckt werden.

Hier zeigt sich, wie vielseitig die Wechselwirkung zwischen internationaler Entwicklung und Rüstungsexport sein kann.

Ähnlich komplex sind die unterschiedlichen Auswirkungen der Rüstungsproduktion und des Rüstungsexports für die Geberländer. Die Prüfung aller einzelnen Aspekte ist noch keineswegs abgeschlossen. Erste Untersuchungen wurden veröffentlicht[34]. Sie belegen, daß Rüstungsexporte häufig ambivalenten Charakter haben. Eine positive Funktion kann Rüstungsexporten als Instrument der Stabilisierung und Friedenssicherung zukommen. Eine eindeutige Erfolgsbilanz in diesem Punkte haben aber weder die Amerikaner (Gegenbeispiel: Iran) noch die Sowjets (Gegenbeispiele: Ägypten, Somalia) vorzuweisen.

Dagegen scheint es grundsätzlich möglich zu sein, im Falle eines ausgebrochenen bewaffneten Konfliktes, durch Zurückhalten von Ersatzteilen und Munition den Konflikt zu steuern und frühzeitig zu beenden. So konnte in den frühen siebziger Jahren der indisch-pakistanische Konflikt beendet werden, nachdem sich die beiden Großmächte über einen möglichen Lieferstopp verständigt hatten.

Die deutsche Rüstungsexportpolitik dürfte im Interesse der Friedenssicherung und Rüstungskontrolle weiterhin restriktiv bleiben.

d) Rüstung und Verteidigung

Der Rüstungspolitik sowohl der Industriestaaten wie der Staaten der Dritten Welt liegt insoweit ein gemeinsames Element zugrunde, als beide Staatengruppen den engen Zusammenhang zwischen Rüstung und den für notwendig erkannten Einsatz militärischer Macht zur Verteidigung oder Interessenwahrnehmung im Frieden erkennen. Rüstungspolitik erweist sich damit in der Staatenpraxis durchaus konform zur gegenwärtigen Weltordnung, wie sie in den Artikeln 2 und 51 der Satzung der Vereinten Nationen manifestiert ist. Als wichtigste Ausnahme vom Gewaltverbot bleibt der Einsatz militärischer Machtmittel zur Verteidigung erlaubt. So implizieren die geltende Völkerrechtsordnung und die damit regelmäßig im Einklang stehenden nationalen Rechtsordnungen die Existenz von Streitkräften als Teile der legitimen Staatsgewalt. Der Bedarf der Streitkräfte an Rüstung und deren Produktion wird damit ebenfalls zum Bestandteil des positiven Rechts[35]. Selbst erheblich anwachsendes Umwelt- und Risikobewußtsein, neue internationale Spannungen, Wettrüsten und drohende Konflikte werden die so gefügte internationale Rechtsordnung einschließlich des Status von Streitkräften nicht schwächen, sondern eher stärken. Erfolgreich können Bemühungen um Friedenswahrung, Rüstungskontrolle und Konfliktbegrenzung deshalb nur sein, wenn sie von den bestehenden Grundlagen ausgehen, durch weltweites und regionales Gleichgewicht abgesichert sind und unter Benutzung der bestehenden Verhandlungsgremien begrenzte Lösungen Schritt für Schritt ansteuern. Dabei können verschiedene internationale Problembereiche unter dem Gesamtaspekt der Friedenswahrung gegenseitig verknüpft und entwickelt werden. So sind bei der Neuordnung des Meeresraumes gerechte und konfliktfreie Mechanismen anzustreben. Die gültigen Abkommen über Kriegsverhütungen können ausgebaut und durch sicherheits- und vertrauensbildende Maßnahmen ergänzt werden. Nukleare wie konventionelle Militärpotentiale sind auf ein möglichst niedriges Niveau des Kräftegleichgewichts zu senken. Die Entwicklung und Produktion von Waffen und anderen Rüstungsgütern kann nach den Regeln des humanitären Völkerrechts bereits im Frieden zunehmend auf humanitäre Aspekte hin kanalisiert werden. Die moderne Technologie erlaubt es zunehmend, die schädlichen Nebenwirkungen von Waffen zu begrenzen. Schließlich bleibt zunehmend sicherzustellen, daß in möglichen bewaffneten Konflikten die konfliktbegrenzenden Regeln des Neutralitätsrechts und des humanitären Kriegsvölkerrechts angewendet werden. Auf allen diesen Gebieten kann eine Sicherheitspartnerschaft zwischen Ost und West sowie zwischen Industrieländern von den Staaten der Dritten Welt über das bisher vorhandene Maß hinaus Verbesserungen der zwischenstaatlichen Beziehungen erreichen.

Friedenswahrung als gemeinsamer Nenner

Die Wahrung des Friedens kann demnach in Zukunft durchaus als verstärktes Leitmotiv dienen, um die komplexen Wechselwirkungen zwischen Rüstung, Rüstungskontrolle und Entwicklung der Dritten Welt besser zu verstehen und die anstehenden Probleme im gegenseitigen Interesse und zum Wohle aller zu lösen. Anhand der hier geschilderten Erfahrungen und Interdependenzen lassen sich zusammenfassend folgende Leitgedanken festhalten:

1) Rüstungskontrolle ist primär eine Aufgabe der traditionellen Militärmächte, insbesondere der Bündnisstaaten in Ost und West. Die Prinzipien der Gegenseitigkeit, der gleichen Sicherheit und des Gleichgewichts der Kräfte erfordern vereinbarte und verifizierbare Maßnahmen. Einseitige Schritte können zum Abbau bestehender Überlegenheiten beitragen und damit Rüstungskontrollvereinbarungen erleichtern.

2) Die Staaten der Dritten Welt sehen die traditionellen Bedingungen für Rüstungskontrolle im Sinne von Abrüstung für sich selbst nicht als gegeben an, weil sie das nach ihrer Ansicht dazu erforderliche Niveau von etablierten Streitkräften und Rüstungen nicht erreicht haben. Abrüstung ist für diese Staaten eine vorrangige Aufgabe der Nuklearmächte und anderer bedeutender Militärmächte.

3) Für die weltweite Rüstungskontrolle wären stabilisierende und vertrauensbildende Maßnahmen ein erster möglicher Schritt. Damit kann der Anreiz für Rüstungskäufe gedämpft werden. Die Teilnahme an dem von den Vereinten Nationen empfohlenen System der Berichterstattung über Militärausgaben wäre ein erster Erfolg.

4) Für die Industriestaaten stellt sich die Frage der Rüstungskontrolle in der Dritten Welt beim Rüstungsexport. Die Staaten der Dritten Welt dürften dagegen ihr Interesse eher in vermehrtem Rüstungsimport und in Militärhilfe sehen.

5) Die Ursachen für den Rüstungsbedarf der Staaten der Dritten Welt liegen vor allem in regionalen Spannungen, dem Bestreben nach militärischer Sicherung des Staates und der Unabhängigkeit sowie der Sicherung neuerworbener Ressourcen und Hoheitsrechte in Küstengewässern.

6) Die Schlüsselposition für die traditionelle Rüstungskontrolle und den Rüstungsexport haben die beiden Großmächte USA und Sowjetunion inne. Die entscheidende Frage ist, ob diese beiden Mächte bald zu einer Zusammenarbeit zugunsten einer stabilen internationalen Ordnung in allen Teilen der Welt bereit sind.

Für die unmittelbare Zukunft müssen sich die Hoffnungen in Europa darauf konzentrieren, daß ein Mandat für eine Konferenz über Abrüstung in Europa vereinbart werden kann, daß eine Einigung über Prinzipien für die Mittelstreckenwaffenverhandlungen zwischen den USA und der Sowjetunion erreicht wird und daß so eine Vertrauensbasis für substantielle Reduzierungen geschaffen wird.

Anmerkungen

1 Kurt Biedenkopf, Rückzug aus der Grenzsituation — Die nukleare Strategie ist auf die Dauer nicht konsensfähig. Namensartikel in Die Zeit, Nr. 45 vom 30. Oktober 1981, Hamburg.

2 Eine jährliche Fortschreibung der Weltrüstungsausgaben wird regelmäßig veröffentlicht in den Sipri-Jahrbüchern.

3 Nuklear Weapons: Report of the Secretary-General. Herbst 1981.
Diese VN-Untersuchung kommt zu dem Schluß, daß die gegenwärtigen Nuklearlager den Gegenwert von mehr als 3 Tonnen TNT für jeden einzelnen Menschen enthalten. Ein begrenzter Nuklearkrieg in Deutschland würde etwa 7 Millionen Menschenleben fordern.

4 Nigel Calder, Nuclear Nightmares, 1981, gibt an, daß ein Krieg zwischen USA und der Sowjetunion 500 Millionen Tote verursachen würde.

5 Als neuere amtliche Dokumente und Analysen zur Sicherheitspolitik sind zu nennen:
— Weißbuch 1979 — Zur Sicherheit der Bundesrepublik Deutschland und zur Entwicklung der Bundeswehr. Der Bundesminister der Verteidigung. Bonn 1979.
— Die nuklearen Mittelstreckenwaffen, Modernisierung und Rüstungskontrolle — Texte, Materialien und Argumente zum Beschluß der NATO vom 12. Dezember 1979. Bundesminister der Verteidigung — Planungsstab — Bonn 1980.
— Aspekte der Friedenspolitik — Argumente zum Doppelbeschluß des Nordatlantischen Bündnisses. Presse- und Informationsamt der Bundesregierung. Welckerstraße 11, 5300 Bonn 1. Veröffentlicht 1981.
— Es geht um unsere Sicherheit — Bündnis, Verteidigung, Rüstungskontrolle. Auswärtiges Amt, Bonn, Juni 1980.

6 Ein Beispiel ist die jüngste indisch-pakistanische Rüstungsrivalität.
Es wird berichtet, daß ein indischer Luftwaffenmarschall nach dem Flug in 20 km Höhe mit dem neuesten von der Sowjetunion gelieferten Abfänger Mig 25 äußerste „Even the Himalayas looked so small".
Insgesamt soll Indien etwa 1,6 Mrd. Dollar Militärhilfe von der Sowjetunion erhalten, Pakistan fordert 1,5 Mrd. Dollar von den USA einschließlich F 16 Hochleistungskampfflugzeuge.
Einzelheiten in Newsweek vom 14. September 1981 „The Indo-Pak Arms Race", S. 34 bis 37.

7 Neben der Sondergeneralversammlung der Vereinten Nationen für Abrüstung im Jahre 1978 hat der Nord-Süd-Gipfel im mexikanischen Cancun im Oktober 1981 das wachsende Verständnis für die Interdependenzen von Entwicklung, Wirtschaft und Rüstung zum Ausdruck gebracht.

8 Rüstungskontroll-Vereinbarungen
Weltweite und multilaterale Übereinkommen
— Antarktisvertrag (1959) mit regionaler Entmilitarisierung und Verbot für Kernexplosionen. Für die Bundesrepublik Deutschland am 5. 2. 1979 in Kraft getreten.
— Begrenzter Teststoppvertrag (1963) mit Verbot von Kernwaffenversuchen in der Atmosphäre, im Weltraum und unter Wasser. Für die Bundesrepublik Deutschland am 1. 12. 1964 in Kraft getreten.
— Weltraumvertrag (1967) mit Beschränkung militärischer Aktivität und Stationierungsverbot für Massenvernichtungswaffen im Weltraum. Für die Bundesrepublik Deutschland am 10. 2. 1971 in Kraft getreten.
— Nichtverbreitungsvertrag (1968) mit Verbot der Weitergabe, Herstellung und Annahme von Kernwaffen. Für die Bundesrepublik Deutschland am 2. 5. 1975 in Kraft getreten.

— Meeresbodenvertrag (1971) mit Beschränkung militärischer Aktivität und Stationierungsverbot für Massenvernichtungswaffen auf dem Meeresboden seewärts einer Zwölf-Meilen-Zone. Für die Bundesrepublik Deutschland am 18. 11. 1975 in Kraft getreten.

— Übereinkommen über bakteriologische und Toxinwaffen (1972) mit Verbot, B-Waffen zu entwickeln, herzustellen, zu erwerben und zu lagern. Die Bundesrepublik Deutschland hat am 10. 4. 1972 unterzeichnet.

— Übereinkommen gegen umweltverändernde Kriegführung (1977) mit Verbot militärischer Verwendung von Umweltveränderungstechniken. Die Bundesrepublik Deutschland hat am 18. 5. 1977 unterzeichnet.

Regionale oder bilaterale Vereinbarungen und Absprachen

— Vertrag von Tlatelolco (1967) über Verbot von Kernwaffen in Lateinamerika.

— Amerikanisch-sowjetische Vereinbarung über Errichtung einer direkten Nachrichtenverbindung (1963).

— Amerikanisch-sowjetischer Vertrag über die Begrenzung der Systeme zur Abwehr ballistischer Raketen und Interimsabkommen über die Begrenzung von strategischen Offensivwaffen (SALT I, 1972).

— Abkommen zur Verhinderung eines Atomkrieges zwischen der Sowjetunion und den USA (1973) und Frankreich (1976) und Großbritannien (1977).

— Amerikanisch-sowjetischer SALT-II-Vertrag über die Begrenzung strategischer Offensivwaffen.

— KSZE-Schlußakte (1975) mit Erklärungen über vertrauensbildende Maßnahmen.

[9] Bulletin der Bundesregierung vom 9. Mai 1978 S. 429.

[10] Bei den Wiener MBFR-Verhandlungen ergeben sich Nachteile für den Westen aus östlichen Vorschlägen, die die unterschiedlichen Folgen bei Rückverlegungen von Truppen aus dem Reduzierungsraum auf der einen und Auflösungen von Truppen im Reduzierungsraum auf der anderen Seite nicht berücksichtigen. Andere Vorschläge zielen klar auf ein Festschreiben bestehender östlicher Überlegenheiten in Mitteleuropa.

[11] Text siehe Veröffentlichung über die nuklearen Mittelstreckenwaffen a.a.O. Ziff. 5.

[12] Art. 36 der Zusatzprotokolle zu den Genfer Abkommen vom 12. August behandelt „Neue Waffen". Diese Bestimmung des im Dezember 1977 unterzeichneten Zusatzprotokolls I verpflichtet die Vertragsstaaten, bei der Prüfung, Entwicklung, Beschaffung oder Einführung neuer Waffen festzustellen, ob ihre Verwendung stets oder unter bestimmten Umständen durch eine anwendbare Regel des Völkerrechts verboten wäre.

[13] Einzelheiten über die erfolgreichen Bemühungen der Bundesrepublik Deutschland in den Vereinten Nationen sind in der am 21. Oktober 1981 abgegebenen Erklärung „Friedensbewahrung und Abrüstung" dargestellt. Der Text dieser vor dem Ersten Ausschuß der VN-Generalversammlung abgegebenen Erklärung ist veröffentlicht im Bulletin Nr. 96 vom 28. Oktober 1981, S. 836.

[14] Den Wortlaut dieser und aller anderen Rüstungskontrollvereinbarungen enthält die Materialiensammlung von Gundolf Fahl, Internationales Recht der Rüstungsbeschränkung, Berlin Verlag 1975, 1976, 1978, 1980.

[15] Hierzu Einzelheiten:
Hans Rattinger, Rüstungskontrolle in der Dritten Welt. Beilage zur Wochenzeitung Das Parlament vom 9. August 1980, S. 33 bis 45, S. 40.

[16] Diese inzwischen auch in anderen Beschlüssen übernommene Einleitung ist in Ziffer 28 des Schlußdokuments der Generalversammlung der Vereinten Nationen über Abrüstung enthalten. Text siehe Europa-Archiv 1978, S. D 520.

17 Hans Rattinger a.a.O. Siehe wegen der Haltung der Staaten die Erklärung der Bundesregierung a.a.O. Ziff. 13. Die Bundesregierung bedauert, daß kein einziger Staat des Ostens der Aufforderung des Generalsekretärs der Vereinten Nationen nachgekommen ist, entsprechend dem standardisierten Berichtssystem der VN über Militärausgaben zu berichten.

18 George F. Kennan, Die Supermächte auf Kollisionskurs, in: Die Zeit vom 20. August 1981.

19 Kurt Biedenkopf a.a.O.

20 Informelle Hinweise auf eine steigende Kriegsgefahr wurden von östlicher Seite im Rahmen laufender Abrüstungsverhandlungen gegeben.

21 Carl Friedrich von Weizsäcker hat seit seiner Studie „Wege in der Gefahr", 4. Auflage, München 1977, S. 135, wiederholt in Aufsätzen auf die wachsende Kriegsgefahr hingewiesen und eine kriegsverhütende Politik gefordert, die einen Bewußtseinswandel herbeiführen kann.

22 Horst E. Richter, Alle redeten vom Frieden, Hamburg 1981.

23 Zahlen und tabellarische Übersichten siehe:
Soviet Military Power. US Government Printing Office, Washington, D. C. Oktober 1981, insbesondere S. 3, 6, 5 und 27. Die Publikation kann über die Öffentlichkeitsabteilung der amerikanischen Botschaft in Bonn-Bad Godesberg bezogen werden.
Militärische Zahlenangaben und Daten zu den Streitkräften und ihren Ausrüstungen veröffentlicht jährlich das Internationale Institut für Strategische Studien London. Die „Military Balance" dieses Instituts ist unter dem Titel „Streitkräfte 1980/81" in deutscher Sprache im Bernard und Graefe Verlag München 1981 erschienen.

24 Weißbuch der Bundesregierung 1979, S. 99 bis 119.

25 Einzelheiten der sowjetischen Afrikapolitik schildert: Konrad Melchers, Sowjetische Afrikapolitik von Chruschtschow bis Breschnew, Berlin 1980.

26 Zur Präsenz von 60.000 Soldaten gegenüber Schweden und Norwegen und zu sowjetischen Seemanövern zwischen Island und Schottland siehe: Der Spiegel, Heft 30, vom 20.7.1981, S. 83.

27 Sowjetische Kriegsschiffe haben sich wiederholt als nützlich erwiesen, um dem sowjetischen Standpunkt bei Streitfragen über Fischereirechte vor der afrikanischen Küste Nachdruck zu verleihen. Auch nach dem Eindringen eines sowjetischen U-Bootes in schwedische Hoheitsgewässer im Oktober 1981 haben sich sowjetische Kriegsschiffe an der Grenze des schwedischen Küstenmeeres versammelt.

28 James R. Schlesinger, The International Implications of Third-World Conflict: An American Perspective. In: Adelphi Papers No. 166, Summer 1981, S. 5 bis 13.

29 Vertreter der amerikanischen Regierung haben sich im Jahre 1981 mehrfach in diesem Sinne geäußert.

30 Jusuf Wanandi, The International Implications of Third-World Conflict: A Third-World Perspective, Adelphi Papers No. 166, Summer 1981, S. 14 bis 20.

31 ACDA, World Military Expenditures and Arms Transfer 1968 bis 1977, Washington 1980, S. 10 (Anteile US: 39%, SU 29%).

32 Roger F. Pajak, Soviet Arms Transfers as an Instrument of Influence. In: Survival July/August 1981, S. 166.
Anzumerken ist jedoch, daß sich in den letzten Jahren zunehmend Staaten der Dritten Welt darauf spezialisieren, durch Waffenproduktionen, die nach Preis und Qualität auf die Bedürfnisse der Länder der Dritten Welt abgestellt sind, ihre Abhängigkeit von den Großmächten zu verringern und gleichzeitig ihre Wirtschaftslage zu verbessern. Die Waffen aus der Dritten Welt stellen nur 4% des gesamten Weltwaffenhandels dar, aber dieser Prozentsatz steigt. Die Pra-

xis der neuen Waffenhändler Israel, Brasilien, Südafrika, Korea und Jugoslawien beschreibt die Zeitschrift Newsweek vom 9. November 1981 auf S. 32 bis 35.

[33] Den aktuellen Sachstand und die grundlegende Problematik der Seerechtskonferenz haben Wolfgang Graf Vitzthum und Renate Platzöder von Anfang an verfolgt und in vielen Publikationen dargestellt. Zum aktuellen Stand siehe: Wolfgang Graf Vitzthum, Neue Weltwirtschaftsordnung und neue Weltmeeresordnung. Innere Widersprüche bei zwei Ansätzen zu sektoralen Weltordnungen. In Europa-Archiv 1978, S. 445 ff.
Renate Platzöder, Sicherheitspolitische und militärische Aspekte der Seerechtsentwicklung. In Europäische Wehrkunde 1981, S. 388-391.

[34] Eine allgemeine Analyse der wirtschaftlichen und politischen Auswirkungen siehe in: Eckehardt Ehrenberg, Der deutsche Rüstungsexport, Beurteilung und Perspektiven, München 1981.

[35] Für das Grundgesetz ist die Legalität der Streitkräfte einschließlich ihrer Auffassung in den Artikeln 87a und b festgelegt.

ROMAN HERZOG

Friede und Menschenrechte

Die politischen Streitigkeiten, die die Kirchen in den vergangenen Jahren heimgesucht haben, haben nicht nur Ärgerlichkeiten und Molesten mit sich gebracht. Mitunter waren sie auch zum Segen, insofern nämlich, als sie auch manche Klarheit über faktische und geistige Zusammenhänge geschaffen haben, die — zumindest in der Kirche — vor dem Beginn dieser Auseinandersetzungen so nicht gesehen worden waren. Nicht das geringste Beispiel dafür ist die wachsende Einsicht in den inneren Zusammenhang zwischen Frieden und Gerechtigkeit, der jedenfalls dann nicht zu leugnen ist, wenn man beide Begriffe und — noch wichtiger — beide Gegenstände wie hier in einem weltlichen, untheologischen Sinne versteht. Es lohnt sich, diesem Zusammenhang etwas genauer nachzuspüren, selbst wenn das bedeutet, daß vor der Darstellung der im vorliegenden Bande vor allem gefragten internationalen Gedankenverbindungen zunächst einmal, gewissermaßen propädeutisch, jene Verbindungen wieder aufgedeckt werden müssen, die innerhalb des einzelnen Staates, in seinem eigenen Rechts- und Loyalitätsgefüge, zwischen dem Gedanken des Friedens und der Gerechtigkeitsidee selbstverständlich und daher oft unausgesprochen bestehen. Schaden kann es weder der evangelischen Kirche noch einem anderen Teil unseres von übertriebener Gesinnungsethik arg gebeutelten Volkes, über diese Zusammenhänge nachzudenken.

Gerechtigkeit und innerer Friede

Bezieht man Gerechtigkeit und Frieden für den Augenblick nur auf die Verhältnisse im Inneren eines Staates, so führt die Frage nach ihrem inneren Verhältnis und ihren gegenseitigen Beziehungen alsbald auf die *Grundfragen* der staatlichen Existenz zurück, die zwar vor aller Augen liegen, die in den Auseinandersetzungen des Tages aber gleichwohl zur rechten Zeit übersehen zu werden pflegen.

Im Grunde handelt es sich nämlich sowohl bei der Gerechtigkeit als auch beim Frieden um zentrale Aspekte der einen, uralten Frage nach der Rechtfertigung, den Aufgaben und der Existenzfähigkeit des Staates.

Es ist nicht die Aufgabe des vorliegenden Beitrages, sich in die theologischen Diskussionen zu dieser Frage einzumischen, auch nicht in die Diskussionen um die rechte Auslegung von Bibelstellen wie Mt 22,21; Röm 13,1 ff. oder 1Petr 2,13 ff. Eine weltliche Staatstheorie in einer pluralistischen, weithin säkularisierten Umwelt könnte sich auf die Wirkung biblischer Loyalitätsgebote selbst dann nicht mehr verlassen, wenn alle christliche Theologie sich in der strengsten und staatsfreundlichsten Auslegung dieser Gebote einig wäre. Denn ihr kann die Loyalität der Christen gegenüber dem Staat und seiner Rechtsordnung nicht genügen: sie hat die Frage auf *alle* Bürger zu erstrecken. Von hier aus aber führt kein Weg an der Überlegung vorbei, daß Bürger sich in aller Regel nur dann mit ihrem Staat identifizieren, an der Erfüllung seiner Aufgaben mitarbeiten und seine Rechtsordnung loyal respektieren werden, wenn der Staat seinerseits die ihm zugeschriebenen Aufgaben zuverlässig erfüllt und zugleich für gesellschaftliche Verhältnisse sorgt, die den Erwartungen — und das heißt vor allem den Gerechtigkeitsvorstellungen — seiner Bürger in ausreichendem Maße entgegenkommen. Nimmt man hinzu, daß die Sorge für den inneren Frieden seit Jahrhunderten zu den unbestrittensten und selbstverständlichsten Aufgaben des Staates gehört, so liegt die Verbindung zwischen Frieden und Gerechtigkeit offen zutage.

Die psychologische Verbindung beider Gedanken läßt sich nicht eindimensional darstellen. Gewiß gilt, daß der Staat, je gerechter seine Rechtsordnung und seine sozialen Verhältnisse sind, sich desto mehr der Loyalität seiner Bürger sicher sein kann, das bedeutet zugleich weniger Gefahr staatsfeindlicher Bestrebungen, also mehr Frieden zwischen dem Staat und seinen Bürgern oder — vom Blickwinkel demokratischen Denkens aus — mehr Frieden zwischen der Gemeinschaft und ihren einzelnen Gliedern. Genauso richtig ist aber, um nur eine weitere Dimension anzureißen, die Erwartung, daß im geschilderten Falle der Friede *zwischen* den Bürgern größer sein wird als anderswo; denn auf der einen Seite wird es in sozialen Verhältnissen, die als einigermaßen gerecht empfunden werden, weniger Konflikte zwischen den einzelnen Bürgern, d. h. weniger Unfrieden geben, und auf der anderen Seite wird die Aufgabe des Staates, den Frieden zwischen den Bürgern wo nötig unter Einsatz seiner Machtmittel aufrechtzuerhalten, um so wahrscheinlicher erfüllt werden können, je geringer die Zahl der Unfriedlichen ist und je weniger ihre Behauptung, ungerecht behandelt zu sein, allgemeine Überzeugungskraft entfaltet.

Die engen Beziehungen zwischen den Ideen des Friedens und der Gerechtigkeit liegen nach diesen zugegebenermaßen unvollständigen und kursorischen Sätzen auf der Hand. Alles spricht nun dafür, diesem Teil unseres Themas nicht weiter nachzugehen, so reizvoll und mitunter erhellend das auch sein könnte. Aber eine ganz andere Frage meldet sich viel drängender zu Wort — die alte Frage: Was ist Gerechtigkeit? Hier kommt die Idee der Menschenrechte ins Spiel.

Gerechtigkeit und Menschenrechte

Die Frage nach dem materiellen Inhalt der Gerechtigkeitsidee ist so alt wie die Menschheit und die Antworten auf sie sind so vielschichtig und so unverbindlich wie das Denken der Menschen. Niemand darf erwarten, daß der vorliegende Beitrag zu diesem Spiel der Philosophen einen wirklich neuen und überdies abschließenden Gedanken beisteuern könnte. Teilaspekte und Näherungswerte sind das Beste, was bei diesem Thema überhaupt erwartet werden darf.

Insoweit ist es ohne Zweifel nützlich, die Idee der *Menschenrechte* ins Spiel zu bringen. Ein Staat und eine Politik, die die Menschenrechte ersichtlich mit Füßen treten, werden nach heutiger Überzeugung und heutigem Sprachgebrauch *sicher* als ungerecht, d. h. als gerechtigkeitsfeindlich gelten müssen. Umgekehrt wird es schwer angehen, sie als prinzipiell ungerecht hinzustellen, wenn sie der Idee der Menschenrechte in beträchtlichem Maße Geltung und Wirksamkeit verschaffen. Die Frage, ob die Gerechtigkeitsidee oder — wie man auch sagt — die „Rechtsidee" neben der Bindung an die Menschenrechte überhaupt noch weitere, selbständige Elemente enthält, mag hier ungestellt bleiben. Fest steht jedenfalls, daß die Idee der Menschenrechte heute als die tragende Säule der Gerechtigkeitsidee zu gelten hat und daß sie vor allem auch die unbestreitbare Kraft in sich birgt, den vagen und fast beliebig bestimmbaren Begriff „Gerechtigkeit" konkreter zu fassen.

Es gibt in der Geschichte kirchlicher Äußerungen einen Vorgang, bei dem dieser Weg schon einmal beschritten wurde. Als sich die Kammer für öffentliche Verantwortung der EKD im Laufe des Jahres 1972 im Zusammenhang mit der sog. Gewaltfrage dem Problem des Widerstandsrechtes zu stellen hatte, war die Antwort im Grundsatz rasch gefunden. Sie lautete: Kein Widerstandsrecht im Rechtsstaat, wohl aber ein Widerstandsrecht im „Unrechtsstaat". Klar war auch, daß sich die beiden Konstellationen zentral durch ihre grundsätzliche Einstellung zur Gerechtigkeitsidee unterscheiden. Zur Verdeutlichung der Grenzlinie aber griff die Kammer auf die Menschenrechte zurück.

„Fragt man nach den Voraussetzungen, von denen die Ausübung des Widerstandsrechtes abhängt, so liegt der Gedanke nahe, daß Widerstand immer dann gerechtfertigt ist, wenn der Staat ‚vom Wege des Rechts abweicht'. Aber diese Formel hält kritischer Betrachtung nicht stand. Einerseits wäre es mit dem Ordnungsauftrag des Staates nicht vereinbar, dem einzelnen gegen jede Rechtsverletzung ein Recht zum gewaltsamen Widerstand zuzubilligen. Andererseits ist zu sehen, daß es der Staat selbst ist, der als Gesetzgeber den Inhalt des Rechts weithin bestimmt. Die Spannungslage zwischen der Rechtsidee und der staatlichen Herrschaft über das Recht ist dadurch zu lösen, daß diese ihre Grenze an der überpositiven Rechtsidee findet und ein Widerstandsrecht gerade dort besteht, wo sich staatliche Organe bei Rechtssetzung und Rechtsanwendung gegen die Idee des Rechts als solche vergehen.

Freilich wird damit eine grundsätzliche Schwierigkeit deutlich: die Unsicherheit über das Wesen der Rechtsidee, die vor allem für pluralistische Gesellschaften kennzeichnend ist. Rechtslehre und Politikwissenschaft versuchen dieser Schwierigkeit dadurch zu entgehen, daß sie auf die Idee der Menschenrechte als zugleich konstituierendes und eingrenzendes Prinzip des Rechtsdenkens zurückgreifen. Dem folgt die vorliegende These." (Thesenreihe „Gewalt und Gewaltanwendung in der Gesellschaft", 1973, These 7).

Zum Inhalt der Menschenrechte

Freilich ist mit der Verweisung auf die Menschenrechte auch nur ein beschränkter Grad an Konkretisierung zu erreichen. Was „die" Menschenrechte sind und was durch sie geboten oder auch nur verboten wird, ist bei weitem nicht so sicher, wie es der in jüngster Zeit wieder gängig gewordene Sprachgebrauch — gerade auch in kirchlichen Äußerungen — auf den ersten Blick hoffen läßt.

Zwar gibt es in vielen Staatsverfassungen der Erde mehr oder weniger ausgedehnte Grundrechtskataloge. Zwar sind seit dem Zweiten Weltkrieg zu ihnen in der Menschenrechts-Deklaration der UN von 1948, in den beiden Menschenrechtskonventionen der UN und nicht zuletzt in der Menschenrechtskonvention des Europarates von 1950 gewichtige internationale Texte hinzugetreten. Aber alle diese Texte differieren nicht nur in Geltungsanspruch, Geltungskraft und Ernsthaftigkeit, sondern vor allem auch im Inhalt, in den einzelnen Rechten des Menschen, denen sie den Rang des Menschenrechtes zubilligen oder durch Schweigen gerade nicht zubilligen. Es gibt keinen allgemein anerkannten und daher allgemeingültigen Katalog „der" Menschenrechte. Bestenfalls kann man von einigen Einzelrechten sagen, daß ihre Anerkennung dem Grundsatz nach weltweit und unbestritten ist. In den weitaus meisten Fällen aber ist die Anerkennung unsicher und die Grenzziehung fraglich.

In dieser Unsicherheit spiegelt sich die Art und Weise wider, in der die Menschenrechte historisch entstanden sind und sich fortentwickelt haben. Weder ihre Entstehung noch ihre seitherige Weiterentwicklung haben sich nämlich systematisch, etwa durch lückenlose Deduktion aus einem einzigen, allgemein anerkannten Grundgedanken abgespielt. Der Vorgang war vielmehr induktiv. Er lief — anders ausgedrückt — „historisch" ab. Die Menschenrechte sind teils philosophisch-ideologische, teils juristische Antworten auf konkrete, historische Bedrohungen elementarer Bedürfnisse des Menschen, und sie bieten der geschichtlich bedingten Veränderung ihres inhaltlichen Bestandes folgerichtig zwei offene Flanken:

1. Je nachdem, welche Angriffe aus Staat oder Gesellschaft auf die elementaren Bedürfnisse des Menschen gestartet werden, wird der eine oder andere Aspekt in den Vordergrund rücken. Nicht von ungefähr steht — um nur dieses Beispiel zu nennen — in Diktaturen der Ruf nach den sog. Freiheitsrechten, in wohlstandsorientierten Rechtsstaaten dagegen der Ruf nach sozialen Grundrechten in der vordersten Linie.

2. Auch unabhängig davon kann sich die herrschende Anschauung darüber, was ein elementares menschliches Bedürfnis ist, grundlegend wandeln. In der religiös geprägten Welt der beginnenden Neuzeit mußte z. B. der Religionsfreiheit ein ganz anderes Gewicht zukommen als in der ökonomisch geprägten Welt der Gegenwart, für die Rechte wie Eigentum, Berufsfreiheit und Arbeit ungleich interessanter sind, und die Feststellung, daß das Menschenrechtsbild der westlichen Industrienationen eindeutig individualistisch, das der Dritten Welt hingegen mehr kollektivisch, auf das Volk oder den Stamm hin orientiert ist (vgl. Die Menschenrechte im Ökumenischen Gespräch. Ein Beitrag der Kammer der EKD für öffentliche Verantwortung, 1975, These 6), bietet nur einen weiteren Beleg für diese Behauptung.

Trotz dieser prinzipiellen Unsicherheiten besteht heute über eine Reihe konkreter Menschenrechte dem Grundsatz nach Einigkeit.

Das beginnt bei dem elementaren Bedürfnis des Menschen, sein Leben ohne Angst vor Vernichtung und wesentlicher physischer Beeinträchtigung führen zu können. Grundrechte wie das Recht auf Leben und körperliche Unversehrtheit (einschließlich des Verbots der Folter und der sogenannten Menschenversuche), aber auch das Recht, nur in bestimmten Fällen und unter Beachtung bestimmter Kauteln der Freiheit beraubt zu werden, gehören ebenso hierher wie das heute jedenfalls grundsätzlich anerkannte Recht auf ein wirtschaftliches Existenzminimum. Diese Rechte sollen im folgenden als Lebensrechte bezeichnet werden.

Hinzu kommen die sogenannten Freiheitsrechte, die dem Menschen solche Verhaltensweisen garantieren, die ihm nach allgemeiner Überzeugung ein elementares Bedürfnis sind: Freiheit des Denkens, der religiösen und weltanschaulichen Überzeugung, der Meinungsbildung und Meinungsäußerung, des Wohnens und der Nutzung seines Eigentums, des Einsatzes seiner Arbeitskraft usw.

Dem aufmerksamen Leser wird nicht entgangen sein, daß bisher die Bestandteile der herkömmlichen Grundrechtskataloge, jedenfalls kursorisch, aufgezählt worden sind. Allerdings enthalten diese — neben den sogleich noch zu behandelnden Gleichheitsrechten — noch eine Reihe von verfahrensrechtlichen Garantien, bei denen es einerseits schwerfällt, einen für alle Staaten verbindlichen Menschenrechtscharakter anzunehmen, deren Nichtbeachtung aber andererseits nach allen historischen Erfahrungen ein fast untrügliches Indiz für die Menschenrechtsfeindlichkeit eines Systems ist. Nur als Beispiel seien hier genannt der Grundsatz, daß ausnahmsweise notwendig werdende Eingriffe in die Grundrechte eines Bürgers zum einen der Grundlage durch ein frei erlassenes Gesetz eines frei gewählten Parlamentes bedürfen und zum andern der Kontrolle durch ein unabhängiges Gericht unterliegen müssen, ferner der Grundsatz, daß Freiheitsentzug nur nach vorheriger gerichtlicher Entscheidung zulässig ist, der Grundsatz der öffentlichen Verhandlung von Parlamenten und Gerichten, das Verbot der doppelten Bestrafung wegen ein und desselben Vergehens usw. Man mag, wie gesagt, darüber streiten, ob diese sogenannten justiziellen Grundrechte selbst echte Menschenrechte sind. Die Erfahrung lehrt aber, daß die Menschenrechte verletzt werden oder zumindest ernstlich in Gefahr sind, wo diese Grundsätze ihrerseits nicht beachtet werden.

Unzweifelhaften Menschenrechtscharakter haben dagegen wieder die sogenannten Gleichheitsrechte. Hier ist fraglich und infolgedessen auch heftig umstritten, wie weit angesichts der offenkundigen Unterschiede zwischen den Menschen der Grad der Gleichbehandlung durch den Staat und das gesellschaftliche System gehen muß und im übrigen auch gehen kann. Daß Gerechtigkeit aber — zumindest heute — weithin und primär identisch mit Gleichheit und Gleichbehandlung ist, ist weltweit wohl unbestritten.

Schließlich ist noch die Idee der sozialen Grundrechte zu erwähnen, die in nahem Zusammenhang mit den Gleichheitsrechten steht und ebenfalls bereits zu — freilich nur sehr lockeren — internationalen Festsetzungen geführt hat, z. B. in der Europäischen Sozialcharta von 1961. Ihr Ziel ist der Schutz eines einigermaßen menschenwürdigen Lebens für die wirtschaftlich Schwachen. Deshalb rechnet hierher z. B. das oft geforderte Recht auf Arbeit und „gerechten Lohn", das Recht des Arbeitslosen und nicht Arbeitsfähigen auf öffentliche Unterstützung, das Recht auf Alters- und Invaliditätsversorgung usw. Daß alle diese Rechte anders als die bisher genannten auch vom Wohlstand der Gesamtgesellschaft (vom „Sozialprodukt") abhängen, sei hier zumindest erwähnt.

Menschenrechte — Anspruch, Recht und Wirklichkeit

Schon die wenigen Andeutungen, die auf den vorstehenden Seiten möglich waren, werden dem Leser gezeigt haben, daß die Idee der Menschenrechte zwar ungleich konkreter ist als jede allgemeine Gerechtigkeitsidee, daß sie aber gerade auch in ihrer Auflösung in einzelne Menschenrechte beträchtliche Schwierigkeiten bietet — ihr materieller Inhalt ist, sobald man einmal den völlig unbestrittenen Kern des Prinzips hinter sich läßt, alles andere als eindeutig. Wer sich ganz undifferenziert auf „die" Menschenrechte beruft oder mit „den" Menschenrechten argumentieren will, muß sich Fragen stellen lassen. Diese Schwierigkeit soll hier aber nicht weiter verfolgt werden. Es mag genügen, sie für andere Untersuchungen vorzumerken.

Ein weiteres Problem der Menschenrechtslehre kommt hinzu. Gemeint ist der *Grad normativer Geltung,* den sie innerhalb des einzelnen Staates beanspruchen können und der ihnen dann auch *zwischen* den Staaten zukommt.

Nimmt man den Begriff „Menschenrechte" wörtlich, so muß es sich bei ihnen ja wohl um geltendes Recht handeln, innerhalb der Staaten um eine Art Verfassungsrecht, zwischen den Staaten um Völkerrecht. Das erste gilt in der Bundesrepublik Deutschland zwar auf Grund der ausdrücklichen Anordnung in Artikel 1 Absatz 2 GG, in vielen anderen Staaten stimmen die vorhandenen Grundrechtskataloge zwar im Kernanliegen, bei weitem aber nicht in jeder Einzelfrage mit den Menschenrechten überein. Das zweite aber scheitert für den Augenblick schon daran, daß die UN-Deklaration von 1948 von sich aus keine Rechtsverbindlichkeit beansprucht und daß die Menschenrechtskonventionen der UN von wichtigen Staaten bislang nicht ratifiziert worden sind.

Soweit sie danach geltendes Recht geworden sind, stellt sich die Frage ihrer *praktischen Verwirklichung,* auf die es ja letztlich allein ankommt, und es wiederholt sich also — und zwar in besonderem Maße — jene Erscheinung, die man als die Diskrepanz zwischen Recht und Rechtswirklichkeit, Verfassung und Verfassungswirklichkeit usw. bezeichnet. Daß die Wirklichkeit den Forderungen des Rechts nicht immer und vor allem nicht in vollem Umfang entspricht, ist fast eine Selbstverständlichkeit und bedürfte daher eigentlich kaum einer Erwähnung. Wird die Diskrepanz aber allzu groß, dann erwachsen daraus zwangsläufig Spannungen, und

diese Spannungen werden um so gefährlicher sein, je mehr sie aus der
Enttäuschung über den Bruch rechtsförmig gegebener Versprechen ent-
springen. Die Reaktion vieler Osteuropäer auf die mangelnde Beachtung
der KSZE-Schlußakte durch ihre Regierungen ist ein handgreifliches Beispiel dafür. Hier liegt also eine wichtige Ursache von Unfrieden.

Diskrepanzen dieser Art gibt es im übrigen auch in den westlichen Demokratien. Zwar sind Grundrechte wie Berufsfreiheit, Freiheit der Wohnung und des Eigentums der rechtlichen Aussage nach nur gegen staatliche Übergriffe gerichtet. Für den einzelnen Menschen sind sie aber oft
nur dann interessant, wenn er einen Arbeitsplatz, eine Wohnung und ein
kleines Vermögen sein eigen nennt. Kann er das nicht, so neigt er eher dazu, sich von den Grundrechtsverbürgungen provoziert oder verspottet zu
fühlen, und wieder droht die Idee solcher Rechte zur Quelle des Unfriedens zu werden. Politikfelder wie Arbeitsmarkt-, Wohnungsbau- und
Vermögenspolitik sind die praktische Antwort auf diese Herausforderung. Die theoretische Antwort aber ist der schon erwähnte Ruf nach der
Verankerung sozialer Grundrechte.

Grundlegend wird der Konflikt zwischen Norm und Wirklichkeit gerade in jeder Staatengruppe, die ihn durch einen ideologisch begründeten
Kunstgriff schon auf dem Papier zu annulieren sucht: in den sozialistischen Staaten. In dem Maße nämlich, in dem die Verwirklichung des Sozialismus mit der Herstellung von Gerechtigkeit spannungslos identifiziert
wird, muß einerseits der Anspruch auf Menschenrechte gegenüber dem
Staat als gerechtigkeitsfeindlich und andererseits die Mitarbeit an sozialistischer Politik als der einzig richtige Sinn von Menschenrechten erscheinen. Es versteht sich fast von selbst, daß damit der ursprüngliche Sinn der
Menschenrechte, wenigstens Minimalpositionen des Individuums gegenüber dem Staat und seinem gesellschaftlichen Gesamtsystem abzustecken,
in sein Gegenteil verkehrt wird. Die Reaktion der Menschenrechtsbewe-
gungen in den Staaten des Ostblocks beweist, daß der innere Friede eines
Systems durch solche im Begrifflichen bleibenden Kunstgriffe auf die
Dauer nicht zu retten ist. Die tiefe innere Verbindung zwischen Frieden
und Menschenrechten erweist sich gerade an dieser Extremsituation.

Ein fast unauflösliches Spannungsverhältnis gibt es übrigens nicht nur
zwischen der juristischen Norm der Menschenrechte und ihrer praktischen Beachtung, sondern ebenso zwischen den Menschenrechten und
mancher Forderung, die in ihrem Namen erhoben wird. Die Menschenrechte sind nirgends abschließend schriftlich niedergelegt und infolgedessen gibt es — in einer weltweiten Diskussion, ja in einem weltweiten Ringen — ohne Zweifel auch Zonen *entstehender,* gewissermaßen „halbferti-

ger" Menschenrechte. Die Frage wäre hier nicht weiter zu erwähnen, wenn nicht durch sie die Gefahr der Diskrepanz zwischen Norm und Wirklichkeit noch beträchtlich vertieft würde. Die Gefährlichkeit solcher Diskrepanzen ist oben dargestellt worden. Hier mag der Hinweis auf das Problem genügen.

Innere und äußere Politik nach Menschenrechten

Auf die Existenz internationaler Menschenrechtskataloge ist an anderer Stelle bereits hingewiesen worden. Ihre Bedeutung besteht in der Hoffnung auf weltweite Geltung der von ihnen anerkannten Rechte und vor allem in der Ergänzung nationaler Rechtsquellen durch internationale. Ihre Schwäche, die hier ebenfalls nicht verschwiegen werden darf, ist es jedoch, daß sie ausnahmslos die *Staaten* in ihrer Innenpolitik binden. Verboten wird, um es deutlich zu sagen, eine menschenrechtsfeindliche Politik der Staaten gegenüber ihren Bürgern, unter Umständen gegenüber sonstigen ihrer Gewalt unterworfenen Menschen (Ausländern, Einwohnern besetzter Gebiete). Auswirkungen für die internationale Politik der Staaten äußern sie allenfalls *mittelbar*.

Gerade deshalb muß hier auf diese mittelbaren Wirkungen der Menschenrechte hingewiesen werden. Die Querverbindungen zwischen dem inneren „Charakter" eines Staates und dem „Geist" seiner auswärtigen Politik sind gewiß nicht ganz einfach zu fassen. Aber sie bestehen ohne Zweifel. Ein Staat, der innerhalb seiner Grenzen die Menschenrechte mit Füßen tritt, wird ungleich mehr auch zu einer brutalen Außenpolitik neigen als jeder andere, und selbst die mitunter recht brutale Kolonialpolitik westlicher Rechtsstaaten mit eigenen und teilweise uralten Menschenrechtskatalogen war — gerade auch innenpolitisch — auf Dauer nicht durchzuhalten. Verfassungsbestimmungen wie Artikel 26 GG, durch den der Angriffskrieg endgültig und ausnahmslos untersagt wird, sind letztlich nur in Staaten denkbar und folgerichtig, deren innere Politik sich eindeutig den Menschenrechten verpflichtet weiß.

Aber die gedanklichen wie politisch-praktischen Verbindungen reichen naturgemäß weiter. Wenn oben davon die Rede war, daß der Berufsfreiheit schon im Innern eines Staates eine bestimmte Wohnungsbaupolitik, der Eigentumsgarantie eine bestimmte Vermögenspolitik entsprechen muß, so können solche Erfahrungen heute nicht mehr an der einzelnen Staatsgrenze haltmachen. Gewiß kann es weder Aufgabe der auswärtigen Politik noch etwa Aufgabe der Entwicklungspolitik sein, Einzelpunkte oder auch nur Grundzüge solcher Politikteile in andere Staaten zu exportieren. Daran hindert nicht nur die Achtung vor der Souveränität dieser Staaten, sondern vor allem auch die immer handgreiflicher werdende Notwendigkeit, die neu in die Staatengemeinschaft aufgenommenen Völker ihre eigene Gesellschaftspolitik finden, d. h. selbst über die Formen ihres künftigen Lebens entscheiden zu lassen.

Klar ist aber auch, daß es ohne eine gerechtere Verteilung der Güter der Welt keine Achtung der Menschenrechte und damit auf die Dauer keinen Frieden geben wird. Es kann hier nicht dargestellt werden, was das für die internationale Politik im einzelnen bedeutet. Doch zeigen Stichworte wie „internationale Arbeitsteilung", „Rohstoffpreise" u.v.a., daß damit weit mehr gefragt ist als die hergebrachte — und immer noch unterentwickelte — Entwicklungspolitik. Wie schwer es auch im einzelnen zu ermitteln und zu leisten sein mag: Ein Minimum an Gerechtigkeit muß es — nicht nur, aber auch um des internationalen Friedens willen — auch im Verhältnis zwischen den Völkern geben. Freiheit und Menschenwürde mögen sich zwar auch in extremsten Notsituationen bewähren können. Im allgemeinen setzen sie aber ein Minimum an Lebensstandard voraus, bei dessen Unterschreitung sie, vorsichtig ausgedrückt, zumindest aufs äußerste gefährdet sind, und so sicher es ist, daß Menschenrechte in der Geschichte immer wieder und immer erst erkämpft werden mußten, so sicher ist es auch, daß eine solche Unterschreitung den Weltfrieden auf die Dauer mehr gefährden wird als etwa der ideologische Gegensatz zwischen West und Ost.

Wie gesagt ist es im einzelnen sehr schwer zu bestimmen, was die Idee der Menschenrechte in der jeweils konkreten Situation und vor allem gegenüber dem einzelnen Volk an Verpflichtung bedeutet. Aber der Zusammenhang zwischen mehr ökonomischer Gerechtigkeit und den Menschenrechten liegt genauso auf der Hand wie der Zusammenhang zwischen den Menschenrechten und dem Weltfrieden. Beide Zusammenhänge können nicht deutlich genug gesehen werden.

Menschenrechte als Quelle internationaler Solidarität?

So betrachtet könnte — und müßte — die Idee der Menschenrechte zur Grundlage einer großen internationalen Solidarität und damit zur Grundlage einer künftigen Weltfriedensordnung werden. Das mag vielen durchaus als Utopie erscheinen. Daß ein Gedanke „utopisch" ist, braucht aber kein Grund zu sein, ihn der Politik nicht als letztendlich, vielleicht nur bruchstückhaft zu erreichendes Ziel zugrundezulegen. Gerade wenn ein Weg lang und steinig ist, kommt alles darauf an, daß die Richtung klar ist.

Dazu kommt ein letzter Gedanke, der hier wenigstens angerissen werden soll. Solange die Welt besteht, ist sie von ideologischen wie ökonomischen Interessengegensätzen der Völker geprägt. Das wird, wenn nicht alle Zeichen trügen, künftig noch mehr als bisher gelten. Ist das aber so, dann kommt es entscheidend darauf an, *Übereinstimmungen* zwischen den Völkern und Regierungen zu finden und zu stärken, die einerseits eine friedliche Austragung bestehender Konflikte wahrscheinlicher machen und andererseits die Richtung andeuten, in der sich die Lösungen bewegen könnten. Es ist einfältig zu glauben, daß Übereinstimmungen dieser Art nur oder auch nur überwiegend aus dem Wirtschaftlichen kommen könnten. Dazu ist die Gefällelage zwischen den Völkern auch auf lange Sicht zu groß, und dazu sind vor allem auch die immer deutlicher werdenden Unterschiede in der Haltung anderer Kulturkreise zu unserer technischen Zivilisation zu tief. Also geht es um die Förderung *geistiger* Übereinstimmungen.

Nach hier vertretener Auffassung ist es eine der großen Fragen der Zukunft, ob es nicht gerade die Idee der Menschenrechte sein könnte, aus der eine solche internationale Solidarität erarbeitet werden könnte. Die Zeichen, die uns aus vielen Staaten der Dritten und Vierten Welt erreichen, sind positiver, als wir selbst es uns manchmal einreden.

ERWIN WILKENS

Glaube und Politik in der gegenwärtigen Friedensdiskussion

Zwischen Glaube und Politik besteht in der kirchlichen Verkündigung und in der Lebenswirklichkeit des Christen ein Zusammenhang. Die Art dieses Zusammenhangs ist in der gegenwärtigen Friedensdiskussion erneut strittig geworden. Dieser Streit vergegenwärtigt die frühen Kontroversen in den Fragen der Aufstellung der Bundeswehr und der nuklearen Waffen, die in der Anti-Atomtod-Bewegung der ausgehenden fünfziger Jahre ihren Höhepunkt fanden. Sie haben damals die evangelische Kirche an den Rand einer inneren und möglicherweise auch einer institutionellen Spaltung gebracht.

Die heutige Lage ist demgegenüber noch verworrener und gefahrdrohender, weil das Verhältnis von Glaubensinhalt und politischer Entscheidung vollends diffus zu werden droht. Die Fähigkeit, zwischen Glaubensurteil und politischer Meinung, zwischen kirchlicher Predigt und subjektiver Überzeugung zu unterscheiden, ist im Schwinden begriffen. Damit werden politische Streitfragen als solche zum Gegenstand kirchlicher Auseinandersetzungen. Kirche gilt vielen als eine neue Art von „Societas perfecta", der eine autonome und umfassende Zuständigkeit auf dem politischen Felde zugesprochen wird. Die ohnehin vorhandene verhängnisvolle Neigung, politische Positionen zu verabsolutieren, wird durch eine theologische Komponente legitimiert. Die Einheit der christlichen Gemeinde wird in ihrem Kern aufs Spiel gesetzt, ihr politischer Dienst wird eher verhindert als gefördert.

Evangelische Kirche und Theologie haben hierzu in den letzten Jahrzehnten wichtige Erfahrungen gemacht und Einsichten gesammelt. Sie dürfen daran heute nicht vorübergehen. Im folgenden sollen einige dieser Erfahrungen und Einsichten kenntlich gemacht und auf die gegenwärtige Gesprächslage in der Friedensfrage bezogen werden.

I. Grundlagen- und Methodenstreit in der politischen Ethik

Die evangelische Kirche hat unmittelbar mit Beendigung des Zweiten Weltkrieges ganz neu lernen müssen, sich auf dem Felde politischer Ethik und politischer Mitwirkung zu bewegen. Dabei ging es nicht nur darum, die neuen Möglichkeiten öffentlicher und politischer Verantwortung zu nutzen. Vielmehr hatte sich die Kirche über ihr Verhalten gegenüber den

Verirrungen des Dritten Reiches Rechenschaft zu geben. Gerade hier ist aber eine viel sorgfältigere Prüfung notwendig, als gemeinhin geübt wird. Zwischen allen Gruppen der Bekennenden Kirche hatte Übereinstimmung darin geherrscht, daß die Kirche sich nicht mit dem politischen Gegenprogramm einer Widerstandsgruppe auf den Weg einer aktiven Opposition gegen den nationalsozialistischen Staat führen lassen dürfe. Zu einem politischen Faktor in einem solchen Staat wird die Kirche durch die Entschlossenheit, für Gottesdienst, Verkündigung und christliches Leben einen Raum der Freiheit in Anspruch zu nehmen. Nichts anderes meint auch die Stuttgarter Erklärung des Rates der Evangelischen Kirche in Deutschland (EKD) vom 19. Oktober 1945. Mit ihrer Selbstanklage eines Versagens im Bekennen, im Gebet, im Glauben und in der Liebe steht diese Erklärung in einem engen Zusammenhang mit den Grundlagen des Kirchenkampfes im NS-Staat. Mutigeres Bekennen, treueres Gebet, fröhlicherer Glaube, brennendere Liebe: das alles hätte für die Entlarvung der Unmenschlichkeit des Dritten Reiches weittragende Folgen haben können. Dazu bedurfte es nicht der Entdeckung einer neuartigen politischen Theologie, sondern einer größeren Treue und Entschlossenheit zur Predigt des Wortes Gottes in Gesetz und Evangelium.

Die Stuttgarter Erklärung von 1945 wurde dennoch von manchen in einen Programmauftrag für ein Verständnis politischer Predigt umgedeutet, in der sich politische Meinungsaussagen mit christlichen Glaubensinhalten verschmelzen. Damit ergab sich eine kritische Neuinterpretation des Kirchenkampfes im Sinne der Klage Karl Barths, die Bekennende Kirche habe dem deutschen Volk das weitergehende Zeugnis des politischen Gottesdienstes verweigert. Zugleich meldete sich in der evangelischen Kirche eine traumatische Beunruhigung zu Wort, die seither viel zu einem Übermaß an politischer Aktivität beigetragen hat, um nicht aufs neue an vermeintlichen politischen Fehlentwicklungen mitschuldig zu werden[1].

Dieses Erbe aus dem Dritten Reich entwickelte sich zu einem Grundlagen- und Methodenstreit in der politischen Ethik. Woher gewinnt die Theologie eigentlich ihre Normen, Wertvorstellungen und Inhalte für die politische Ethik? Wie kommt es von daher zu politischen Entscheidungen in Einzelfragen? Welche Rolle spielt dabei die politische Sachdiskussion? Welcher Platz wird der Pluralität und der Toleranz gegenüber anderen Meinungen eingeräumt? Die einen stellen unter Berufung auf eine christozentrische Wort-Gottes-Theologie das politische Thema in Analogie zum Heils- und Gnadenhandeln Gottes in Jesus Christus. Damit wird die politische Entscheidung zum Inhalt der Evangeliums-Predigt, zugleich auch zur Frage nach der Einheit im Glauben und nach der Gemein-

schaft der christlichen Gemeinde. Von Christen werden folglich überein-
stimmende politische Urteile als Glaubensaussagen verlangt. Dieser Ansatz gerät leicht zum Rigorismus einer situationsgebundenen Gewissens-
ethik mit prophetischem Einschlag. Andere bringen zur Bezeichnung und
zur Anwendung ethischer Kriterien die Evidenz der allgemeinen menschlichen Vernunft ins Spiel und entgehen auf diese Weise einer wirklich-
keitsfremden Rechthaberei. Sie bewahren die Möglichkeit, daß unterschiedliche politische Entscheidungen die christliche Gemeinschaft nicht
zerstören. Es bleibt Raum für eine argumentative Auseinandersetzung in
politischen Streitfragen, für pragmatisches Handeln in einzelnen Schritten und für eine Offenheit in Ermessensfragen. Es ist also in der Struktur
politischer Ethik zwischen einem monistischen und einem dualen Zu-
schnitt zu unterscheiden. Diese Grunddifferenz ist nicht neu, sondern hat
die Kirchen- und Theologiegeschichte in immer neuen Ausprägungen begleitet.

Die politische Entwicklung der bewegten Nachkriegszeit gab der Kirche
und Theologie keine Gelegenheit mehr, diesen Komplex der Aufarbeitung
des Dritten Reiches und der Grundlagen kirchlicher Betätigung auf dem
politischen Felde in theoretischer Diskussion zu klären. Die Folge war,
daß die Auseinandersetzungen in den großen politischen Fragen dieser
Zeit in der EKD geführt wurden, ohne daß eine ausreichende Verständigung über Grundlagen politischer Ethik vorlag. Vielmehr zeigte sich, daß
bei jeder Sachfrage sogleich die Grundkontroverse im Verhältnis von
Glaube und Politik durchschlug. Im Vordergrund stand dabei von Anfang an die Deutschlandfrage mit der drohenden Spaltung Deutschlands
in zwei politisch und militärisch gegeneinander stehende Staaten. Das
Problemfeld konkretisierte sich besonders an der Revolutionierung des
Kriegsthemas durch die nuklearen Waffensysteme, an der Aufstellung
deutscher Streitkräfte auf beiden Seiten und schließlich an der Sicherung
des Weltfriedens überhaupt. Der frühe Streit der fünfziger Jahre wird nur
dann richtig verstanden und ausgewertet, wenn man die gegenseitige
Überlagerung der politischen Sachthemen und des theologischen Schul-
streites erkennt[2].

II. *Der Streit um die nuklearen Waffen 1958 bis 1960*

Diese Überlagerung mit ihrer Gefahr einer Theologisierung der Politik
und einer gleichzeitigen Politisierung von Kirche und Theologie trat in einer beispielhaften Weise in der Behandlung der nuklearen Waffensysteme
in den Jahren 1958 bis 1960 in Erscheinung. Ein knapper Einblick in den

damaligen Gang der Dinge zeigt bis in Details hinein überraschende Parallelen zur heutigen Diskussion[3].

Die Kirchlichen Bruderschaften hatten an die Synode der EKD zu ihrer Tagung im April 1958 die Anfrage gerichtet, wie sich die Christen gegenüber der Erprobung, Herstellung, Lagerung und Anwendung atomarer Waffen sowie gegenüber ihrer politischen Einplanung zu verhalten haben[4]. Daß die neuen Waffensysteme den Krieg qualitativ verändert und die bisherige Lehre vom gerechten Krieg unmöglich gemacht haben, darauf hätte man sich nach der vorausgegangenen mehrjährigen Diskussion schon einigen können. Die Bruderschaften gingen aber weit darüber hinaus, indem sie ohne Unterscheidung zwischen Besitz und militärischem Gebrauch für die totale und bedingungslose Verwerfung atomarer Waffen den Gehorsam des Glaubens in Anspruch nehmen, auch wenn damit im äußersten Fall möglicherweise Leben und Freiheit eines Volkes geopfert werden muß, wie es der synodale Berichterstatter Prof. Dr. Ludwig Raiser beschrieb. Die Synode bemühte sich um eine möglichst große Übereinstimmung, indem sie in Anlehnung an ökumenische Beschlüsse den mit Massenvernichtungsmitteln geführten totalen Krieg als unvereinbar mit dem menschlichen Gewissen vor Gott verwarf, aber doch die fortbestehenden Gegensätze bestätigen mußte. Ihr Spannungsbogen reicht von der Überzeugung, daß schon die Herstellung und Bereithaltung der neuen Waffen Sünde vor Gott ist, bis zu der Überzeugung, daß Situationen denkbar sind, in denen in der Pflicht zur Verteidigung der Widerstand mit gleichwertigen Waffen vor Gott verantwortet werden kann. Abschließend heißt es in der Synodalentscheidung: „Wir bleiben unter dem Evangelium zusammen und mühen uns um die Überwindung dieser Gegensätze. Wir bitten Gott, er wolle uns durch sein Wort zu gemeinsamer Erkenntnis und Entscheidung führen".

Damit konnten aber die Gegensätze keineswegs überwunden werden, zumal beide Seiten diese Formel für die eigene Position in Anspruch nahmen. Die einen entnahmen ihr die Bestätigung, daß in einer solchen die Substanz des christlichen Glaubens berührenden Frage zwingende theologische Gründe nur eine einzige Antwort zulassen, nämlich die der totalen und bedingungslosen Verwerfung der atomaren Waffen schlechthin. Die anderen verstanden den Synodalentscheid gerade als Absage an diese theologische Schule, die eine Tendenz zur Kirchenspaltung aus Gründen einer ethischen Häresie impliziere und die politische Entscheidung einer Glaubensentscheidung gleichsetze.

Zur weiteren Arbeit setzte der Rat der EKD Ende des Jahres 1958 einen „Ausschuß für Atomfragen" unter dem Vorsitz von Prof. Dr. Ludwig

Raiser ein. Auch dieser Ausschuß, der so etwas wie die „Prominenz" der an dem ganzen Streit beteiligten Theologen und Kirchenvertreter vereinigte, konnte den Schulstreit in den theologischen Grundfragen nicht überwinden. Er stellte darin auch für die Zukunft eine skeptische Prognose. Dennoch verdienen seine Berichte, die er der Synode im Februar 1960 vorlegte, gerade heute eine erneute Beachtung[5]. In dem Ausschuß trafen sowohl die theologischen wie die unmittelbar politisch relevanten Differenzen sehr viel weniger schroff aufeinander als in der öffentlich vertretenen Programmatik. Man konnte deshalb wichtige Übereinstimmungen formulieren, die bis heute ihre Gültigkeit haben dürften. Dazu gehört zunächst die Feststellung, daß die durch die nuklearen Waffen geschaffene Neuartigkeit der Weltsituation den bislang als ein legitimes Mittel zur Erhaltung von Ordnung in der Welt beurteilten Krieg ad absurdum geführt hat; die Frage der Vermeidbarkeit des Krieges sei zu einem entscheidenden Gegenstand der theologischen Ethik geworden; der atomare Krieg sei auf die Dauer nur anwendbar, wenn es zu einer Überwindung des Krieges überhaupt kommt; der Versuch einer Humanisierung des atomaren Krieges sei äußerst fragwürdig. Bemerkenswert ist der Hinweis des Ausschusses, daß es in der Zwischenphase der Atomäquivalenz darauf ankomme, die notwendige Friedensaufgabe zu verwirklichen; diese Aufgabe darf sich aber nicht auf die bloße Waffenfrage beschränken, sondern erfordert eine sehr viel umfassendere Mitarbeit in der Sorge für den Frieden.

Im übrigen aber schlagen die Grunddifferenzen immer wieder durch. Zwar verstehen sich die Vertreter eines uneingeschränkten Verbotes jeglicher Verwendung der nuklearen Waffen dazu, den bedingungslosen, sofortigen und auch einseitigen Verzicht auf die einmal vorhandenen Waffen weiterhin nicht zu verlangen; man ist auch bereit, ihre Abschreckungsfunktion als eine vorfindliche Gegebenheit zu respektieren und inzwischen einen Prozeß synchronisierter Einzelschritte zu ihrer Abschaffung hinzunehmen; dabei sei es Aufgabe der Christen, den Regierungen Mut zu wagnishaften Vorleistungen zu machen. Man ist aber nicht bereit, darüber hinaus ein Gleichgewichts- und Abschreckungsverhältnis, das die Anordnung des tatsächlichen Gebrauchs dieser Waffen einschließt, ethisch zu legitimieren. Gegen eine derartige Anerkennung eines Strukturgesetzes der Welt in Druck und Gegendruck wird die Notwendigkeit des Glaubensgehorsams in der Freiheit vom „Schema" dieser Welt (gemäß Röm 12,2 und 1Kor 7,31) geltend gemacht.

Die andere Seite hält diesen Verzicht auf eine·ethische Qualifizierung der tatsächlichen Gegebenheiten für unzulänglich; hier werde die Waffenfrage aus dem politischen Zusammenhang herausgelöst und isoliert beurteilt; die Notwendigkeit eines Machtgleichgewichts sei dagegen theologisch legitimiert. Man vertritt also die Auffassung, die erforderliche Abschreckung komme nicht zur Geltung, wenn man sie mit der strikten Erklärung verbinde, eine Anwendung im Ernstfall sei ausgeschlossen; die Entscheidung darüber sei nicht im voraus an generelle Regeln zu binden, zumal sich daraus zugleich der stärkste Zwang zur Abrüstung ergebe. Demnach wird hier der Gebrauch von nuklearen Waffen zwar prinzipiell verworfen, als äußerste Konsequenz der für erlaubt gehaltenen Androhung aber nicht von vornherein ausgeschlossen.

Dieses kirchlich-theologische Gespräch hat sicherlich zur Vertiefung der öffentlichen Diskussion über die gewandelte Kriegs- und Rüstungsfrage beigetragen. Es hat sich aber kaum als förderlich erwiesen, daß man kirchlicherseits bei dieser Gelegenheit zuvörderst theologische Streitfragen lösen wollte. Dahinter stand bei manchem die sowohl theologisch-ethisch wie politisch-praktisch unhaltbare Vorstellung, die kirchliche und theologische Bemühung um einen politischen Gegenstand könne mehr als einen Teilbetrag leisten. Bei allem wurde nicht genügend dem offenen und dem wagnishaften Charakter einer sittlich-politischen Entscheidung Rechnung getragen. Erst recht mußte so die Fähigkeit zur Berücksichtigung der konkreten politischen Situation verkümmern, die auf dem weiten Felde der politischen Meinungsbildung in einer offenen Gesellschaft die Kirche erst zu einem ernsthaften Gesprächspartner macht. Die krampfhafte Suche nach einer für alle verbindlichen einheitlichen und eine große Öffentlichkeit mobilisierenden Formel zur schnellen Lösung weltweiter Probleme mußte erfolglos bleiben. Der Ausschuß der EKD für Atomfragen hat denn auch seine Arbeit nicht fortgesetzt.

Statt dessen kam es durch die Erarbeitung und Veröffentlichung der „Heidelberger Thesen über Krieg und Frieden im Atomzeitalter" im Herbst 1959 zu einem ganz andersartigen Ansatz für kirchliche und christliche Mitwirkung an der Aufgabe der Friedenssicherung[6]. Er unterschied sich von dem bisher geführten Gespräch vor allem dadurch, daß er die schultheologischen Interessen beiseite ließ und somit der Belastung durch die strittige Frage nach dem prophetischen Charakter einer politischen Weisung entging. Zugleich gelang es den Thesen, den Kompromiß der Spandauer Synode vom April 1958 und die Notwendigkeit des Beieinanderbleibens bei unterschiedlichen politischen Positionen tiefer zu begründen.

Die Verfasser der Heidelberger Thesen gehen von der Feststellung und der Forderung aus, daß der Weltfriede zur Lebensbedingung des technischen Zeitalters wird und daß der Krieg in einer fortdauernden und fortschreitenden Anstrengung abgeschafft werden muß. Angesichts der ungeheuren Gefährdung des Weltfriedens durch die gegeneinander gerichteten nuklearen Waffensysteme entspringt diese Grundthese keiner alten oder neuen Utopie vom ewigen Weltfrieden, sondern einer vernünftigen wissenschaftlichen Beurteilung der Weltlage. Andererseits machen die Thesen kein Hehl daraus, daß der Weg zur Überwindung des Krieges als eines politischen Instrumentes und zu seiner Ersetzung durch die Neuordnung der Völkergemeinschaft durch große Risiken hindurchgeführt wird. Es geht dabei nicht nur darum, den großen Nuklearkrieg zu verhindern, sondern zugleich auch darum, einen Frieden zu sichern, der durch Freiheit und Gerechtigkeit für die Menschen gekennzeichnet ist. Soll der Krieg durch Waffenverzicht, der notfalls einseitig sein müßte, verhindert werden? Oder soll das Ziel einer freiheitlichen Staats- und Gesellschaftsordnung durch Waffenrüstung und Verteidigungsbereitschaft gesichert werden? Beide Entscheidungen gehen ein Risiko ein: die eine das Risiko eines diktatorischen Regimes, das schließlich doch keinen Frieden bringt, nicht einmal den des Nichtkrieges; die andere das Risiko einer atomaren Katastrophe, die erst recht nicht zu einer menschenwürdigen Staats- und Völkerordnung führen kann. Diese Entscheidungen zum Waffenverzicht oder zur Verteidigungsbereitschaft schließen einander aus, sie stehen gegeneinander, weil jede das Risiko der anderen vermeiden will.

Man kann unterstellen, daß die Verfasser der Heidelberger Thesen in der Beurteilung dieser beiden gegensätzlichen Entscheidungsmöglichkeiten unterschiedlicher Meinung waren. Um so bemerkenswerter ist es, daß sie beiden Positionen auch unter Gesichtspunkten christlicher Ethik ihre Zulässigkeit zusprachen. Man muß sogleich aber hinzufügen, daß dies nicht leichten Herzens geschah, sondern sozusagen mit Zittern und Zagen. Nur so wird man dem Vorbehalt gerecht, daß diese ganze auf der gegenwärtigen Rüstungslage mit der zugehörigen Militärstrategie beruhende Konstruktion nur für eine Übergangszeit gelten kann. Nach den Heidelberger Thesen steht die Nuklearstrategie von heute sittlich gesehen unter dem Vorbehalt des Zeitgewinns, eine wirksame Völkerordnung zur friedlichen Konfliktregelung und damit neue Bedingungen für das sittliche Gesamturteil zu schaffen. Die Heidelberger Thesen nennen dieses Beieinander gegensätzlicher Entscheidungsmöglichkeiten ein komplementäres Handeln. Die Wahl dieses Begriffes beruht auf der Erfahrung, daß gegensätzliche Urteile und Entscheidungen in Zeiten eines tiefgreifenden spannungsreichen Umbruchs und einer Mehrdeutigkeit der Gesamtsituation unvermeidlich sind. Die Gegensätze gehören hier zusammen, um ein Ganzes zu erklären und um ein konstruktives Zusammenwirken auf ein einziges Ziel hin sicherzustellen. Im Inhalt schließen sie einander aus, in der Wirkung gehören sie zusammen. „Es kann sein, daß der eine seinen Weg nur verfolgen kann, weil jemand da ist, der den anderen Weg geht" (zu These 6).

III. Auftrag und Grenzen kirchlich-theologischer Mitwirkung in der Friedensfrage

In der Zeit nach 1960 trat die isolierte Behandlung der Rüstungsfragen durch Organe und Gremien der EKD weitgehend zurück. Die Arbeit an einer Friedensordnung zwischen den Völkern darf zudem nicht auf das militärische Thema verkürzt werden. Die Rüstungslage ist vielmehr Ausdruck einer umfassenderen Krise der Weltpolitik. Diese ist reich an Teilproblemen, die zum Ganzen gehören, aber doch konkret behandelt werden müssen. Deshalb hat die EKD in der Folgezeit versucht, ihren Beitrag zur Friedenssicherung durch die Mitarbeit an einzelnen Sachfragen zu leisten. Die Denkschriften der EKD geben darüber hinreichend Auskunft. Sie sind eine Fundgrube zur Klärung des Auftrages und der Grenzen kirchlich-theologischer Mitwirkung auf dem politischen Felde[7].

Die heute neu aufgebrochene Aktivität in der Frage der Friedensethik und Friedenssicherung hat ihre guten Gründe. Die Spannungen in der Weltpolitik und die Zahl der territorial bedingten Konfliktherde haben ein bedrohliches Ausmaß erreicht. Hinzu kommt die berechtigte Erregung über das Mißverhältnis zwischen dem finanziellen und technologischen Aufwand für die Rüstung einerseits und den drängenden Zukunftsaufgaben der Menschheit andererseits. Die Entladung der aufgestauten Ungeduld gegenüber dem Gang der Rüstungskontroll- und Abrüstungsverhandlungen beruft sich im kirchlichen Bereich auch auf die Heidelberger Thesen, die ihren Beitrag zu Geduld und Umsicht lediglich als Atempause verstanden wissen wollen, um neue Wege zur Bewältigung der lebensrettenden Menschheitsaufgaben zu suchen.

Es erscheint dringend geboten, auch heute wieder zur Umsicht zu mahnen und die Lehren der früheren Auseinandersetzungen für die heutige kirchlich-theologische Mitwirkung geltend zu machen. Die eigentliche Stärke eines solchen Beitrages zum Weltgeschehen liegt in der Unabhängigkeit des Urteils, mit der alle Zusammenhänge und Aspekte eines konkreten Sachverhaltes bedacht und dem Urteil des Gewissens unterstellt werden. Dabei ist es nicht der geringste kirchliche Dienst, die mitunter dramatische Überzeichnung der militärischen Gefahren auf ein gehöriges Maß zu reduzieren. Keine Macht der Welt ist heute darauf aus, einen großen nuklearen Krieg in Europa oder anderswo zu entfesseln. Die von vielen beschworene Alternative zwischen Waffenlosigkeit mit dem Risiko der Selbstunterwerfung einerseits und der nuklearen Weltkatastrophe andererseits kann sich auch zu einer lähmenden Wahnidee entwickeln.

Der theologische Grundlagen- und Methodenstreit in der politischen Ethik dauert bis heute fort, auch wenn viele Beteiligte sich dessen nicht bewußt sind. Um den Preis eines gespaltenen kirchlichen Dienstes wird die politische Leistungsfähigkeit von Kirche und Theologie überfordert. Glaubensüberzeugungen werden auch dort vertreten, wo eine vernünftige, offene und auch selbstkritische Prüfung politischer Sachverhalte richtiger wäre. Demgegenüber ist — nicht zuletzt auch nach den Erfahrungen der fünfziger Jahre — nach wie vor geltend zu machen, daß die Identifizierung oder Verschmelzung politischer Fragen mit strikten Glaubens- oder Wahrheitsfragen für die evangelische Kirche eine Schulmeinung ist, die in der Lehrtradition der Kirche keine Begründung findet. Gewiß hat es Grenzsituationen gegeben, und sie sind auch weiterhin denkbar, in denen Christen zu einem ihnen zugemuteten politischen Weg um Gottes Willen nein sagen müssen. Dies ist die Stunde des Bekennens, um deren Eindeutigkeit niemandem bange sein sollte. Ein von ihr zu sanktionierendes politisches Gesamtprogramm oder ins einzelne gehende apodiktische Forderungen hat die Kirche nicht zu vertreten. Die Sicherung des Friedens macht darin keine Ausnahme, auch wenn man hier sicherlich mit großem Bedacht argumentieren muß. So bleibt das verantwortliche und allen geltende kirchliche Wort zum Politischen für gewöhnlich im Bereich des Vorletzten, des Vorläufigen, des Strittigen und oft genug auch des Ungewissen. Es geht um Grund- und Rahmenaussagen, um die Entwicklung sittlicher Voraussetzungen und Kriterien zur Prüfung einer dem Menschen in einer bestimmten Frage und Situation dienenden Politik.

Vielen erscheint diese Argumentation als ein Ausweichen vor der vermeintlichen kirchlichen Aufgabe, in der Friedensfrage heute ohne Wenn und Aber eindeutig Auskunft über die dringend gebotenen Maßnahmen zu geben. Wenn die Kirche dahinter zurückbliebe, sanktioniere sie den gegenwärtigen Gefahrenzustand und überlasse sie den Lauf der Entwicklung sich selbst. Dies ist aber ein voreiliges Urteil, weil der kirchlich-theologische Beitrag der letzten Jahrzehnte zur Friedensfrage von weittragender Bedeutung ist, wie sich an der Lehre vom gerechten Krieg zeigen läßt [8]. Akzeptiert man die Grundaussage der Heidelberger Thesen, daß der Weltfriede als Lebensbedingung des technischen Zeitalters zur Abschaffung des Krieges als eines erlaubten Mittels der Politik führt, dann ist damit auch die traditionelle Rechtfertigung des Krieges in den Grenzen der Lehre vom gerechten Krieg verworfen. Abgesehen von allen weiteren Gründen ethischer Systematik ist die Mittel-Zweck-Relation als der tragende Kern dieser Lehre durch die modernen Massenvernichtungsmittel unwirksam geworden. Eine konsequente Durchsetzung der sich daraus ergebenden sittlichen Erfordernisse muß als kopernikanische Wende nicht nur des Militärwesens, sondern für die internationale Ordnung überhaupt gewertet werden.

Tatsächlich ist nun aber das politische Bewußtsein der Völker weiterhin in den traditionellen Strukturen und Mitteln der eigenen Sicherung, der Ausübung von Macht und der Anwendung von Gewalt befangen. Es kommt hinzu, daß rund um den Erdball gefährliche Gegensätze in der geschichtlichen Situation, der humanitären Bindung und der politischen Kultur zu verzeichnen sind. In diese Spannungen und anachronistischen Befangenheiten hinein wird mit dem militärischen Einsatz von Waffensystemen gedroht, die zu einer alle Seiten treffenden Menschheitskatastrophe schlechthin führen können. Die Fortführung von Machtkämpfen zwischen Völkern und Weltmächten im Gewande einer derartigen explosiven Hochrüstung kann vernünftigerweise nur darin liegen, die Besitzer der vorhandenen Rüstungspotentiale im Wege der gegenseitigen Abschreckung an ihrem tatsächlichen Gebrauch zu hindern.

Diese ganze widerspruchsvolle und absurde Konstruktion steht und fällt damit, daß nukleare Waffen keine Waffen zum Kriegführen, sondern politische Waffen sind, sie dienen dazu, den Krieg zu verhindern, nicht aber ihn zu führen. Die weiterhin verbleibenden Ziele der Sicherung, der Abwehr und der Konfliktregelung können nur mit politischen Mitteln erreicht werden. Das Ganze läßt sich nur ertragen, wenn diese komplizierte militärische Apparatur nicht Selbstzweck, sondern auf das notwendige und unverzichtbare politische Ziel der Kriegsverhinderung und Friedenssicherung ausgerichtet ist. Diese kopernikanische Wende hat zur Folge, daß an die Stelle der Regeln abstrakter Logik im Verständnis militärischer Begriffe und Denkweise eine Paradoxie und Mehrdeutigkeit getreten ist, denen die Welt im ganzen offensichtlich noch nicht gewachsen ist.

Der Friede, der so auf eine höchst gefährliche Weise gesichert werden soll, muß daher inhaltlich beschrieben werden. Ein Volk muß wissen, für welche Gestalt des Weltfriedens und für welche Gestalt der eigenen Staatsordnung innerhalb der Völkerordnung es in Anspruch genommen wird. Und ein Volk muß diese Ziele auch bejahen, wenn es sich einer menschenwürdigen politischen Kultur verpflichtet weiß. Daher müssen auch die Wahrheitsmomente der Lehre vom gerechten Krieg zu ihrem Recht kommen. Diese Wahrheitsmomente dürfen nicht ersatzlos gestrichen werden, denn sie betreffen in erster Linie die Qualität des Friedensverständnisses. Freiheit und Menschenwürde, Gerechtigkeit und Rechtsordnung nehmen darin einen hervorragenden Platz ein. Die breite Erörterung der Menschenrechte und ihrer Bedeutung für eine Friedensordnung zwischen den Völkern gehört in diesen Zusammenhang. Mit Recht sind daher auch in der Schlußakte der Konferenz über Sicherheit und Zusammenarbeit in Europa von 1975 die Menschenrechtsprobleme zur Schlüsselfrage für die friedliche Fortentwicklung des Verhältnisses zwischen den Völkern erhoben worden. In diesem Sinne ist die Lehre vom gerechten Krieg in eine solche vom gerechten Frieden zu überführen. Dabei ist zu beachten, daß Friede nie abschließend als ein Zustand zu definieren ist, wenn man nicht in utopische Gefilde geraten will. Er ist ein Werden, ein Prozeß. Auf jeden Fall sind aber Wege zu Freiheit und Gerechtigkeit, Sicherungen gegen Unfreiheit, Not und Gewalt seine Wesensbestandteile. Jeder Teilnehmer an der heutigen Friedensdiskussion hat seine politischen und militärischen Vorstellungen und Ratschläge mit dieser Zielsetzung zu legitimieren[9].

Wenn es tatsächlich zu einer sinnvollen politischen Wirkung der für sich genommen so absurden Rüstungslage kommen soll, dann ist die These vom komplementären Handeln für die Beurteilung der komplizierten Weltlage und für ein Konzept der Sicherheitspolitik und der Friedenssicherung fruchtbar zu machen. Dazu müssen das militärische Verteidigungskonzept und die Bewegung des Waffenverzichts in einer spannungsvollen Komplementarität beieinander bleiben, wenn es nicht auf beiden Seiten zu einer gefährlichen Eindimensionalität im Selbstverständnis und damit auch im praktischen Handeln kommen soll. Ein komplementär verstandenes politisches Gesamtkonzept bewahrt die Befürworter einer militärischen Verteidigungsfähigkeit vor jeder Verharmlosung eines Waffengebrauchs und nötigt auf der anderen Seite die Waffengegner zur Mitarbeit an einer schrittweisen Überwindung der sehr vielgestaltigen Weltgefahr. Es ist in der Tat notwendig, einer realistischen und konstruktiven Politik ein derartiges Gesamtkonzept der Komplementarität zugrunde zu legen, um die unsicher gewordene Welt einer stabilen Friedensordnung zuzuführen.

IV. Alternative Friedens- und Abrüstungsvorschläge

Die vorstehenden Erwägungen können an dieser Stelle nur Hinweise darauf sein, daß sittliche Grundentscheidungen von großer Tragweite für politisches Handeln sein können. Eine pauschale Unbedenklichkeitserklärung für alle daraus hergeleiteten Details der Militärstrategie und des Rüstungsprozesses ist damit nicht gegeben. Diese bleiben einer dauernden Prüfung an dem Ziel der Kriegsverhütung und der Entwicklung einer wirksamen Friedensordnung unterworfen. Dieses Ziel läßt sich allein durch strategische und rüstungstechnische Entwicklungen nicht erreichen, zumal diesen im Zusammenspiel der Faktoren Gleichgewicht, Abschreckung und Glaubwürdigkeit eine expandierende Tendenz in der Form einer Rüstungsspirale innewohnt. Das Ganze nimmt den Charakter einer Geheimwissenschaft an, die der Menge der Bevölkerung verborgen bleibt und geeignet ist, Furcht und Schrecken zu verbreiten, anstatt das Vertrauen in die Zukunft zu stabilisieren. Das alles ist für eine offene demokratische Gesellschaft ein untragbarer Zustand. Hier liegt eine wesentliche Wurzel für die Heftigkeit, in der gegenwärtig die an sich so wünschenswerte und notwendige Friedensdiskussion geführt wird[10].

Es kommt hinzu, daß die heutige geltende Militärstrategie, die auf dem Gleichgewicht der Rüstung und der nuklearen Abschreckung mit dem Ziel der Friedenserhaltung beruht, zumindest ein spekulatives Moment enthält. Ob die Spekulation auf den positiven Erfolg der Abschreckung wirklich auf die Dauer zutrifft, liegt nicht außerhalb jedes Zweifels. Wie soll sich der Christ im Falle des Versagens der Abschreckung verhalten? Hier läßt ihn auch der Komplementaritätsgedanke der Heidelberger Thesen im Stich, da sie eben für eine noch unbestimmte Zeit auf das Gelingen der Spekulation setzen und keine Antwort für den Fall des Mißlingens bereithalten. Sie sagen an dieser Stelle, es könne als Rechtfertigung des tatsächlichen Einsatzes nuklearer Waffen nur die Feststellung zugelassen werden, „daß die Drohung ohne Bereitschaft zum Ernstmachen sinnlos gewesen wäre; daß also nun die Folgen des Versagens des Friedensschutzes durch diese Drohung eingetreten und von uns zu tragen sind. Der Christ wird dies nicht anders denn als ein Gericht Gottes über uns alle verstehen können".

Rational begründete Furcht vor der Zukunft und Erschrecken vor dem möglichen Gericht Gottes über die Hybris der Menschen müssen daher von allen geteilt werden, die sich ernstlich mit der weltpolitischen Lage von heute als verantwortungsbewußte Christen befassen. Darum ist es ungut, wenn die Bezeichnung „Friedensbewegung" von bestimmten Gruppen exklusiv in Anspruch genommen wird. Nimmt man den Komplementaritätsgedanken wirklich ernst, kann es nur eine Zusammengehörigkeit aller in einer auf ein gemeinsames Ziel angelegten Friedensbewegung geben. In den ins einzelne gehenden Schlußfolgerungen für hier und jetzt gibt es Unterschiede und Gegensätze. Diese müssen sorgfältig und ohne gegenseitige Diffamierungen ausgetragen werden. Gerade auch die Kirche und ihre Glieder müssen sich dafür einsetzen, den gegenwärtigen Streit um die Friedensfrage unter Beteiligung des Protestes in eine konstruktive Gesamtpolitik mit dem Ziel einer Rüstungsbegrenzung und schrittweisen Rüstungsminderung umzusetzen.

Freilich erweist sich dies gegenüber den Gruppen, die sich als Alternativ- und Protestbewegung gegen das militärische Sicherungssystem verstehen, als besonders schwierig, weil sie von ihrem Ansatz her ein Zusammenwirken mit entgegengesetzten Positionen im Sinne eines zweidimensionalen Gesamtkonzepts nur schwer oder gar nicht zulassen. Der Vorzug der Folgerichtigkeit und die Faszination der Utopie üben in einer Situation großer Unsicherheit eine besondere Anziehungskraft aus. Man ist hin- und hergerissen zwischen Wunsch und Wirklichkeit, was ein Mißverhältnis zwischen dem moralischen Pathos und mehrheitsfähigen politischen Vorstellungen erzeugt.

In der Kriegsdienstverweigerung aus Gewissensgründen melden sich die Traditionen des christlichen Pazifismus zu Wort, wie er unter Berufung auf die neutestamentliche Linie der Gewaltlosigkeit in den „historischen Friedenskirchen" (Mennoniten, Quäker, Church of Brethren) bewahrt wird. Die Großkirchen haben diesem Pazifismus mit einem gewissen Recht immer Wirkungslosigkeit gegenüber dem Unfrieden und dem Unrecht in der Welt vorgeworfen. Aber sie taten es mit einem Quentchen Verlegenheit, weil sie nach der anderen Seite hin, die es mit Krieg und Waffen versuchte, oft weniger kritisch waren. Ohne Zweifel sind der Kirche und den Christen das Friedenszeugnis und der Friedensdienst in der Welt aufgetragen. Doch dies kann nicht in der Gestalt einer zeitlos gültigen Lehre von der Gewaltlosigkeit geschehen, ebensowenig wie eine entgegengesetzte Lehre von der Zulässigkeit des Krieges zeitlos gelten kann. Entscheidungen auf dem Spannungsfeld von Gewalt und Gewaltlosigkeit sind in der jeweiligen geschichtlichen Situation immer wieder neu zu suchen.

Mit Recht haben nach allem die Kirchen nach dem letzten Weltkriege sich des Schutzes der Kriegsdienstverweigerer aus Gewissensgründen angenommen. In der Alternative zwischen Wehrdienst und Kriegsdienstverweigerung aus Gewissensgründen kommt die weltpolitische Spannung zwischen einer Abwehr von Vergewaltigung einerseits und einer den Krieg ausschließenden Friedensordnung andererseits zum Ausdruck. Die Kriegsdienstverweigerung als Form eines christlichen Pazifismus erhält den Charakter einer Demonstration, durch die das Friedensziel der Weltpolitik mit Nachdruck vertreten wird. Kirchliche Befürworter der Kriegsdienstverweigerung aus Gewissensgründen haben die seit dem Deutschen

Evangelischen Kirchentag 1967 übliche Formel „Friedensdienst mit und ohne Waffen" ausdrücklich akzeptiert. Diese den Heidelberger Thesen nachempfundene Formel erreicht zwar nicht deren Tiefe und Reichweite, sie hat aber die Bewegung der Kriegsdienstverweigerung vor einem Ausschließlichkeitsanspruch bewahrt und daran gehindert, sich als selbständige und isolierte politische Friedensbewegung zu verstehen.

Inzwischen hat die im Jahre 1978 entstandene Aktion „Ohne Rüstung leben" (nach einem Stichwort von der Vollversammlung des Ökumenischen Rates der Kirchen in Nairobi 1975) die Bewegung der Kriegsdienstverweigerung aus Gewissensgründen überlagert und deren Besonderheiten weitgehend aus der öffentlichen Diskussion verdrängt. Diese Aktion ist noch am ehesten mit der totalen und bedingungslosen Verwerfung jeglichen Umgangs mit nuklearen Waffen vergleichbar, wie sie Ende der fünfziger Jahre von den Kirchlichen Bruderschaften vertreten wurde, freilich ohne deren Verankerung in dogmatischer und ethischer Systematik. Ihre theologische Basis ist die unreflektierte Anwendung biblischer Friedensaussagen jeder Art auf die Rüstungssituation von heute. Besonders wurde dabei die Bedeutung der Bergpredigt Jesu für das Feld des Politischen wieder in den Mittelpunkt gerückt. Keine der dabei vorrangig in Erscheinung tretenden Interpretationen wird der Bergpredigt gerecht. Weder lassen sich aus ihr isolierte Anweisungen für politisches Handeln erheben, noch läßt sich jegliche Bedeutung für das Politische bestreiten, weder läßt sich die Bergpredigt auf das Leben des einzelnen beschränken, noch läßt sie sich als eschatologische Reich-Gottes-Ethik entschärfen. Die immer neuen Versuche in der Theologie zum Verständnis der Bergpredigt zeigen jedoch ihre lebendige Bedeutung für das Leben des Christen. Sie darf aber nicht aus der grundlegenden Spannung zwischen Distanz und Hinwendung im Weltverhältnis des Christen herausgelöst werden. Am falschen Gebrauch der Bergpredigt für das Feld des Politischen zeigt sich die heutige Versuchung in der Kirche, ungeprüft politische Überzeugungen zu einem kirchlich und biblisch zu vertretenden Programm zu erheben.

Es ist deshalb auch nur folgerichtig, daß sich die Aktion „Ohne Rüstung leben" von der Formel „Friedensdienst mit und ohne Waffen" losgesagt hat. Sie verläßt damit die durch die Heidelberger Thesen erreichte gemeinsame Grundlage für ein Zusammenwirken der Gegensätze im Sinne eines zweidimensionalen Gesamtkonzepts; dem Christen wird heute jegliche Form des militärischen Dienstes verwehrt; die evangelische Kirche wird aufgefordert, sich als Friedenskirche im historischen Sinne zu verstehen.

Die Verweigerer werden nach den vielen Enttäuschungen der Vergangenheit in Fragen des Rüstungsabbaus heute von manchen als diejenigen angesehen, die den Realitäten am ehesten Rechnung tragen. Aber die menschlich durchaus verständliche Reaktion absoluter und konsequenter Rüstungsverweigerung darf nicht über den gleichzeitig geübten politischen Agnostizismus hinwegtäuschen. Kein Staat der Welt ist heute bereit, in der gegenwärtigen Weltlage den Weg einer einseitigen Abrüstung zu beschreiten, ohne daß eine Rückversicherung in dem Gegengewicht einer wirksamen Friedensordnung der Völkergemeinschaft vorliegt. Eine politisch relevante Argumentation ist heute ohne genauere Vorstellungen vom Inhalt einer menschenwürdigen Rechts- und Friedensordnung und ohne ein Mindestmaß an kritischer Auseinandersetzung mit den politischen Zielen und Methoden der UdSSR, soweit sie hinter dem Vorhang einer propagandistisch zu Schau gestellten Heilslehre erkennbar sind, nicht denkbar.

Es ist nicht verwunderlich, daß auch auf dem Boden der Aktion „Ohne Rüstung leben" das Schlagwort „Lieber rot als tot" wieder zu neuem Leben erweckt wurde. In der Tat weist dieses Wort auf den Ernst der Weltlage hin. Im äußersten Fall des Versagens der Abschreckung kann in der Ausweglosigkeit der Situation die Entscheidung erzwungen werden, die Tortur des Zwangsstaates der Auslöschung menschlichen Lebens vorzuziehen. Aber diese äußerste Unmöglichkeit zur politischen Handlungsmaxime erheben, kommt einer Flucht in die Verzweiflung nahe. Sie suggeriert eine Strategie, die die Arbeit an vernünftigen politischen Lösungen verhindert.

Von anderer Art sind schließlich die Vorstellungen einer evangelisch-katholischen Arbeitsgruppe „Schritte zur Abrüstung", die eine zunehmende Anziehungskraft auf diejenigen ausüben, die nach wirksamen Alternativen zur herrschenden Militärstrategie suchen[11]. Die von dieser Gruppe vorgelegte Ausarbeitung einer „gradualistischen Abrüstungsstrategie" greift den auch sonst in der Diskussion immer wieder vorgebrachten Gedanken einer rüstungspolitischen Vorleistung des westlichen Bündnisses auf, um mit einem Schritt des Vertrauens die eigentliche Wurzel der spannungsvollen Weltlage anzugehen, die in dem gegenseitigen Mißtrauen der Weltmächte zu suchen ist. Dieser Vorschlag bedeutet keine Wiederholung vollständiger und sofort zu verwirklichender Abrüstungsvorstellungen; schultheologische Theorien werden vermieden; der militärstrategische Grundgedanke einer Abschreckungskapazität bleibt prinzipiell unangetastet. Es soll aber mit genau durchdachten, einseitigen Abrüstungsschritten begonnen werden, um auch die andere Seite zu entsprechenden Reaktionen zu veranlassen und die Voraussetzungen für aussichtsreichere zweiseitige Verhandlungen zu schaffen. In erster Linie ist dabei an einen Verzicht auf neue Atomwaffen und an eine Verminderung der vorhandenen Potentiale gedacht.

Die Diskussion dieses Konzeptes wird sich — ganz abgesehen von einer kirchlichen Kompetenz für ein derartiges Programm — mit der Frage zu befassen haben, ob die Denkstrukturen, die militärstrategischen Grundvorstellungen, die Einschätzung der politisch-strategischen Weltsituation und die Beurteilung der jeweiligen eigenen Interessenlage zwischen den Bündnissystemen ein Mindestmaß an Übereinstimmung zeigen oder dieses zwischen ihnen herzustellen ist. Auch über die bündnispolitische, sicherheitspolitische und rüstungstechnische Seite wird weiterhin zu diskutieren sein. Wirksame rüstungspolitische Maßnahmen sind nach allen Erfahrungen nur auf der Grundlage gegenseitiger Berücksichtigung der beiderseitigen Interessen zu erwarten. Diese können aber letzten Endes nur in gemeinsamen Verhandlungen geprüft werden.

Niemand darf sich darüber täuschen, daß letzten Endes nur die vernünftige Einsicht in die Notwendigkeit einer Zusammenarbeit der Völker den Frieden sichern und die militärische Rüstung mindern kann. Gelingt es nicht, darin zu einer ausreichenden Übereinstimmung zu kommen, müssen auch Gleichheit der Rüstung, gegenseitige Abschreckung, moralischer Appell, einseitige Verzichte und totale Verweigerungen erfolglos bleiben.

Eine Überschau über das Spannungsfeld im Verhältnis von Glaube und Politik läßt die große Bedeutung erkennen, die dem Glauben hier zukommt. Die Zugehörigkeit zum Reich des Friedens, der höher ist als alle Vernunft, nötigt dazu, zugleich auch dem irdischen Frieden zu dienen. Aber an dieser Stelle ist die Kunst der Unterscheidung zu üben. Die Szene der Weltpolitik läßt etwas ahnen von der Spannung zwischen der auf uns zukommenden Welt Gottes einerseits und dem gebotenen Dienst an der Verbesserung der vergehenden Welt andererseits. Offenbar bleiben das Weltverhältnis des Christen und der Kirche und damit auch ihr Dienst in Politik, Staat und Gesellschaft nur dann in guter biblischer Verfassung, wenn diese Spannung erhalten bleibt. Hier liegt einer der wichtigsten Maßstäbe für die Gestaltung politischer Mitverantwortung der Kirche.

Die Gewißheit des Glaubens ist anderer Art als die Gewißheit politischen Urteilens und Handelns. Deshalb darf das politische Mandat der Kirche aus dem Gesamtzusammenhang einer Beurteilung der politischen Situation und der Abschätzung der Folgen einer politischen Entscheidung nicht herausgelöst werden. Beide sind so gut wie nie eindeutig, sondern fehlsames Menschenwerk, das sich aus einer Fülle von relativen Faktoren zusammensetzt. Wer hier nach einer letzten Wahrheit sucht, der vertritt eine prophetische Geschichtsschau, mit der er den Willen Gottes unmittelbar erfassen will. Die Christenheit ist damit immer in die Irre gegangen.

Manche Äußerung aus dem kirchlichen Bereich in der Friedensfrage beruht auf der Meinung, von kirchlicher Seite könnten Sonderwege zur Lösung politischer Fragen erkannt und empfohlen werden. Wenn aber aus Fragen politischer Entscheidung keine Glaubensfragen und damit keine Wahrheitsfragen gemacht werden dürfen, dann gibt es auch keine politischen Sonderwege, die kirchlich zu empfehlen sind. Die krampfhafte Suche nach der eindeutigen theologischen Formel, aus der politische Programme abgeleitet werden können, hat sich schon auf dem Höhepunkt der einschlägigen Auseinandersetzungen Ende der fünfziger Jahre als ein Irrweg erwiesen. Hier wird eine Gewißheit vorgetäuscht, die es nicht geben kann.

Vorbehalte dieser Art stehen nicht im Widerspruch zu der Erwartung, aus dem Wesen und Auftrag der Kirche ließen sich Erkenntnisse gewinnen, die für die Bewältigung wichtiger Aufgaben in Politik, Staat und Gesellschaft sich möglicherweise als unentbehrlich erweisen. Die Unsicherheit im gegenwärtigen Lebensgefühl des Menschen kann nur soviel überwunden werden, wie sie sich von einer Gewißheit aufnehmen läßt, die nicht in dieser Welt verankert ist. Diese Gewißheit wird nicht vom Menschen produziert, sie wird ihm aus der Gnade Gottes geschenkt.

Anmerkungen

[1]   Vgl. zu diesen Ausführungen die Aufsätze des Verf.: Überlegungen zur Geschichte des politischen Dienstes der Evangelischen Kirche in Deutschland, in: Erwin Wilkens, Politischer Dienst der Kirche, 1978, S. 15-33 (GTB Siebenstern 260); — Zum „Darmstädter Wort" vom 8. August 1947, in: Zukunft aus dem Wort. Helmuth Claß zum 65. Geb. Hg. von Günther Metzger, 1978, S. 151-169.

[2]   Vgl. hierzu die Titel: Johanna Vogel, Kirche und Wiederbewaffnung. Die Haltung der EKD in den Auseinandersetzungen um die Wiederbewaffnung der Bundesrepublik Deutschland 1949-1956, 1978; — Christian Walther (Hg.), Atomwaffen und Ethik. Der deutsche Protestantismus und die atomare Aufrüstung 1954-1961. Dokumente und Kommentare, 1981.

[3]   Vgl. die ausführlicheren Beiträge des Verf.: Theologisches Gespräch über die nuklearen Waffen, in: Günter Howe (Hg.), Atomzeitalter, Krieg und Frieden, 1959, S. 108-159; — Was lehren die Auseinandersetzungen in den Jahren 1958 bis 1960 für den heutigen Streit über Friedensethik und Friedenssicherung? In: Wägen und Wagen. Gedanken zu kirchenleitendem Handeln in Staat, Gesellschaft und Kirche. OKR Dr. Werner Hofmann zum 50. Geburtstag, 1981, S. 145-163 (Evangelischer Presseverband für Bayern, München).

[4]   Texte zu diesem Vorgang finden sich außer in dem gedruckten Synodal-Bericht 1958 in der Sammlung „Evangelische Stimmen zur Atomfrage" (Hg. Dr. Dr. Gottfried Niemeier, 1958).

5 Über die Arbeit dieses Ausschusses existieren zwei Berichte, ein von seinen Mitgliedern gemeinsam gebilligter Zwischenbericht und ein von dem Vorsitzenden Raiser in eigener Verantwortung vorgelegter Arbeitsbericht. Beide Berichte sind im „Kirchlichen Jahrbuch" 1960 veröffentlicht, der Bericht Raisers außerdem im Synodalbericht 1960.

6 Zum Inhalt und zur Interpretation der Heidelberger Thesen im einzelnen wird auf den eingehenden Beitrag des Verf. verwiesen: „Die Heidelberger Thesen von 1959 — ein Beitrag zur ökumenischen Friedensethik?" In: Was kann die Kirche für den Frieden tun? Hg. vom Evangelischen Kirchenamt für die Bundeswehr, 1981, S. 33-68 (dort weitere Lit.).

7 Gesamtausgabe: Die Denkschriften der Evangelischen Kirche in Deutschland. Hg. von der Kirchenkanzlei der EKD. Mit einer Einführung von Ludwig Raiser, 1978 ff. Bisher liegen vor die Bände 1.1 und 1.2 Frieden, Versöhnung und Menschenrechte; 2 Soziale Ordnung; 3 Ehe, Familie, Sexualität.

8 Zur Lehre vom gerechten Krieg im einzelnen s. die Titel: Erwin Wilkens, Theologisches Gespräch über die nuklearen Waffen, in Günter Howe (Hg.), Atomzeitalter, Krieg und Frieden, 1959 (1962², 1962³), S. 148 ff; — Ders., Der Friede und die Völkergemeinschaft, in: Die Autorität der Freiheit. Gegenwart des Konzils und Zukunft der Kirche im ökumenischen Disput, hg. von J. Chr. Hampe, Bd. III, 1967 (Bericht zur Pastoralkonstitution „Gaudium et Spes"); — Wolfgang Lienemann, Das Problem des gerechten Krieges im deutschen Protestantismus nach dem Zweiten Weltkrieg, in: Reiner Steinweg (Hg.), Der gerechte Krieg, 1980; — Ders., Gewalt und Gewaltverzicht. Studien zur abendländischen Vorgeschichte der gegenwärtigen Wahrnehmung von Gewalt, 1981 (Forschungen und Berichte der Evangelischen Studiengemeinschaft, Bd. 36.).

9 Vgl. auch die umfangreichen Bemühungen um den Begriff des Friedens im römisch-katholischen Bereich: Cordelia Rambacher, Was sagt die Kirche zu Rüstung und Frieden? Entwicklungen seit Pacem in terris, in: Herder Korrespondenz, Jg. 1981, S. 304-309; — s. auch den Beitrag von Ernst Nagel in diesem Aufsatzband sowie den Aufsatzband: Frieden in Sicherheit. Zur Weiterentwicklung der katholischen Friedensethik, Hg. von Norbert Glatzel und Ernst J. Nagel, 1981.

10 Zur aktuellen Diskussion über die Friedensfrage s. folgende Titel: Aktion Sühnezeichen/Friedensdienste (Hg.), Aktionshandbuch 2, Frieden schaffen ohne Waffen, Lamuv Verlag 1981; — Arbeitskreis Pro Ökumene (Hg.), „Ohne Rüstung leben"; 1981 (GTB Siebenstern 1049) — Eberhard Stammler (Hg.), Sicherung des Friedens. Eine christliche Verpflichtung, 1980; — Arbeitsgruppe „Schritte zur Abrüstung": „Schritte zur Abrüstung — Welche Initiativen kann die Bundesrepublik Deutschland ergreifen und was können die Kirchen tun?"; ein Abrüstungsvorschlag, vorgelegt im Mai 1981. epd-Dokumentation Nr. 21 a/81 vom 4. Mai 1981; — Kirche und Kernbewaffnung. Materialien für ein neues Gespräch über die christliche Friedensverantwortung. Als Handreichung vorgelegt von der Generalsynode der Nederlandse Hervormde Kerk. Herausgegeben und übersetzt von Hans-Ulrich Kirchhoff, 1981.; — Um Frieden und Sicherheit. Materialien zur Diskussion. Folgen 1-8. epd-Dokumentation Nr. 11/81, 13/81, 18a/81, 20/81, 21a/81, 25/81, 30/81, 32/81, (wird fortgesetzt).

11 Das Memorandum „Schritte zur Abrüstung — Welche Initiativen kann die Bundesrepublik Deutschland ergreifen und was können die Kirchen tun?" liegt bisher vor in der „epd-Dokumentation" Nr. 21a/81 vom 4. Mai 1981. Vgl. auch die kritische Würdigung in der „Herder Korrespondenz" 1981 S. 276 ff.: „Schrittweise Abrüstung: auf welchen Wegen?" Für Einzelheiten wird hier auf diese Veröffentlichungen verwiesen.

HERWIG PICKERT

Die Heidelberger Thesen von 1959 und militärischer Friedensdienst heute

> *Die letzte, höchste Ehre des an geschichtlichen Ehren so reichen Soldatenstandes wird darin bestehen, daß er entscheidend zu seiner Selbstüberwindung beiträgt.*
>
> *(Günter Howe)*

Nur das Ziel ist eindeutig: Frieden

Die Bundesrepublik Deutschland erlebt Anfang der achtziger Jahre eine öffentliche Auseinandersetzung um den Frieden, seine Gefährdung und Möglichkeit. Ähnlich wie zu Ende der fünfziger Jahre, als der Streit um die Ausrüstung der Bundeswehr mit nuklearen Trägermitteln und um die Möglichkeit von Militärseelsorge im Atomzeitalter ausgetragen wurde, gehen die Fronten quer durch die Kirche. Ohne die grundlegenden Differenzen ausräumen zu können, stellte sich damals die Synode der Evangelischen Kirche in Deutschland (EKD) in Spandau unter das Versprechen und die Bitte: „Wir bleiben unter dem Evangelium zusammen und mühen uns um die Überwindung dieser Gegensätze. Wir bitten Gott, er wolle uns durch sein Wort zu gemeinsamer Erkenntnis und Entscheidung führen."[1] Gewiß war dieses Bekenntnis ein Eingeständnis des Unvermögens, in diesen lebenswichtigen Fragen zu einem Konsens zu kommen; aber zugleich müssen wir als Christen doch eigentlich bekennen, daß es durchaus kein Zeichen von Schwäche und Ohnmacht ist, wenn wir uns bei allen Kontroversen und Konflikten unseres Lebens trotzdem eins wissen unter dem Evangelium, unter seinem Anspruch und seiner Verheißung.

Ein Jahr nach der Spandauer Synode verabschiedete die vom Militärbischof D. Hermann Kunst angeregte Kommission der Evangelischen Studiengemeinschaft nach zweijähriger Arbeit die elf Heidelberger Thesen (HT) mit ihren eingehenden Erläuterungen zur Friedensverantwortung des Christen im Atomzeitalter.

Auch ohne den Charakter einer offiziellen kirchlichen Verlautbarung bildeten sie seither den „maßgeblichen Bezugspunkt protestantischer Friedensethik"[2] und dienten als Grundlage für kirchliche Äußerungen zum

Frieden, bis die Friedensdenkschrift der EKD vom November 1981 sie sich zu eigen machte[3]. Allerdings wird in jüngster Zeit dieser friedensethische Konsens mit unterschiedlichen Begründungen einseitig aufgekündigt. Die Enttäuschung darüber, daß in den mehr als zwanzig Jahren seit Entstehung der Heidelberger Thesen kein Fortschritt bei der Überwindung der gegenseitigen nuklearen Bedrohung erreicht wurde, sondern im Gegenteil die Rüstungen auf beiden Seiten quantitativ und qualitativ erheblich gesteigert wurden und dadurch vielerorts eine immer stärkere Gefährdung des Friedens empfunden wird, hat für manchen die Zweifel an der Richtigkeit und Wirksamkeit der Thesen verstärkt.

Eines ihrer Kernelemente war nämlich die zeitliche Dimension in dem erhofften Friedensprozeß, die am schärfsten in dem „heute noch" der 8. Heidelberger These zum Ausdruck kommt. Auch wenn die Erläuterungen zu dieser und der 11. These mahnen, daß über die Vorläufigkeit des Weges, den Frieden durch Atomrüstung zu schützen, nie eine Täuschung zugelassen werden darf und man „den heutigen Zustand nicht anders denn als rasch vorübergehenden Übergang"[4] rechtfertigen kann, so läßt sich doch die uns erlaubte und verfügbare Zeitspanne wohl kaum datumsmäßig fixieren, wie ja auch an anderer Stelle ausgeführt wird, daß mit Ausnahme der Kapitulation vor der Gewalt und einer diktatorischen Weltmacht alle anderen Wege zur Abschaffung des Krieges und zur dauerhaften Sicherung des Friedens langwierig sind[5].

Auch wenn wir unter dem Eindruck der Waffenentwicklung und der verstärkt geäußerten Furcht vor einem Krieg meinen, diesen Übergang nicht sehen zu können, so stehen dem doch andere hoffnungsvolle Anzeichen entgegen. „Die Einsicht in das ungeheure Risiko der Abschreckung hat eine Veränderung der Politik hin zur Entspannungspolitik bewirkt (Gewaltverzicht, Ost-Verträge, Helsinki-Abkommen, Salt-Abkommen, MBFR). Daß ‚vertrauensbildende Maßnahmen' Gegenstand von Außen- und Militärpolitik geworden sind, ist ein weltgeschichtliches Novum."[6]

Wenn wir uns heute mehr als zwanzig Jahre nach ihrer Entstehung fragen, welche Bedeutung die Heidelberger Thesen für die Bundeswehr, ihren Auftrag und das Selbstverständnis der Soldaten haben, so müssen wir zunächst feststellen, daß die Streitkräfte der Bundesrepublik Deutschland das säkulare Instrument eines säkularen Staates sind, auch wenn sich das Grundgesetz in seiner Präambel auf die Verantwortung des deutschen Volkes vor Gott beruft; darüber hinaus muß uns klar sein, daß die bewußten evangelischen Christen unter den Soldaten eine Minderheit bilden, da die Bundeswehr ein Spiegelbild der soziologischen Struktur unserer Gesellschaft ist.

Mit diesen Feststellungen wird zwar der Anspruch kirchlicher Verlautbarungen und Forderungen, zu denen man die Heidelberger Thesen wohl auch vor ihrem offiziellen Charakter zählen durfte, relativiert, nicht aber ihre Bedeutung, wie sie gerade in der neu entbrannten Friedensdiskussion deutlich wird. Auch weiß sich die Kirche (genau wie der einzelne Christ) in die Verantwortung gestellt für das ganze Gemeinwesen und alle Mitmenschen.

So richten sich die Heidelberger Thesen nicht nur an die Christen, die sich in ihrem vom Glauben her gebotenen Friedensauftrag durch ihr Gewissen bedrängt wissen, sondern darüber hinaus an alle Menschen, vorab die Politiker und Soldaten, für die „die Notwendigkeit des Weltfriedens . . . eine Aussage der profanen Vernunft" sein sollte[7]. Dabei erscheint es wesentlich, daß die Heidelberger Thesen in der bedrohlichen Weltsituation unserer Zeit in erster Linie vom negativen Begriff des Friedens als Nicht-Krieg[8] auszugehen scheinen, der allerdings deutlich als eine wahrhaft notwendige Vorstufe auf den umfassenden Frieden Gottes, den Schalom, bezogen ist. Dieser wird insbesondere in der 2. und 4. Heidelberger These angesprochen, wobei das bereits angeführte „heute noch" der 8. These unterstreicht, daß der negative Friede nicht das eigentliche Ziel der Thesen ist, sondern sie sich als Teil eines dynamischen Prozesses verstehen, in dem sich die Menschheit dem Schalom annähert, soweit er nicht Verheißung und Geschenk Gottes bleibt[9].

Dialektik und Komplementarität der Friedenssicherung

Welche sicherheitspolitischen Aussagen und ethischen Forderungen finden sich in den Heidelberger Thesen, und wie verhalten sie sich zum Auftrag der Bundeswehr und zum Selbstverständnis des Soldaten? Unter dem Leitsatz der auf Carl Friedrich von Weizsäcker zurückgehenden ersten These, „der Weltfriede wird zur Lebensbedingung des technischen Zeitalters"[10], fordern die weiteren Thesen die Abschaffung des Krieges in einer andauernden und fortschreitenden Anstrengung (3. HT), wobei die globalen Gefahren für Recht und Freiheit auf dem Weg zu diesem Weltfrieden realistisch eingeschätzt werden, zugleich aber der klassischen Lehre vom „gerechten Krieg" eine Absage erteilt wird (5. HT). In den folgenden Thesen wird das Herzstück der damals neuen Friedensethik entwickelt, indem die sich konträr gegenüberstehenden, aber jeweils im Glauben fundierten Wege des Dienstes am Frieden mit Hilfe des aus der Naturwissenschaft übernommenen Begriffes der Komplementarität aufeinander bezogen und so aus ihrer nur negativen Konfrontation und Polarisierung herausgenommen werden.

Der Begriff der Komplementarität geht auf Niels Bohrs Beitrag zur Deutung der Quantenmechanik zurück, als er die sich gegenseitig ausschließende Erfahrung vom Wellen- und Partikelcharakter des Elektrons als ein komplementäres Verhältnis bezeichnete. Diese Chiffre soll verdeutlichen, daß jede dieser Aussagen, obwohl sie nicht in einem einzigen Bild anschaulich vereinigt werden können, jeweils für sich die gleichwichtigen Seiten der Gesamtheit der Informationen zum Ausdruck bringen, die überhaupt gewonnen werden können. Dabei hängt es von der Anordnung des Experimentes beziehungsweise dem Standpunkt des Beobachters ab, welche der komplementären Seiten er erkennen kann, und die Kenntnis des einen Sachverhaltes schließt die des dazu komplementären aus[11].

Daß dieser Begriff der Komplementarität Eingang in die ethische Fragestellung der fünfziger Jahre nach der Friedensaufgabe des Christen im Atomzeitalter fand, hatte eine zwanzig Jahre zurückliegende Vorgeschichte, als C. F. von Weizsäcker bei einer Tagung der Evangelischen Michaelsbruderschaft im Jahre 1938 von dem theologischen Vortrag eines jungen Mathematikers, des späteren Sekretärs der Heidelberger Kommission der Evangelischen Studiengemeinschaft, Günter Howe, stark angerührt wurde; auf der gemeinsamen Rückfahrt von dieser Tagung fragte von Weizsäcker ihn, ob es in der Theologie eine Analogie zum Bohrschen Begriff der Komplementarität gäbe, und „als 1957/58 der Streit um die Atomwaffen die Evangelische Kirche beinahe zu spalten drohte, . . . wagte (Howe) es, den Begriff der Komplementarität in die ethische Debatte einzuführen"[12], weil für ihn die jeweils so einfachen Positionen beider Seiten in ihrer Polarisierung ein entscheidendes Stück der Wirklichkeit aus dem Blick verloren.

Wenn nun die Heidelberger Thesen in ihren Kernaussagen versuchen, die verschiedenen Gewissensentscheidungen angesichts des nuklearen Dilemmas als komplementäres Handeln zu verstehen, so haben sich die Betroffenen damals den Begriff der Komplementarität nicht etwa als bequemen Kompromiß in einer ausweglos scheinenden Situation geschaffen; vielmehr wurde zu dieser Zeit die geistliche Erkenntnis der Komplementarität ethischen Handelns gewonnen und auf die Situation angewendet. Die Tiefe dieser Erkenntnis geht über die — zwar heute noch grundsätzlich gültigen, aber doch insgesamt zeitbedingten — Heidelberger Thesen weit hinaus.

Unter bewußter Ausklammerung der Frage nach einer totalen Kriegsdienstverweigerung[13] fordern die Heidelberger Thesen die Kirche und damit alle Christen auf, sowohl „den Waffenverzicht als eine christliche Handlungsweise" als auch „die Beteiligung an dem *Versuch,* durch das Dasein von Atomwaffen einen *Frieden in Freiheit* zu sichern, als eine *heute noch* mögliche christliche Handlungsweise" anzukennen[14].

Mit tiefem Ernst wendet sich dann die folgende 9. These an den Soldaten einer nuklear gerüsteten Armee, aber auch an alle anderen Menschen, die vom Arbeiter in einem Zulieferbetrieb der Rüstungsindustrie bis hin zum Wähler und Politiker Mitverantwortung für die Bereithaltung und den Einsatz von Nuklearwaffen tragen, denn „wer A gesagt hat, muß damit rechnen, B sagen zu müssen."[15] Dieses Kalkül wird durch die Erläuterung der These in seiner Konsequenz weiter ausgeführt: Ohne die Bereitschaft, diese Waffen gegebenenfalls auch einzusetzen, wäre die Drohung mit der Abschreckung, die ja den Frieden schützen soll, eine Farce. Sollte es aber trotzdem zum Ausbruch eines Krieges, speziell eines atomaren Krieges kommen, so vermag nach Ansicht der Heidelberger Thesen nichts anderes den Einsatz dieser Waffen zu rechtfertigen. Damit sind wir beim Kern und zugleich beim Dilemma des Aufrages der Bundeswehr; denn er „bedeutet primär Abschreckung. Die Streitkräfte sollen gemeinsam mit den verbündeten Truppen durch Kampfkraft und hohe Einsatzbereitschaft jeden Aggressor davor abschrecken, militärische Gewalt anzudrohen oder anzuwenden. . . . Im Verteidigungsfall haben die Streitkräfte den Auftrag, zusammen mit den verbündeten Truppen den Angreifer so grenznah wie möglich abzuwehren und verlorene Gebiete zurückzugewinnen. Bei drückender Überlegenheit des Aggressors muß sein Angriff so lange aufgehalten werden, bis die politische Führung mit politischen Mitteln den militärischen Konflikt beenden kann oder sich für die eine oder andere Eskalationsstufe der Abwehr entscheidet."[16]

Aus dieser Formulierung des Weißbuches 1975/76, die sich recht eng an den Wortlaut der Militärstrategischen Konzeption der Bundeswehr hält, ergibt sich ein den Auftrag der Bundeswehr bestimmender Aspekt, nämlich die Einbindung in die nordatlantische Allianz und damit in deren strategisches Konzept, wie es mit der „Flexiblen Reaktion" seit 1967 offiziell in Kraft ist. Danach soll durch Abschreckung der Frieden bewahrt und im Kriegsfall durch Verteidigung der Erfolg einer Aggression verhindert werden; die Abschreckung zielt darauf ab, daß dem Gegner das Risiko der Aggression im Verhältnis zum damit angestrebten Erfolg untragbar hoch erscheint, und stützt sich auf die sogenannte Triade aus konventionellem, taktisch-nuklearem und strategisch-nuklearem Potential ab, um die ganze Bandbreite möglicher Aggressionsformen abzudecken. Nicht nur das Potential, sondern auch die möglichen Reaktionsarten, die jeweils für sich nacheinander oder gleichzeitig angewendet werden können, sollen nach Art und Umfang einer eventuellen Aggression entsprechen:

— Die Direktverteidigung antwortet der Aggression auf der vom Angreifer gewählten Stufe des Konfliktes, um die Aggression zum Scheitern zu bringen oder den Aggressor mit der Gefahr der Eskalation zu konfrontieren.

— Die Vorbedachte Eskalation durch Steigerung der Kampfintensität oder durch räumliche Ausdehnung des Konfliktes soll dem Angreifer deutlich machen, daß Gewinnchancen und Risiko für ihn nicht mehr in einem akzeptablen Verhältnis stehen.

— Die Allgemeine Nukleare Reaktion schließlich richtet sich vor allem gegen das strategische Potential des Gegners, aber auch gegen seine Ressourcen und Bevölkerungszentren; „ihre Androhung ist das stärkste Abschreckungsmittel, ihre Anwendung die stärkste militärische Reaktion der NATO."[17]

Aber nicht nur diese letzte Reaktionsart, die ja die eine Seite der gerade so viele Menschen bewegenden Furcht vor einem nuklearen Holocaust darstellt, sondern auch die beiden ersteren Reaktionsarten können den Einsatz von Nuklearwaffen beinhalten, wobei niemand zuverlässige Vorhersagen über die Kontrollierbarkeit des Konfliktes nach dem Auslösen der ersten nuklearen Detonation machen kann.

Wenn hier vielleicht der Eindruck entsteht, die Strategie der NATO und damit der Bundeswehr befasse sich in erster Linie mit Kriegführungsoptionen, so muß dem widersprochen werden. Schon Clausewitz stellte fest, „es sind zwei Dinge, welche in der Wirklichkeit als Motiv zum Frieden an die Stelle der Unfähigkeit zum ferneren Widerstand treten können. Das erste ist die Unwahrscheinlichkeit, das zweite ein zu großer Preis des Erfolges"[18]. Um den Frieden zu bewahren und den Ausbruch eines Krieges überhaupt zu verhindern, muß die Abschreckung glaubwürdig sein und ein kalkuliert untragbares Risiko für den Aggressor bedeuten.

In dieser Dialektik finden wir eine deutliche Analogie zum Gedanken der Komplementarität, denn einerseits brauchen wir ein optimales — nicht ein maximales — Potential und die äußere Bereitschaft und Fähigkeit, dieses Potential zur Abwehr einer Aggression einzusetzen, andererseits zielt dies allein darauf ab, daß dadurch der Einsatz des verfügbaren Vernichtungspotentials eben nicht erforderlich wird. Es geht nämlich heute nicht mehr darum, einen Krieg führen und gewinnen zu können, der entsprechend der Clausewitzschen Definition „ein Akt der Gewalt (ist), um den Gegner zur Erfüllung unseres Willens zu zwingen"[19], sondern der Zweck unserer militärischen Anstrengungen ist, uns nicht den Willen eines Gegners aufzwingen zu lassen.

In diesem Zusammenhang ist einem weiteren Mißverständnis entgegenzutreten, das mit unterschiedlichen Akzenten verbreitet wird, nämlich daß Militär und Rüstung zwangsläufig einen Krieg vorprogrammierten, beziehungsweise daß der Soldat gar nicht ausreichend motiviert werden und die notwendigen Fertigkeiten erwerben könne, wenn er nicht Aussicht auf Bewährung und Anwendung des Gelernten im Kriege habe. „Wäre diese These richtig, bedeutete sie, daß Friedensliebe mit Verteidigungsbereitschaft unvereinbar sei und daß folglich nur der glaubwürdig abschrecken könne, der fest mit dem Scheitern der Abschreckungsstrategie rechnet, d. h. von ihrer Nutzlosigkeit überzeugt ist."[20]

So wird die ständige, hohe Einsatzbereitschaft bei Teilen der Streitkräfte, insbesondere in der Luftverteidigung und bei den taktischen Luftwaffenverbänden, die sich kurz vor Erfüllung des Kampfauftrages abspielt, von den betroffenen Soldaten weniger als Vorstufe zum tatsächlichen Einsatz verstanden, sondern sie sehen dies als die notwendige Konsequenz des Abschreckungs- und damit des Friedensauftrages der Bundeswehr an und empfinden diesen Dienst trotz aller Frustrationen und Belastungen offenbar durchaus nicht als nur unbefriedigend. Die Bewältigung des quasi komplementären Auftrages zeigt sich schon daran, daß in diesen Verbänden die disziplinarischen Probleme relativ geringer sind, obwohl bei ihnen im Vergleich zur Gesamtbundeswehr die Dienstzeitbelastung weit höher ist.

Wenn — unabhängig von der gewiß zu hinterfragenden Quantität und Qualität der Rüstung und ihrer Entwicklungstendenzen — des weiteren kritisiert wird, die Abschreckung sei eo ipso unmoralisch und unchristlich, weil sie durch ihre Drohung dem Gegner Angst mache und ein Christ nicht Angst verbreiten dürfe, so verwechselt dieses Argument zunächst einmal Ursache und Wirkung. Man sollte die Abschreckung vielleicht mit einem Zaun vergleichen, der etwa ein Haus vor Einbrechern schützen soll, wobei die erforderliche Höhe und Ausstattung des Zaunes durchaus kritisch beleuchtet werden müßten. Dieser Zaun wird aber nur für den zur Bedrohung und Gefährdung, der unter Verletzung von allseits geltenden Rechtsnormen das Haus in unfriedlicher Absicht eben nicht durch die Tür betreten will. Abschreckung und das dahinter stehende militärische Potential müssen von Konzeption und Intention her grundsätzlich reaktiv sein, niemals initiativ oder offensiv. Dies wird für die Bundeswehr und ihre Soldaten noch durch das Grundgesetz unterstrichen, das die Aufstellung deutscher Streitkräfte eindeutig an einen Verteidigungsauftrag bindet und „Handlungen, die geeignet sind und in der Absicht vorgenommen werden, das friedliche Zusammenleben der Völker zu stören, insbeson-

dere die Führung eines Angriffskrieges vorzubereiten", für verfassungs-
widrig erklärt und unter Strafandrohung stellt[21].

Wenn bisher in erster Linie von der Abschreckung die Rede war, mag
sich der Eindruck aufdrängen, die Strategie der NATO und damit der
Auftrag der Bundeswehr seien allein auf die Erhaltung des Status quo
ausgerichtet; es fehle das dynamische Element, wie es ein Kernstück der
Heidelberger Thesen ausmacht. Dies ist insoweit richtig, als man lediglich
die militärische Seite betrachtet. Die Streitkräfte sind ein Instrument der
Exekutive, d. h. der Politik, sie können und wollen nicht selber Politik als
solche machen. Abgesehen von einigen Aspekten der Friedensförderung,
bei denen durchaus auch der Beitrag des Militärs gefragt ist, ist die Initiie-
rung des Friedensprozesses und die Aufrechterhaltung seiner dynamischen Entwicklung Sache der Politik, deren Primat sich die Streitkräfte
unterzuordnen haben.

In Analogie zur Komplementarität der Heidelberger Thesen ist hier der
sogenannte Harmel-Bericht „Die zukünftigen Aufgaben der Allianz" aus
dem Jahre 1967 anzuführen, der zur gleichen Zeit wie das neue strategische Konzept der Flexiblen Reaktion verabschiedet wurde und die bis heute gültigen und auch jüngst wieder bekräftigten zwei Hauptfunktionen
der Allianz festlegte. Die erste dieser Hauptfunktionen ist die Abschrek-
kungs- und Verteidigungsfähigkeit auf der Grundlage einer ausreichenden
militärischen Stärke und der politischen Solidarität. Zur Sicherung des
Gleichgewichts der Streitkräfte soll das erforderliche militärische Potential aufrechterhalten und dadurch ein Klima der Stabilität, der Sicherheit
und des Vertrauens geschaffen werden. Auf dieser Grundlage kann die
zweite Hauptfunktion erfüllt werden: „die Suche nach Fortschritten in
Richtung auf dauerhafte Beziehungen, mit deren Hilfe die grundlegenden
politischen Fragen gelöst werden können. Militärische *Sicherheit* und eine
Politik der *Entspannung* stellen *keinen Widerspruch,* sondern eine *gegenseitige Ergänzung*[22] dar. . . Die Entspannung ist nicht Endziel, sondern
Teil eines langfristigen *Prozesses* zur Verbesserung der Beziehungen und
zur Förderung einer Regelung der europäischen Fragen. Das höchste politische Ziel der Allianz ist es, eine gerechte und dauernde *Friedensordnung*
in Europa mit geeigneten Sicherheitsgarantien zu erreichen."[23]

Der strategisch-historische Kontext der Heidelberger Thesen

Bei der Kritik, die die Komplementaritätschiffre außerhalb der Bundeswehr erfährt, wird neben der angesprochenen zeitlichen Komponente des
„heute noch" der 8. These zunehmend das Argument gebraucht, die Hei-

delberger Thesen seien so eng an die strategische Doktrin der Massiven Vergeltung gekoppelt, daß schon der Übergang zur Strategie der Flexiblen Reaktion sie eigentlich obsolet gemacht habe[24]. Des weiteren liege dem Komplementaritätsgedanken die Vorstellung zugrunde, daß man zwischen Abschreckung und Verteidigung unterscheiden könne, diese fundamentale Unterscheidung sei aber durch die Entwicklung sowohl bei den nuklearen als auch bei den konventionellen Waffen brüchig geworden, da „Verteidigung, d. h. Kriegführung, jetzt auch wieder mit Aussicht auf Erfolg möglich werden (soll), wenn die Abschreckung versagt"[25].

Bevor hierauf eingegangen wird, ist vorauszuschicken, daß bei aller angestrebten Rationalität strategische Annahmen und Konsequenzen nicht beweisbar sind; auch kann letztlich niemand anstreben, eine Probe aufs Exempel zu machen und den Beweis für ihre Richtigkeit bis zur letzten Konsequenz antreten zu müssen. Die oben dargestellten Ansichten verkennen vielleicht nicht nur gewisse Grundannahmen der geltenden NATO-Strategie, wie sie zumindest von den Europäern verstanden wird, sondern sie interpretieren in einseitiger Weise das strategische Denken der späten fünfziger Jahre, wie es auch in den Erläuterungen der Thesen und in den in Heidelberg seinerzeit vorgelegten Referaten zum Ausdruck kommt.

Nicht nur die Massive Vergeltung orientierte sich an dem obersten Ziel der Kriegsverhinderung, dies tut auch das Konzept der Flexiblen Reaktion. Unter den gegebenen Umständen ist letzteres auch durchaus realistischer, da angesichts des nuklearen Patts niemand mehr dem Automatismus des großen nuklearen Schlages auch bei einem Konfliktbeginn auf relativ niedriger Ebene Glauben schenken konnte. Die Flexible Reaktion ist schon allein deshalb glaubwürdiger und in der kriegsverhindernden Abschreckung erfolgversprechender, weil sie vorsieht, einer Aggression auf der Ebene zu antworten, auf der diese vorgetragen wird, gleichzeitig aber die Eskalationsdrohung dem Aggressor ein mögliches, untragbares Risiko vor Augen führt. Hieran ändern auch die neueren und „einsetzbareren" Waffen nichts, denn sie können diese Risikodrohung glaubwürdiger und damit die Abschreckung wirksamer machen, da sowohl die sofortige Drohung mit dem großen Schlag als auch manche der früheren Waffen wegen der damit verbundenen Neben- und Folgeschäden eher für den Verteidiger abschreckend waren. Auch ist es ein Grundgedanke der Flexiblen Reaktion, selbst nach dem „Versagen der Abschreckung", also wenn trotzdem eine Aggression stattfindet, durch Direktverteidigung und eventuell die Vorbedachte Eskalation, die nicht notwendigerweise nuklear sein muß, die Abschreckung wiederherzustellen.

Wenden wir uns aber dem strategischen Denken der fraglichen Zeit zu, so erkennen wir, daß dieses sich damals bereits allgemein im Umbruch befand, auch wenn die NATO-Strategie aus verschiedenen Gründen erst zehn Jahre später offiziell den veränderten Umständen angepaßt wurde — es sei nur an Henry Kissingers 1957 erschienenes Buch „Kernwaffen und auswärtige Politik" erinnert[26]. Auch die Mitarbeiter an den Heidelberger Thesen waren sich offensichtlich durchaus dieses strategischen Wandels bewußt. So gehen die Erläuterungen der 3. und 5. These ausdrücklich auf die „einsetzbaren" Nuklearwaffen und die Möglichkeit eines begrenzten Krieges ein, der allerdings richtigerweise unter der latenten Eskalationsdrohung gesehen wird[27]. Darüber hinaus gibt es keinen der in dem Sammelband „Atomzeitalter, Krieg und Frieden" veröffentlichten Beiträge der Studienkommission von Heidelberg, der nicht seinerzeit die Glaubwürdigkeit der Massiven Vergeltung anzweifelte oder die Eventualität eines begrenzten Krieges trotz der damals offiziell noch gültigen totalen Abschreckungsdoktrin beziehungsweise den begrenzten Einsatz kleinerer und genauerer Nuklearwaffen ansprach[28].

Die Heidelberger Thesen orientieren sich also nicht an einer obsoleten Fragestellung oder überholten Prämissen, sondern die damals vorhandene oder sich doch abzeichnende Problematik ist unter vielleicht verschärften Vorzeichen im Grunde die gleiche geblieben. Von daher können die Thesen auch heute durchaus als ethisches Fundament für den von der Bundeswehr zu vertretenden Teil des komplementären Friedensauftrages dienen.

Gleichzeitig müssen wir aber sehen, daß man sich unter Vernachlässigung der von den Thesen geforderten dynamischen Bemühungen um Überwindung des bedrohlichen Zustandes in Selbsttäuschung und Verdrängung seither an den Status quo angepaßt hat, bis sich jetzt drängender denn je die Notwendigkeit zur Änderung artikulierte. Auch die Kirche ist hieran vielleicht nicht ganz unschuldig. Sie hat zwar verschiedentlich die Vorläufigkeit der militärischen Friedenssicherung im Sinne der Heidelberger Thesen angesprochen[29], im Bewußtsein der Öffentlichkeit haben diese und die daraus zu ziehenden Konsequenzen aber einen weit geringeren Niederschlag gefunden als zum Beispiel die Formel des Kirchentages von 1967 vom „Friedensdienst mit und ohne Waffen", die den Status quo festzuschreiben scheint. Diese Gleichstellung der beiden Friedensdienste war seinerzeit vielleicht durchaus angebracht, um der Bevölkerung und auch manchen Kirchengliedern zu verdeutlichen, daß Kriegsdienstverweigerung aus Gewissensgründen nicht mit Drückebergerei und Staatsfeindlichkeit gleichzusetzen ist, sie blieb aber doch weit hinter den Heidelberger Thesen zurück.

Die Rezeption der Heidelberger Thesen

Wie sieht es nun aber mit der Rezeption der Heidelberger Thesen in der Bundeswehr und bei den einzelnen Soldaten aus? Trotz vielfältiger Bemühungen der Militärseelsorge dürften sie selbst sowie ihr Kernpunkt der Komplementarität als Begriffe den Soldaten weitgehend fremd geblieben sein. Das bedeutet nicht, daß die inhaltlichen Aussagen aufgrund der Vermittlung der Militärpfarrer oder aus anderen Denkanstößen nicht zu den bei manchen Soldaten intensiv durchdachten Grundlagen ihres Berufes oder Dienstes gehören. Jedoch dürfen wir nicht verkennen, daß in einer Armee zumeist nur das Einfache Erfolg hat; dialektisches Denken, wie es die Komplementaritätschiffre bedingt, ist aber kein einfacher, sondern ein doppelter Denkprozeß, und es fällt der militärischen Hierarchie schwer, den Soldaten die Radikalität dieses Denkprozesses zuzumuten.

Einschränkend muß noch zweierlei angemerkt werden. Die Motivation zur Wahl des Soldatenberufes scheint sich seit Entstehung der Bundeswehr entscheidend gewandelt zu haben. Während noch zu Anfang der sechziger Jahre gewisse ideelle Gründe den wesentlichen Anstoß zur Berufswahl des freiwilligen Soldaten bildeten, scheinen sich in den siebziger Jahren hierbei „in erster Linie nüchterne kalkulatorische Erwägungen wie Geldverdienen, Karrieremachen, Bildungs- und Ausbildungsangebote sowie soziale Sicherheit für die Berufswahl auch der längerdienenden Offiziere und Unteroffiziere"[30] in den Vordergrund geschoben zu haben. Verschiedene Untersuchungen bestätigen diese Tendenz[31]. Vor einem solchen Hintergrund ist es fraglich, ob die Betroffenen von sich aus bereit und in der Lage sind, die Voraussetzungen und möglichen Konsequenzen ihres Dienstes in deren ganzer Tiefe zu durchdenken, wie es die Heidelberger Thesen implizieren.

Das andere ist, daß es wohl keinen Beruf gibt, der mit den eigentlichen letzten Fragen von Leben, Tod und Wohl der Mitmenschen befaßt ist, in dem der Betroffene diese letzten potentiellen Konsequenzen seines Tuns ständig zu durchdenken vermöchte. Diese Tatsache anzuerkennen, bedeutet aber wiederum kein Alibi, sich einer permanenten Verdrängung dieser Fragen hinzugeben. Eine Tendenz hierzu ist gewiß auch bei den Soldaten vorhanden, zumal sowohl die öffentliche Nachwuchswerbung als auch die auf technische Effizienz gerichtete Ausbildung und auch gewisse verharmlosende offizielle Sprachusancen dieses fördern. Auch wenn der damalige Bundespräsident Walter Scheel vor den Kommandeuren der Bundeswehr feststellte, „es gibt eine ganze Menge Soldaten, die ihr Gewissen dazu treibt, Soldat zu werden, weil sie der Auffassung sind, der Sache des Friedens so am besten dienen zu können"[32], so dürfte die in der 8. HT postulierte Vorläufigkeit der militärischen Friedenssicherung nur von einer Minderheit vertreten werden. Wie anders wäre sonst die Aufforderung von Gustav Heinemann, die Bundeswehr müsse bereit sein, sich zugunsten besserer politischer Lösungen in Frage stellen zu lassen, auf so viel Mißverständnis und vehemente Kritik gestoßen? Stimmen wie die von Generalleutnant a. D. Graf von Baudissin und der sogenannten „Leutnante 1970", die forderten, den Frieden selbst mitgestalten zu können und den Auftrag der Streitkräfte zu hinterfragen[33], gehören wohl einer Minderheit an.

In der Mehrheit dürften die Soldaten aus überkommener Berufs- und Auftragsauffassung eher einem statischen Selbstverständnis verhaftet sein, das sich in den Kategorien von Frieden als Nicht-Krieg und im zuvörderst oder allein auf die eigene Seite bezogenen Sicherheitsdenken ausdrückt. Da unter dem Vorhandensein der Waffenpotentiale und der Abschreckungsdoktrinen über mehr als 35 Jahre in unserer Region kein Krieg ausbrach, verstehen sich die meisten Soldaten als die eigentlichen Sachwalter des Friedens. So ist es für manche von ihnen nur schwer nachvollziehbar, daß es auch andere Wege des Friedensdienstes geben kann. Deshalb akzeptieren diese wohl die Kriegsdienstverweigerung in erster Linie nur, weil sie ein verfassungsmäßiges Grundrecht darstellt; als Dienst am Frieden im Sinne der Heidelberger Thesen wird sie kaum aufgefaßt, worin allerdings kaum ein Unterschied zu breiten Kreisen der Bevölkerung besteht. Kriegsdienstverweigerer werden insgesamt mehr oder weniger indifferent geduldet, solange sie kein Problem für die personelle Einsatzbereitschaft der Truppe darstellen.

Jedoch scheint sich hier in zweierlei Richtung eine Wende abzuzeichnen. Zum einen haben bei den öffentlichen Rekrutengelöbnissen des Jahres 1980 die Gewalttätigkeiten, die gewiß einen Mißbrauch des Friedensgedankens darstellten, bei Soldaten aller Dienstgradgruppen zu einer Verhärtung auch gegenüber den Kriegsdienstverweigerern geführt, die durch manche Umstände bei der sich neu formierenden Friedensbewegung noch gefördert wird. In diesem Zusammenhang ist an einige Vertreter dieser Bewegung die Frage zu richten, wie sich ihre Unduldsamkeit bis hin zur persönlichen Diffamierung mit dem Anspruch verträgt, den wahren Weg zum Frieden zu vertreten. „Wahrheitssuche ist . . . unerläßlich, und gemeinsam kann man Wahrheit nur suchen, wenn man dem Partner das Recht zu eigener Meinung auch dort einräumt, wo man diese Meinung als schwer erträglich empfindet; alle andere Toleranz ist keine Kunst."[34] Wie ist ein so absolut gesetztes Wahrheitsverständnis mancher christlichen Pazifisten mit dem Wissen der Bibel vereinbar, daß menschliche Erkenntnis immer Stückwerk ist und nur Christus von sich selbst sagen konnte, Er sei die Wahrheit? Auch hier könnte die Chiffre der Komplementarität wertvolle Dienste auf dem Weg zum Frieden leisten.

Soldaten, die auch heute noch wie der Hauptmann von Kapernaum an das Prinzip von Befehl und Gehorsam in einer Hierarchie gewöhnt sind, können für manche solche Äußerungen aus dem Raum der Kirche oder von kirchlichen Amtsträgern nur schwer Verständnis aufbringen. So ist es unbedingt erforderlich, daß beide Seiten mehr als bisher miteinander und nicht übereinander reden. Dies stellt allerdings wirkliche Anforderungen an den Friedenswillen beider Seiten und verlangt von ihnen, sich in Frage stellen zu lassen, wo auch immer ihr Standort ist. Hier scheint sich die andere Wende abzuzeichnen, wenn sich zum Beispiel auf gemeinsamen Rüstzeiten für Soldaten und Zivildienstleistende die Angehörigen der unterschiedlichen Friedensdienste oft zum ersten Mal persönlich begegnen und miteinander ins Gespräch kommen.

Der Friedensauftrag des Soldaten

Wenn vorhin der reine Instrumentalcharakter der Streitkräfte unter dem Primat der Politik angesprochen wurde, so heißt dies nicht, daß der Soldat sich aus der persönlichen Verantwortung für sein Tun und dessen Konsequenzen herausstehlen darf oder will, indem er sich auf einen unreflektierten Gehorsam gegenüber der jeweiligen Führung zurückzieht. Unter dem Leitbild der Effizienz und Effektivität würde dann der Soldat fast ausschließlich in der Ausrichtung auf die Kampffähigkeit und Kampfbereitschaft gesehen[35], nicht aber unter dem Aspekt, daß diese nur Mittel zur Gewährleistung der Abschreckungsfähigkeit und damit zur Kriegsverhinderung sind, nicht aber das Ziel. Sicherlich kann „Abschreckung nur dann ihren Zweck erfüllen. . ., wenn sie von Streitkräften getragen wird, deren Soldaten *um des Friedens willen* ein so hohes Verteidigungspotential entwickeln, daß jeder Angriff zu Mißerfolg und Selbstzerstörung führt. Das *Warten auf den Krieg* wirkt dem Sinn der Abschreckung entgegen und macht den Krieg — im Gegenteil — erst wahrscheinlich."[36]

Damit ist der Soldat an seinen eigentlichen Auftrag gewiesen, wie er in Fortführung der Grundgedanken der Heidelberger Thesen in „Prozeß Frieden — 14 Thesen aus der Evangelischen Militärseelsorge" erläutert wird: „Der Dienst des Soldaten als Friedensdienst erfordert mehr als die Fähigkeit und nötigenfalls die Bereitschaft zum Kämpfen. Er erfordert auch das Mitdenken und Mitprüfen von Notwendigkeit und Folgen eige-

nen Einsatzes. Dabei ist es gleichgültig, ob es sich um die Ausführung eines Befehls handelt oder ob der Einsatz aus eigenem Entschluß erfolgt.
. . . Soldat für den Frieden kann nur sein, wer das eigene Handeln nicht nur auf Effizienz ausrichtet, sondern auch vor dem Gewissen verantwortet."[37] Angesichts des Dilemmas des Soldaten, im Falle eines Krieges durch sein Tun — oder auch sein Unterlassen — eventuell das zu vernichten oder der Zerstörung preiszugeben, was er schützen und bewahren soll, erhält die Frage des militärischen Gehorsams eine neue Dimension. Gewiß darf der Soldat seinen Dienst nicht mit der grundsätzlichen Reservatio mentalis antreten, im Falle X bestimmte Waffen nicht anzuwenden oder überhaupt die Waffen niederzulegen,[38] dies wäre Verlogenheit sich selbst und dem Gemeinwesen gegenüber. Andererseits müssen wir damit rechnen, daß komplementäres Handeln sich nicht nur auf unterschiedliche Personen und Gruppen beschränkt, sondern auch im unterschiedlichen Handeln der gleichen Menschen, also von Soldaten (und vielleicht auch von Pazifisten?) zu verschiedenen Zeiten zum Ausdruck kommen kann[39]. Wenn wir die Aussagen der 6. und 9. Heidelberger Thesen ernst nehmen, so dürfen wir ein „Tauroggen" nicht ausschließen[40]. Diese Fragen lassen sich nicht theoretisch am Sandkasten durchspielen, denn das Gewissen ist immer konkret. Gewissensentscheidungen lassen sich nicht hypothetisch fällen, erst in der wirklichen Situation können wir wissen, wie wir uns entscheiden müssen.[41] Diese Entscheidung ist immer eine Sache äußerster Einsamkeit, aber doch kann sie nie ein isolierter Akt sein; denn auch wenn das Gewissen meine ureigenste Angelegenheit ist, so steht es doch nicht nur in „einer nie aufhebbaren Spannung,"[42] sondern vor allem auch in einem unlösbaren Verhältnis zur Verantwortung, die „die ganze, der Wirklichkeit angemessene Antwort des Menschen auf den Anspruch Gottes und der Nächsten ist"[43].

Die Anforderungen des komplementären Friedensdienstes des Soldaten können aber nicht nur in den Grundfragen und Extremlagen des Dienstes auftreten, sondern sie müssen sich bis in den privaten Alltag hinein auswirken. So sollte es zum Beispiel für einen Soldaten selbstverständlich sein, auch seine Kinder zum Frieden zu erziehen. Dabei muß er nicht nur in Kauf nehmen, sondern direkt darauf gefaßt sein, daß sein Sohn vielleicht einmal auch den Antrag auf Anerkennung als Kriegsdienstverweigerer stellt. Dieses nicht nur zu ertragen, sondern bei aller erforderlichen sachlichen Auseinandersetzung eine solche Entscheidung mitzutragen und unter den noch gegebenen Anerkennungsverfahren für Kriegsdienstverweigerer trotz des eigenen Berufes und sozialen Umfeldes mitzuvertreten, wäre Handeln im Sinne komplementärer Friedensethik.

Um des gemeinsamen Zieles des Friedens willen sollten nicht nur die Gegner des Friedensdienstes mit der Waffe die einseitige Aufkündigung des Konsenses einer komplementären Friedensethik rückgängig machen, sondern auch die Soldaten müssen die andere Seite als zumindest vollwertigen Partner auf dem Weg zum Frieden zur Kenntnis nehmen und akzeptieren. „Faktisch stützt heute jede der beiden Haltungen. . . die andere. Die atomare Bewaffnung hält auf eine äußerst fragwürdige Weise immerhin den Raum offen, innerhalb dessen solche Leute wie die Verweigerer der Rüstung die staatsbürgerliche Freiheit genießen, ungestraft ihrer Überzeugung nachzuleben. Diese aber halten, so glauben wir, in einer verborgenen Weise mit den geistlichen Raum offen, in dem neue Entscheidungen vielleicht möglich werden; wer weiß, wie schnell ohne sie die durch die Lüge stets gefährdete Verteidigung der Freiheit in nackten Zynismus umschlüge."[44]

Wenn über diesen Erläuterungen zur 11. Heidelberger These steht, „nicht jeder muß dasselbe tun, aber jeder muß wissen, was er tut"[45], so heißt das, wir sollen uns nicht mit dem jetzigen Zustand abfinden, denn „die größte Gefahr für den Frieden ist, daß die Zeitspanne, die uns das gegenwärtige Kräftegleichgewicht läßt, in träger Resignation vertan wird. . . . Weite und Unsicherheit des Weges rechtfertigen nicht den Verzicht auf den ersten Schritt"[46]. Für den Soldaten bedeutet dies, daß er die ausschließliche, gedankliche Fixierung auf eine statische Abschreckung verläßt. Schon die noch weithin gültige Auffassung von Sicherheit bedarf einer Revision. Sicherheit kann heute nicht mehr einseitig und exklusiv verstanden werden, und Sicherheit kann nicht allein als Ergebnis eines Gleichgewichtes definiert werden, denn wer kann das Gleichgewicht objektiv bestimmen? Die bisherigen Anstrengungen zur Aufrechterhaltung des Gleichgewichtes kann man auch unter dem Vorzeichen der Komplementarität sehen, allerdings dem negativen der daraus resultierenden Rüstungsspirale, denn die Auffassungen beider Machtblöcke von der Bedrohung durch die jeweils andere Seite waren für sich betrachtet subjektiv durchaus berechtigt, wie wir es im Streit um die „defensive" sowjetische Rüstung erlebt haben[47].

Das Sicherheitsbedürfnis der anderen Seite muß heute ein wesentlicher Faktor der Lagebeurteilung und der Entscheidungen sein, denn „Sicherheit ist ein Gut, das Konfliktgegner nur gemeinsam erwerben können"[48]. Langfristig gesehen, ergibt sich daraus vielleicht die Konsequenz einer Ab- und Umrüstung, durch die das Bedrohtheitsgefühl der anderen Seite gemindert werden könnte, ohne gleichzeitig Ängste auf der eigenen Seite wachsen zu lassen. Es geht also unter anderem um eine verstärkte Ausrichtung auf zwar gleichermaßen abschreckende, aber doch klar erkennbar rein defensive Optionen, die selbst bei bösem Willen nicht als offensiv bedrohlich empfunden werden können und zugleich auch auf der eigenen Seite Ängste abbauen, wie sie gerade jetzt im Zuge der Diskussion um einen europäischen Nuklearkrieg laut werden.

Die Entscheidungen über solche neuen Optionen können nicht von der Bundeswehr getroffen werden, sie liegen in der Hand der Politiker; aber die Soldaten können sich als Fachleute bemühen, vorurteilslos Alternativen zu durchdenken, die in diese Richtung gehen. Ansätze hierzu gibt es durchaus, sie stoßen allerdings zu leicht auf das Beharrungsvermögen in den einmal eingeschlagenen Geleisen. Es ist sehr gut denkbar, daß solche Alternativen zunächst weit höhere personelle und materielle Opfer verlangen; diese wären aber durchaus vertretbar, wenn dadurch auf der Basis gemeinsamer Sicherheit der Konfliktgegner ein Prozeß in Gang käme, der multilateral und gradualistisch, ohne neue Ängste zu wecken, zu einer Trendwende im Rüstungswettlauf führte[49]. Es scheint ethisch fragwürdig, daß man grundsätzlich auf nukleare Waffen und damit auf die Drohung mit dem gegenseitigen Untergang zurückgreift, nur weil man nicht willens oder fähig ist, die erforderlichen Opfer aufzubringen, die auch eine den Frieden sichernde Abschreckung auf der unteren Skala möglicher Konfliktformen sichern würden. „Auch hier ist der Soldat nach seinem Beitrag gefragt, wobei selbst schrittweise Abrüstung sowohl tradierter Erfahrung als auch dem handgreiflichen Berufsinteresse widerspricht. Sich selbst so weitgehend in Frage zu stellen, wäre eine hohe Form soldatischen Dienstes am Frieden."[50]

Frieden schaffen

Auf dem Weg zum Frieden, der mehr ist als bloßer Nicht-Krieg, gilt es, die falschen Konfrontationen abzubauen, die nur zu oft durch Schlagworte anstelle von Argumenten und der Bereitschaft zum gegenseitigen Anhören verursacht sind. Welchen Schlagworten begegnen wir heute nicht im „Streit um den Frieden", eine Formulierung, die in sich schon absurd erscheint: Frieden schaffen ohne Waffen — Ohne Rüstung leben — Sicherung des Friedens, eine christliche Verpflichtung . . . Leider werden in der Auseinandersetzung diese Bezeichnungen von Befürwortern und Gegnern sehr oft unreflektiert benutzt, man lehnt sie ab oder propagiert sie, ohne die wirklichen Inhalte und Hintergründe zu kennen.

Als Soldat und Christ bin ich davon überzeugt, daß es heute noch meine Aufgabe und Verantwortung ist, den Frieden durch die Existenz der

Waffen zu sichern, wobei in dieser Frage — vielleicht bis auf das „heute noch" — gewiß ein Konsens in der Bundeswehr und der Mehrheit unseres Volkes besteht, also: Sicherung des Friedens — eine christliche Verpflichtung[51]. Dies steht gewiß im Gegensatz zu der Bewegung „Ohne Rüstung leben", wobei hier nicht hinterfragt werden soll, wie zum Beispiel der für unsere Weltregion geforderte und mit der Bergpredigt begründete Pazifismus mit der Befürwortung der Gewaltanwendung durch Befreiungsbewegungen in der Dritten Welt zu vereinbaren ist[52], ganz zu schweigen von der Aggressivität, Intoleranz und dem ganz und gar unchristlichen Haß, mit dem manche Vertreter dieser Bewegung gegenüber Andersdenkenden auftreten.

Aber — und dies ist eine Anfrage an diejenigen, die es im Sinne der 8. Heidelberger These und des angeführten Aufrufes an die evangelischen Christen für (noch) erforderlich halten, den Frieden auch durch Waffen zu sichern — besteht unbedingt ein grundsätzlicher Widerspruch zu dem, was hinter dem Schlagwort „Frieden schaffen ohne Waffen" wirklich steht? Uns sollte bewußt sein, mit Waffen können wir den Frieden nur *sichern* und *bewahren,* so hoffen wir jedenfalls. Aber wirklichen Frieden über die Dimension des Nicht-Krieges hinaus kann man mit Waffen nie *schaffen.* In dieser grundsätzlichen Einsicht sollten sich nicht nur die Christen, sondern auch die meisten Staatsbürger, also auch die Politiker und Soldaten der Bundeswehr einig sein. Viel zu wenig aber dürfte bekannt sein, daß sich hinter diesem Motto des „Frieden schaffen ohne Waffen", dem Leitwort der 1981 veranstalteten bundesweiten Friedenswochen, durchaus keine grundsätzliche Ablehnung der militärischen Friedenssicherung durch Kriegsverhinderung verbirgt, sondern das dort vertretene Selbstverständnis kann durchaus in Übereinstimmung mit den Heidelberger Thesen und insbesondere mit der von ihnen geforderten Dynamik des Friedensprozesses gesehen werden[53], auch wenn man in einer ganzen Reihe von Einzelfragen sehr anderer Meinung sein kann.

Woran liegt es, daß wir oft nur den Schlagworten folgen und in unfruchtbarer Ablehnug und Polemik verharren, anstatt uns zu informieren und die Gemeinsamkeiten, aber auch die uns trennenden Auffassungen im gemeinsamen Gespräch herauszuarbeiten? Wir sollten daran denken, daß es neben dem auf menschlicher Gewalt beruhenden Friedensbegriff der Pax und dem allumfassenden Frieden Gottes, dem Schalom, auch den griechischen Friedensbegriff der Eirene gibt, der sich von der Bedeutung ableitet: Man spricht wieder miteinander! „Die Wiederentdeckung von Dialog und Gespräch in unserer Zeit (ist) eine heilsgeschichtliche Zäsur erster Ordnung"[54], und dies gilt für alle Beteiligten, auch für die einzelnen

Soldaten und die Bundeswehr als Institution. Wenn wir uns wirklich auf den Frieden einlassen, so müssen wir verstärkt lernen, auf die andere Seite zu hören und uns von ihr hinterfragen zu lassen. Das steht allerdings im Widerspruch zu den Auswegen, die wir gerne suchen; denn wie Wolfgang Huber in einem insgesamt sehr konstruktiven, nach vorne weisenden Aufsatz feststellte, „wo Aporien sich auftun, wächst die Neigung zur Polarisierung. In Polarisierungen drückt sich oft die Sehnsucht nach Eindeutigkeit aus. Doch diese Sehnsucht kann leicht zu Verharmlosungen führen — dort nämlich, wo das Problem selbst solche Eindeutigkeit nicht verträgt, sondern wo es selbst Aporien enthält, aus denen wir den Ausweg noch nicht kennen"[55].

Als Soldaten liegt unserem Naturell die Eindeutigkeit; wenn wir uns aber unter die Komplementarität der Friedensethik stellen wollen, wie sie die Heidelberger Thesen formulieren, so müssen wir bereit sein, auf diese Eindeutigkeit zu verzichten. Eindeutigkeit können wir zusammen mit denjenigen, die den zu uns komplementären Weg zum Frieden suchen und vertreten, nur in der gemeinsamen Schuld und in der Gnade Gottes finden. Wir stehen damit noch immer in derselben Verantwortung und demselben Dilemma wie vor mehr als zwanzig Jahren, als die Heidelberger Thesen erarbeitet wurden. Aber wir stehen auch weiterhin unter derselben Hoffnung und Verheißung, wie sie damals der große Theologe und Philosoph Paul Tillich aussprach: „Man hat gefragt, ob das Experiment Mensch mißlungen sei oder ob der Mensch verdiene, zurückgenommen zu werden; ganz gleich, ob biologisch dadurch, daß er sich selbst vernichtet, oder soziologisch dadurch, daß er sich in ein Ding unter Dingen verwandelt, die er im technischen Prozeß selbst produziert hat. Nur der Weg, den der Mensch tatsächlich gehen wird, nur der Weg, den *wir* zu gehen uns entscheiden, kann diese Frage beantworten. Noch sind die Mächte, die *für* den Menschen kämpfen, nicht verschwunden. Noch ist der Mensch und seine Freiheit nicht versunken. . . . Man hat von unserer Zeit als gnadenloser Zeit gesprochen. Sicher haben viele Zeitgenossen Gnade nicht mehr sehen können. Aber keine Zeit ist ohne Gnade. Und aus solcher Gnade mag das ewige Humanum neue Gestalt in der Geschichte annehmen. Wir kennen es nicht, wir können es nicht erzwingen, aber wir können wagen, es zu erhoffen."[56]

Anmerkungen

1   Zitiert in der 6. Heidelberger These (HT); in: Atomzeitalter, Krieg und Frieden, hrsg. von Günter Howe, Forschungen und Berichte der Evangelischen Studiengemeinschaft, Witten und Berlin 1959 1959, S. 230.

2   Lienemann, Wolfgang, Das Problem des gerechten Krieges im deutschen Protestantismus nach dem Zweiten Weltkrieg; in: Steinweg, Reiner (Red.), Der gerechte Krieg: Christentum, Islam, Marxismus, Friedensanalysen 12, Frankfurt am Main 1980, S. 145.

3   Frieden wahren, fördern und erneuern — Eine Denkschrift der Evangelischen Kirche in Deutschland, Hannover, 5. Nov. 1981, S. 53 ff.
    Vgl.: Die christliche Friedensbotschaft, die weltlichen Friedensprogramme und die politische Arbeit für den Frieden, Handreichung eines theologischen Ausschusses des Rates der Evangelischen Kirche in Deutschland zur Friedensfrage vom Dezember 1962; in: Frieden, Versöhnung und Menschenrechte, Die Denkschriften der Evangelischen Kirche in Deutschland, Band 1/2, Gütersloh 1978, S. 7 ff.
    Der Friedensdienst der Christen. Eine Thesenreihe zur christlichen Friedensethik in der gegenwärtigen Weltsituation, erarbeitet von der Kammer der Evangelischen Kirche in Deutschland für öffentliche Verantwortung, vom Dezember 1969, ebd., S. 35 ff.

4   8. und 11. HT, a.a.O., S. 233 und 236.

5   3. HT, a.a.O., S. 228.

6   Mutius, Albrecht von, Aufruf zum Frieden — Bleibende Bedeutung der Heidelberger Thesen; in: Evangelische Kommentare, H. 7/1981, S. 389.

7   1. HT, a.a.O., S. 226.

8   Vgl.: Liedke, Gerhard, Überlebensfrage Frieden — Von der Komplementarität zu den Dimensionen des Friedens; in: Müller, A. M. Klaus (Hrsg.), Zukunftsperspektiven, Praxisberichte und theoretische Ansätze zu einem integrierten Verständnis der Lebenswelt, Stuttgart 1976, S. 33 ff.

9   Müller, Alfred Dedo, Dämonische Wirklichkeit und Trinität, Der Atomkrieg als theologisches Problem, Gütersloh 1963, S. 63 f.

10 1. HT, a.a.O., S. 226.

11 Howe, Günter, Mensch und Physik, Witten und Berlin 1963, S. 68 f.

12 Weizsäcker, Carl Friedrich von, Geleitwort zu: Günter Howe, Die Christenheit im Atomzeitalter, Vorträge und Studien, Stuttgart 1970, S. 7 f.
    Howe, Günter, Gott und die Technik, Die Verantwortung der Christenheit für die wissenschaftlich-technische Welt, Hamburg — Zürich 1971, S. 232.

13 7. HT, a.a.O., S. 231 f.

14 7. und 8. HT, a.a.O., S. 231 f. (Hervorhebung durch den Verfasser).

15 9. HT, a.a.O., S. 233 f.

16 Weißbuch 1975/1976 zur Sicherheit der Bundesrepublik Deutschland und zur Entwicklung der Bundeswehr, Bonn 1976, S. 86.

17 Ebd., S. 20 f.

18 Clausewitz, Carl von, Vom Kriege, Frankfurt/M. — Berlin — Wien 1980, S. 39.

19 Ebd., S. 17.

20 Baudissin, Wolf Graf von, Der Beitrag des Soldaten zum Dienst am Frieden, Vortrag auf der Tagung des evangelischen Wehrbereichsdekan V in Kloster Kirchberg am 29. 7. 1968; in: Ders., Soldat für den Frieden, Entwürfe für eine zeitgemäße Bundeswehr, hrsg. von Peter von Schubert, München 1969, S. 38 f.

21 Artikel 87a (1) und 26 (1) des Grundgesetzes der Bundesrepublik Deutschland.

22 Der englische Originaltext macht die Analogie zu den Heidelberger Thesen deutlicher als die deutsche Übersetzung: „Military security and a policy of dé-

tente are not contradictory but *complementary*." (The Future Tasks of the Alliance — Report of the Council, Annex to the Final Communiqué of the Ministerial Meeting — December 1967; in: NATO Facts and Figures, Brüssel 1971, S. 365 f. — Hervorhebung durch den Verfasser).

23 Kommuniqué der Ministertagung des Nordatlantikrates am 14. Dezember 1967; in: Die Atlantische Gemeinschaft, Grundlagen und Ziele des Nordatlantikvertrages, hrsg. vom Presse- und Informationsamt der Bundesregierung, Bonn (1972), S. 212 ff. (Hervorhebung durch den Verfasser).
Trotz mancher, vielleicht auch berechtigter Bedenken zum Doppelbeschluß der NATO vom Dezember 1979 kann nicht verkannt werden, daß die Intentionen, wie sie zumindest von deutscher Seite in diesen Beschluß und seine Implementierung eingebracht wurden und werden, auf der dialektisch-komplementären Linie des Harmel-Berichtes liegen.

24 Vgl.: Solms, Friedhelm, Zur Aktualität der Heidelberger Thesen in militärstrategischer Hinsicht; in: Unser Beitrag zum Frieden — Christliche Ethik zwischen Abschreckung und Abrüstung, Protokoll Nr. 467 der Evangelischen Akademie Rheinland-Westfalen, Mühlheim an der Ruhr 1980, S. 44 ff.

25 Lienemann, Wolfgang, Die Heidelberger Thesen und die Lehre vom gerechten Krieg; in: Unser Beitrag zum Frieden, a.a.O., S. 68.

26 Deutsche Übersetzung: Kissinger, Henry, Kernwaffen und auswärtige Politik, München 1959.

27 3. und 5. HT, a.a.O., S. 227 und 229.

28 Beiträge in: Atomzeitalter, Krieg und Frieden, a.a.O.:
— Weizsäcker, Carl Friedrich von, Militärische Tatsachen und Möglichkeiten, S. 30 ff. und 42.
— Nürnberger, Richard, Die internationalen Beziehungen und die atomare Rüstung, S. 68 ff.
— Scheuner, Ulrich, Krieg und Kriegswaffen im heutigen Völkerrecht, S. 96.
— Wilkens, Erwin, Theologisches Gespräch über die nuklearen Waffen, S. 109, 111 f. und 140.
— Howe, Günter, Die atomare Bewaffnung als geistesgeschichtliches und theologisches Problem, S. 174.
— Schlink, Edmund, Die Atomfrage in der kirchlichen Verkündigung, S. 210.
— Janssen, Karl, Erläuterungen zu den Thesen, S. 241.
— Gollwitzer, Helmut, Zum Ergebnis der bisherigen Beratungen, S, 249 f., 253 und 261 f.

29 Vgl.: Der Friedensdienst der Christen, a.a.O.

30 Fleckenstein, Bernhard, Jugend und Militärdienst — Einstellungs- und verhaltenswichtige Faktoren gegenüber dem Dienst in der Bundeswehr; in: Sicherheitspolitik heute, 2/1975, S. 391.

31 Vgl. die Veröffentlichungen von Rudolf Warnke u.a. in den Wehrsoziologischen Studien der Schriftenreihe Innere Führung, hrsg. vom Bundesministerium der Verteidigung.

32 Ansprache des Bundespräsidenten Walter Scheel auf der 22. Kommandeurtagung der Bundeswehr in Saarbrücken am 5. April 1978.

33 ,,Der Leutnant 1970"; in: Militär — Gehorsam — Meinung (Dokumente zur Diskussion in der Bundeswehr), zusammengestellt von Klaus Heßler, Berlin 1971, S. 98 ff.

34 Weizsäcker, Carl Friedrich von, Erforschungen der Lebensbedingungen; in: Ders., Diagnosen zur Aktualität, München — Wien 1979, S. 61 f.

35 Vgl. ,,Gedanken zur Inneren Führung" sowie ,,Gedanken zur Verbesserung der Inneren Ordnung des Heeres" (sog. Schnez-Studie) des damaligen Inspekteurs des Heeres, Generalleutnant Albert Schnez, in: Militär — Gehorsam — Meinung, a.a.O., S. 42, 44 f., 51 und 54.

[36] Baudissin, a.a.O., S. 39 (Hervorhebung durch den Verfasser).

[37] Prozeß Frieden — 14 Thesen aus der Evangelischen Militärseelsorge; in: Ernstfall Frieden — Christsein in der Bundeswehr, hrsg. von Reinhard Gramm und Peter H. Blaschke, Stuttgart — Berlin 1980, S. 36.

[38] 9. HT, a.a.O, S. 234.

[39] Howe, Die atomare Bewaffnung als geistesgeschichtliches und theologisches Problem, a.a.O., S. 189.

[40] Vgl. Äußerungen hoher Militärs und Wissenschaftler beim „3. Cappenberger Gespräch" der Freiherr-vom-Stein-Stiftung, angeführt in: Walter Möller/Fritz Vilmar, Sozialistische Friedenspolitik für Europa, Reinbek 1972, S. 195 f.

[41] Claß, Helmut, Gewissen und Glauben; in: Gewissen im Dialog, hrsg. vom Evangelischen Kirchenamt für die Bundeswehr, Gütersloh 1980, S. 21.

[42] Bonhoeffer, Dietrich, Ethik, München 1981, 9. Aufl., S. 261.

[43] Ebd., S. 260.

[44] 11. HT, a.a.O., S. 235.

[45] Ebd.

[46] 4. HT, a.a.O., S. 228.

[47] Vgl.: Weizsäcker, Carl Friedrich von, Moskaus Rüstung: defensiv und bedrohlich; in: Ders., Diagnosen zur Aktualität, a.a.O., S. 51.

[48] Schubert, Klaus von, Sicherheitspolitik und politische Moral; in: Unser Beitrag zum Frieden, a.a.O., S. 39.
Baudissin, a.a.O., S. 51.
Vgl.: Schubert, Klaus von, Bedingungen des Überlebens; in: Aus Politik und Zeitgeschichte, B 10/80, S. 34 ff.

[49] Schubert, Klaus von, Sicherheitspolitik und politische Moral, a.a.O., S. 41 ff.

[50] Baudissin, a.a.O., S. 51.

[51] Vgl.: Sicherung des Friedens — Eine christliche Verpflichtung, hrsg. von Eberhard Stammler, Stuttgart — Berlin 1980 (u. a. mit dem gleichnamigen Aufruf des Arbeitskreises „Sicherung des Friedens").

[52] Ohne Rüstung leben — Arbeitskreis von Pro Ökumene, Information Nr. 14, Oktober 1980 (Erwiderung auf These 3 des Aufrufs „Sicherung des Friedens" — siehe Anm. 51).

[53] Deile, Volkmar, „Frieden schaffen ohne Waffen" — Was wir damit meinen; in: Frieden schaffen ohne Waffen, Aktionshandbuch 2, hrsg. von der Aktion Sühnezeichen/Friedensdienste e. V., Bornheim-Merten 1981, S. 20 f.
Ders., „Frieden schaffen ohne Waffen" — Was tun 1981? Ebd., S. 22 ff.

[54] Müller-Gangloff, Erich, Horizonte der Nachmoderne. Mächte und Ideen im 20. Jahrhundert, Gelnhausen/Stuttgart 1964, 2. Aufl., S. 137.

[55] Tillich, Paul, Humanität und Religion; in: Ders., Die religiöse Substanz der Kultur, Gesammelte Werke, Band IX, Stuttgart 1967, S. 119.

ARMIN BOYENS

Ökumenische Friedensethik

Das 20. Jahrhundert ist das Zeitalter zweier Weltkriege. Sie haben tiefe Spuren im Leben und Denken aller Menschen unseres Jahrhunderts hinterlassen.

Das 20. Jahrhundert ist auch das Zeitalter der Ökumenischen Bewegung (ÖB), die sich bemüht, die Una Sancta als die Gemeinschaft der Christen, die sich zu dem einen Herrn Jesus Christus bekennen, zu verwirklichen und so die Einheit der Kirche in der Welt sichtbar zu machen. Die ÖB hat — bis auf geringe Ausnahmen — heute alle christlichen Kirchen der Erde erfaßt.

Hält man diese beiden Tatsachen nebeneinander, so wird sofort die Notwendigkeit einer ökumenischen Friedensethik deutlich. Zwei Weltkriege mit der unheimlich gesteigerten Zerstörungskraft moderner Waffen haben das traditionelle Denken christlicher Kirchen über Krieg und Frieden in Frage gestellt. Neue Fragen erfordern neue Antworten. Auf im Weltmaßstab gestelle Fragen reichen die alten von den Nationalkirchen im nationalen Rahmen gefundenen Antworten nicht mehr aus. Hier liegt die Chance der ÖB, die als weltweite Bewegung angetreten ist und im Weltmaßstab zu denken und zu handeln begonnen hat.

Aber zwei Weltkriege deuten auch die Grenzen friedensethischer Bemühungen der ÖB an. Die in der ÖB verbundenen Christen und Kirchen haben den Weltfrieden nicht schaffen, haben zwei Weltkriege nicht verhindern können. Was aber ist dann ökumenische Friedensethik? Was kann sie sein, und vor allem, wenn es sie gibt, was vermag sie zu leisten?

Traditionelle Antworten und Denkkategorien einer im nationalen oder konfessionellen Rahmen entworfenen Ethik als Wissenschaft, die sich bemüht, ein System von Gesetzen des sittlichen Handelns aufzustellen, werden nicht ausreichen. So wie die ÖB etwas Neues in der Kirchengeschichte darstellt, ist auch ökumenische Friedensethik etwas Neues. Der folgende Beitrag stellt einen Versuch dar, dieses neue Phänomen zu beschreiben.

Am Anfang der ökumenischen Friedensethik steht die Erfahrung. Im Laufe ihrer über 80jährigen friedensethischen Praxis hat die ÖB eine Fülle von Erfahrungen sammeln können, die noch viel zu wenig bekannt sind. Einige der wichtigsten Erfahrungen sollen kurz in Erinnerung gerufen werden. Ihre Darstellung beschränkt sich aus Raumgründen auf die Fragen des Völkerfriedens im engeren Sinne. Die Entwicklungshilfe als friedensfördernde Maßnahme wird nicht berührt. Ebenso wird nicht die Unterstützung von Befreiungsbewegungen, die schwerlich als Friedensethik, allenfalls als eine moderne Form von Kriegsethik verstanden werden kann, behandelt.

Pazifismus genügt nicht

Vier Hauptströme lassen sich zu Beginn des 20. Jahrhunderts innerhalb der Ökumenischen Bewegung ausmachen:

— Der Weltbund für Internationale Freundschaftsarbeit der Kirchen (WFK);
— Der Internationale Missionsrat (IMR);
— Der Ökumenische Rat für Praktisches Christentum (ÖRPC);
— Die Bewegung für Glauben und Kirchenverfassung.

Alle vier erkannten die Verantwortung der Christen für die Vermeidung des Krieges und die Förderung des Friedens in der Welt an. Aber nur der Weltbund (WFK) formulierte diese Verantwortung und nahm sie mit den folgenden Worten in seine Verfassung auf:

„Ziel des Weltbundes ist es, durch die Kirchen einen Geist der Freundschaft zwischen den Völkern zu pflegen, um so den zu Haß und Krieg führenden Bestrebungen entgegenzuwirken."[1]

Bemerkenswert ist, daß der WFK an der Schwelle zum 1. Weltkrieg gegründet wurde. Am 2. August 1914 traten in Konstanz am Bodensee von 150 gemeldeten etwa 70 Delegierte zusammen. Sie mußten ihre Konferenz, die am Montag, dem 3. August offiziell beginnen sollte, noch vor Beginn abbrechen.

Nach einem kurzen Gedankenaustausch vereinigten sich die Delegierten zum Gebet für Europa.

Vor ihrer Abreise beschlossen sie noch einen Aufruf an die Regierungen aller europäischen Länder und den Präsidenten der USA, in dem sie darum baten, einen Krieg zwischen Millionen von Menschen zu verhüten, unter denen Freundschaft und gemeinsame Interessen stetig gewachsen waren, und dadurch die christliche Zivilisation vor dem Verderben zu bewahren und die Kraft christlichen Geistes in menschlichen Angelegenheiten zur Geltung zu bringen[2].

Ein Rest der Delegierten trat auf seiner Rückreise am 5. August 1914 in London noch einmal zu einer Schlußsitzung zusammen.

Trotzig stellten sie fest, daß nicht die christliche Idee von Frieden und Versöhnung hinfällig geworden sei. Sie bekräftigten die Hoffnung, daß nach dem Krieg eine Zeit kommen werde, in der die Menschen immer klarer die Bedeutung moralischer Kräfte auch für internationale Beziehungen begreifen würden[3].

Während des Krieges kam es zu einigen bedeutsamen christlichen Initiativen für eine Friedensvermittlung. Schon bald nach Ausbruch des 1. Weltkrieges faßten einzelne Christen aus neutralen Ländern den Entschluß, ihre Positionen als Bürger neutraler Staaten zu nutzen, um vermittelnd und versöhnend zu wirken. Als erster meldete sich Nathan Söderblom, der seit Mai 1914 Erzbischof von Uppsala in Schweden war, zu Worte mit einem Aufruf „Für Frieden und Gemeinschaft". Er zielte einmal darauf ab, die christliche Einheit über die Grenzen der Nationen hinweg sichtbar zu machen, allen die Gemeinschaft zerstörenden Kräften des Krieges zum Trotz. Zum anderen wollte er unter Ausschaltung aller politischen Erwägungen den Friedensgedanken bei den Völkern und ihren führenden Männern lebendig erhalten.

Darum bat Söderblom die führenden Kirchenmänner der kriegführenden Länder um ihre Unterschrift unter seinen Aufruf. Diese aber waren nicht bereit zu unterschreiben. Es stellte sich heraus, daß sie politische Erwägungen nicht einfach ausschalten konnten oder wollten. Was für ein Friede war gemeint? Die Deutschen bestanden auf einem ehrenvollen Frieden, der anerkennen mußte, daß Deutschland einen gerechten Verteidigungskrieg geführt habe. Die Briten verlangten einen Frieden, der die sittlichen Grundsätze dadurch wiederherstellte, daß Deutschland für die Verletzung der belgischen Neutralität bestraft würde. Die Franzosen schließlich verlangten einen Frieden der Wiedergutmachung, dem eine Räumung des von den Deutschen besetzten Teiles Frankreichs vorausgehen müsse.

Auf ähnliche Schwierigkeiten stieß ein Jahr später der amerikanische Kirchenführer Dr. Charles Macfarland, als er im Dezember 1915 Europa besuchte und den Frieden vermitteln wollte.

Erzbischof Söderblom ließ sich durch die Ablehnung seines Friedensaufrufes vom Dezember 1914 nicht entmutigen. Ende 1917 ging er noch einen Schritt weiter und lud zu einer internationalen christlichen Friedenskonferenz in Schweden ein. Eine inoffizielle deutsche Delegation war bereit zu kommen. Aber die Erzbischöfe von Canterbury und York lehnten die Einladung ab, da es ihrer Meinung nach nicht Sache der Kirche sei, politische Fragen zu erörtern. So konnte Erzbischof Söderblom seinen Gedanken eines Verständigungsfriedens nur vor einem kleinen Kreis von christlichen Persönlichkeiten aus neutralen Ländern Europas vortragen. Die Kirchen der kriegführenden Länder konnten oder wollten seine Gedanken nicht hören. Alle christlichen Initiativen für eine Friedensvermittlung waren damit während des 1. Weltkrieges fehlgeschlagen.

Die Anfänge eines ökumenischen friedensethischen Handelns beginnen mit einem Mißerfolg. Gerade dieser Mißerfolg aber war es, der die Beteiligten veranlaßte, um so hartnäckiger an ihrer Idee einer weltweiten christlichen Verantwortung für den Frieden festzuhalten. Wer waren diese Pioniere christlicher Friedensarbeit? Sie waren überall Angehörige einer Minderheit, mutige Einzelkämpfer, die sich der herrschenden Kriegsbegeisterung in ihren Völkern und der in ihren Kirchen vorherrschenden patriotischen Stimmung entgegenstellten.

In den angelsächsischen Ländern kann man diese Männer und Frauen noch besser beschreiben. Sie kamen zum großen Teil aus der zeitgenössischen pazifistischen Bewegung. Diese wiederum war überwiegend christlich inspiriert. Die führende Rolle in ihr spielten Quäker[4]. Es war daher nur natürlich, daß Quäker, als Angehörige einer historischen Friedenskirche, das Verbindungsglied zwischen Pazifismus und Kirchen bildeten.

Der Fehlschlag christlicher Friedensbemühungen im 1. Weltkrieg löste unter den Beteiligten eine lebhafte Diskussion aus. Was waren die Gründe für den Mißerfolg? Die Antworten, die gegeben wurden, offenbaren grundsätzliche Meinungsverschiedenheiten, die den weiteren Weg christlicher Friedensbemühungen entscheidend bestimmten. Die einen führten die Kraftlosigkeit der christlichen Friedensidee darauf zurück, daß es nicht gelungen sei, die Unterstützung der offiziellen Kirchen und ihrer Führer zu gewinnen. Nur auf einer soliden Massenbasis, wie man heute sagen würde, könne der christliche Friedensgedanke zu einer politischen Kraft im Leben der Völker werden. Dieser Ansicht war z. B. Nathan Söderblom, der deshalb auch zusammen mit anderen 1925 den Ökumenischen Rat für Praktisches Christentum (ÖRPC) ins Leben rief.

Eine entgegengesetzte Meinung vertraten vor allem die im Weltbund für Internationale Freundschaftsarbeit zusammengeschlossenen Gruppen und kirchlichen Persönlichkeiten. Sie machten gerade die Kirchen in ihrer durch Tradition und Institution bedingten Schwerfälligkeit für den Fehlschlag der christlichen Friedensbemühungen verantwortlich. Sie befürchteten, daß eine Verkirchlichung christlicher internationaler Friedensbemühungen den prophetischen Geist dämpfen werde. Darum wollten sie Bewegung bleiben und lehnten es ab, Kirchen als Mitglieder des WFK aufzunehmen.

Mitglieder konnten nur sogenannte nationale Räte sein, die sich nach dem 1. Weltkrieg sehr rasch in vielen europäischen Ländern bildeten. Der WFK blieb damit ein Rat von Räten.

Der Meinungsstreit darüber, wer Träger ökumenischen Friedenshandelns sein sollte, eine Bewegung von Christen oder die gesamte Christenheit, repräsentiert durch die offiziellen Kirchen, beschäftigte die Ökumenische Bewegung in den Jahren zwischen den beiden Weltkriegen. Die Entscheidung, die für die weitere Entwicklung einer ökumenischen Friedensethik von Bedeutung sein sollte, zeichnete sich wenige Monate vor Beginn des Dritten Reiches in Deutschland ab. Die ÖB befand sich in einer Krise, nicht ohne eigene Schuld, wie ihre Kritiker meinten. Der lutherische Theologe Hermann Sasse warf dem WFK vor, er vermische „kirchliche Friedensarbeit" mit den „Ideologien des weltlichen Pazifismus"[5]. Dietrich Bonhoeffer, selber Mitglied des WFK, urteilte noch schärfer: „. . . der ökumenische Gedanke (ist) z. B. gegenwärtig in Deutschland durch die politische Welle des Nationalismus in der Jugend kraftlos und bedeutungslos geworden. . . Der in der ökumenischen Arbeit Stehende muß sich vaterlandslos und unwahrhaftig schelten lassen, und jeder Versuch einer Entgegnung wird leicht überschrien. Und warum das alles?"[6]

Bonhoeffers Antwort lautete ebenso kurz wie bestimmt: „Weil es keine Theologie der Ökumenischen Bewegung gibt!" Pazifismus genügte also nicht. Was aber verstand Dietrich Bonhoeffer unter einer Theologie der Ökumenischen Bewegung? „Theologie ist die Selbstverständigung der Kirche über ihr eigenes Wesen aufgrund ihrers Verständnisses der Offenbarung Gottes in Christus, und diese Selbstverständigung setzt notwendig immer dort ein, wo eine neue Wendung im kirchlichen Selbstverständnis vorliegt. Entspricht die Ökumenische Bewegung einem neuen Selbstverständnis der Kirche Christi, so muß und wird sie eine Theologie hervorbringen."[7]

Bonhoeffer hatte damit Gedanken ausgesprochen, wie sie auch von anderen in der ÖB geteilt wurden. Die von ihm geforderte neue Wendung im kirchlichen Selbstverständnis der ÖB trat rascher ein, als alle Anhänger dieser Forderung erwartet hatten. Das Entstehen der Bekennenden Kirche in Deutschland, ihr Kampf um das Bekenntnis der Kirche führte nicht nur in Deutschland, sondern auch in den Zentren der ÖB zu einer Neubesinnung auf das Wesen der Kirche und die Theologie der ÖB.

Diese geschichtliche Wendung im kirchlichen Selbstverständnis der ÖB leitete auch einen neuen Abschnitt der ökumenischen Friedensethik ein.

Das Ende kirchlicher Kriegsethik

Der 1. Weltkrieg hatte nicht nur die politische, sondern auch die geistige Landschaft der Welt verändert. In seinem Gefolge hatten sich radikale Ideologien wie Kommunismus, Faschismus und Nationalsozialismus ausgebreitet. In der Sowjetunion, in Italien und Deutschland waren sie in den Besitz der politischen Macht gelangt. Gemeinsam war allen eine bisher unbekannte politische Aggressivität, die sich in einer säkularisierten Lehre vom gerechten Kriege äußerte, wobei die eigenen Kriege der Kommunisten, Faschisten und Nationalsozialisten selbstverständlich nur gerechte Kriege waren und sein konnten. Hand in Hand mit dieser Aggressivität ging eine Verherrlichung der Allmacht des Staates und eine Bekämpfung aller, die diese Staatsvergötzung in Frage stellten, vor allem der Kirchen. Das 20. Jahrhundert wurde Zeuge einer neuen bisher ungeahnten Verfolgung der Christen.

Diese neue Lage veranlaßte die Kirchen ihrerseits, ihre bisherige Einstellung gegenüber dem Staat und der Beteiligung der Christen als Staatsbürger am Kriege, kurz ihre Kriegsethik, zu überprüfen. Das Thema, das die ÖB für ihre 1937 in Oxford geplante Weltkirchenkonferenz wählte, lag in der Luft: „Kirche, Volk und Staat". Die Problemlage beschrieb J. H. Oldham, der für die Vorbereitung der Weltkirchenkonferenz verantwortliche Studiensekretär, folgendermaßen:

„Unser grundlegendes Problem ist letzten Endes nicht begründet in den modernen Staatsauffassungen, sondern in der gegenwärtigen Situation der Kirche. Sie ist unvorbereitet und ihrer geschichtlichen Aufgabe und Möglichkeit nicht gewachsen, . . . weil der großen Mehrheit der Christen ein Bewußtsein der Gliedschaft in einer ökumenischen Gemeinschaft fehlt, das die Hingabe an diese Gemeinschaft nicht weniger wirklich fordert als die Hingabe, die wir der Nation schuldig sind."[8]

Auch für Oldham war die Grundlage für eine sachgemäße Behandlung aller anderen Probleme einschließlich des Friedensproblems die Gewinnung eines neuen Selbstverständnisses der Kirche in ihrer ökumenischen Dimension, eine ökumenische Theologie bildete für ihn die Voraussetzung für eine ökumenische Friedensethik. Unter dieser Voraussetzung beschrieb er die Aufgabenstellung für die Arbeit an einer ökumenischen Friedensethik 1935 so:

„Das Dasein verschiedener Völker und Staaten stellt uns vor die Probleme der *internationalen Beziehungen* und vor das Kriegs-Friedensproblem, mit dem sich das christliche Denken gegenwärtig so stark beschäftigt. Selbst wenn weitgehende Übereinstimmung darüber besteht, daß der Krieg unter den modernen Verhältnissen unerträglich ist und praktisch unmöglich gemacht werden sollte, ist dann jede Anwendung von Gewalt nach den christlichen Grundsätzen zu verdammen, soweit sie Beraubung des Lebens einschließt? An welchem Punkte sind der Gewaltanwendung Grenzen zu setzen? Von welchen Gründen her würde sich Gewaltanwendung in irgendeiner Form mit dem christlichen Gesetz der Liebe vereinen lassen? Schließt die Verpflichtung des Christen gegenüber Volk und Staat die Pflicht zum Militärdienst ein, wenn seine Leistung gefordert wird? In welcher Weise vermag die Kirche ihren Einfluß auf das Kriegs- und Friedensproblem in der rechten Form auszuüben — auf der einen Seite durch den Rat, den sie ihren eigenen Gliedern gibt, und andererseits denen gegenüber, die sich nicht von christlichen Grundsätzen leiten lassen, durch die von ihr vertretenen Argumente oder durch die von ihr ins Werk gesetzte Einflußnahme oder durch den von ihr geleisteten Widerstand? In welcher Weise kann die Kirche so zweckmäßig und wirksam wie möglich ihren Einfluß zur Geltung bringen, um die Beziehungen zwischen den Völkern und Staaten zu verbessern?"[9]

Dieser umfangreiche Fragenkatalog war den Mitgliedskirchen des ÖRPC, die an der Weltkonferenz teilnehmen wollten, drei Jahre vor Beginn der Konferenz zum Studium und zur Beantwortung vorgelegt worden. In zahlreichen Studiengruppen nationaler und internationaler Zusammensetzung wurden Antworten gesucht. Natürlich konnten nicht sofort neue Antworten gefunden werden. So stießen zunächst, wie dies nicht anders zu erwarten war, die traditonellen Antworten der Kriegs- und Friedensethik der jeweiligen Nationalkirchen in Oxford aufeinander. Diese Auseinandersetzung vollzog sich in der Sektion 5 unter dem Thema „Die Kirche Christi und die Welt der Nationen".

Ein Unterausschuß unter der Leitung von W. A. Visser 't Hooft arbeitete über das Thema „Christentum und Krieg". Einig waren sich alle hier mitarbeitenden Delegierten der Kirchen in der Beurteilung des Krieges:

„Der Krieg ist ein besonders eindrückliches Zeichen für die Macht der Sünde in dieser Welt und ein Hohn auf die in Jesus Christus dem Gekreuzigten offenbarte Gerechtigkeit Gottes. Wir dürfen nicht erlauben, daß durch irgendeine Rechtfertigung des Krieges diese Tatsache verborgen oder verharmlost wird."[10]

Über die Frage der Beteiligung des Christen am Kriege waren sich die Delegierten hingegen nicht einig. Drei unterschiedliche Auffassungen wurden formuliert:

1. Die Kirche kann nur dann ein schöpferisches, erneuerndes und versöhnendes Werkzeug zur Gesundung der Völker werden, wenn sie dem Krieg ganz und gar absagt. Die Vertreter dieser Haltung müssen deshalb die Teilnahme am Krieg für sich selber verweigern, unter ihren Mitmenschen für die gleiche Ächtung des Krieges zugunsten einer besseren Methode eintreten und aktive Friedensarbeit an die Stelle bewaffneter Gewalt setzen.

2. Andere wieder würden nur an einem „gerechten" Kriege teilnehmen. Unter ihnen kann man wieder mindestens zwei Ansichten unterscheiden, die von der Definition dessen abhängen, was ein „gerechter Krieg" ist.

A) Einige sind der Meinung, daß Christen nur an solchen Kriegen teilnehmen dürfen, die vom Völkerrecht her zu rechtfertigen sind. Sie meinen, daß in einer sündigen Welt der Staat die Aufgabe hat, im Gehorsam gegen Gott Gewalt anzuwenden, wenn Recht und Ordnung gefährdet sind.

Kriege gegen internationale Vertrags- und Friedensbrecher sind mit Polizeimaßnahmen zu vergleichen, und die Christen haben die Verpflichtung, daran teilzunehmen.

B) Andere würden einen Krieg dann als „gerecht" betrachten, wenn er unternommen wird, um einen von ihnen als wesentlich angesehenen christlichen Grundsatz zu verteidigen. Um den Opfern eines unprovozierten Angriffes zu Hilfe zu kommen oder Unterdrückten Freiheit zu verschaffen, würde er ihnen, wenn alle anderen Mittel versagt haben, als christliche Pflicht erscheinen.

3. Andere wieder betonen zwar, daß der Christ verpflichtet ist, für den Frieden und das gegenseitige Verstehen der Völker zu wirken, doch sind sie der Überzeugung, daß keine Bemühung dieser Art den Krieg in dieser Welt beseitigen kann. Ja, sie sehen zwar, daß politische Autorität häufig in selbstischer und unsittlicher Weise ausgeübt wird; nichtsdestoweniger glauben sie, daß der Staat das von Gott dazu eingesetzte Organ ist, ein Volk vor den schädlichen Auswirkungen anarchistischer und verbrecherischer Neigungen seiner Angehörigen zu schützen und seine Existenz gegen die Angriffe seiner Nachbarn zu behaupten. Es ist daher die Pflicht des Christen, der Staatsgewalt soweit als möglich zu gehorchen und alles zu unterlassen, was sie schwächen könnte. Das bedeutet, daß normalerweise der Christ für sein Land die Waffen tragen muß. Nur wenn er unbedingt gewiß ist, daß sein Land für eine ungerechte Sache kämpft (z. B. im Falle eines ungerechtfertigten Angriffskrieges), hat der einfache Bürger ein Recht, Kriegsdienst zu verweigern."[11]

Bezeichnend ist aber nun die Konsequenz, die von den Delegierten angesichts dieser Meinungsverschiedenheit gezogen wurde.

Sie erklärten: „Wir behaupten nicht, daß eine dieser Stellungnahmen vom christlichen Standpunkt aus als die einzig mögliche Haltung bezeichnet werden kann. Die Kirche muß es deutlich aussprechen, daß diese ungeklärte Lage ein Zeichen der Sünde ist, in die ihre Glieder verstrickt sind.

Sie kann sich aber nicht auf die Dauer mit dem Weiterbestehen dieser Meinungsverschiedenheit als etwas Unvermeidlichem abfinden, sondern muß alles tun, was in ihren Kräften steht, um ein gemeinsames Studium dieser Frage dadurch zu fördern, daß sie Vertreter verschiedener Auffassungen zusammenführt, die bei ihrem Bemühen, den in Jesus Christus offenbarten Willen Gottes zu verstehen, voneinander lernen können. In klarer Erkenntnis der Tatsache, daß ihre Glieder auch im Raum von Volk und Staat zu leben haben und daß daher im Kriegsfall ein Widerstreit der Pflichten unvermeidlich ist, muß die Kirche diesen helfen, Gottes Willen zu erfassen, und dann ihre gewissenhafte Entscheidung achten, gleichviel, ob sie nun dazu geführt werden, am Krieg teilzunehmen oder nicht. Sie muß mit beiden in gleicher Weise die volle Gemeinschaft des Leibes Christi aufrechterhalten. Sie muß sie auffordern, Buße zu tun und gemeinsam die Erlösung von dem sie verstrickenden Bösen zu suchen, die in Christus allein gefunden werden kann."[12]

Hier zeigt sich deutlich, daß die traditionelle Stellung der großen Kirchen zu Krieg und Kriegsdienstverweigerung erschüttert worden ist, wenn auch noch keine neue gemeinsame Stellungnahme erarbeitet werden konnte. Auf jeden Fall ist der Krieg den Kirchen in neuer Weise zu einem ernsten Problem geworden. Damit kann man von einem Wendepunkt in der Geschichte des Verhältnisses von Kirche und Krieg sprechen. Alle urteilen über den Krieg negativ. Niemand verherrlicht den Krieg, niemand rechtfertigt ihn, alle verurteilen ihn vorbehaltlos. Damit verschiebt sich der Akzent von der Kriegsethik eindeutig auf die Friedensethik. Wichtiger Bestandteil dieser Friedensethik ist die Tatsache, daß die unterschiedlichen Stellungnahmen von Christen zum Krieg als solche anerkannt werden, die aus christlicher Verantwortung geschehen. Diese Erkenntnis ist in der Tat von weittragender Konsequenz, wenn es möglich ist, in der Kirche gegensätzliche ethische Entscheidungen als christliche Möglichkeiten des versuchten Gehorsams gegen das Gebot Gottes anzuerkennen.

Dazu gehört auch, daß die Möglichkeit einer konkreten Kriegsdienstverweigerung aus Gewissensgründen von niemandem mehr bestritten wird. Freilich gibt man sich damit nicht zufrieden. Dies ist nicht das letzte Wort, im Gegenteil, die Delegierten fühlen sich durch diesen Tatbestand beunruhigt und fordern, daß an einer Vertiefung der ökumenischen Friedensethik weiter gearbeitet wird. Die Akzentverschiebung von der Kriegs- auf die Friedensethik wird auch deutlich an der Botschaft, die die Konferenz von Oxford hinausgehen ließ:

„Wenn Krieg ausbricht, muß die Kirche erst recht und in unverkennbarer Weise Kirche sein, dann erst recht muß sie eins bleiben als der eine

Leib des Christus, trotzdem die Völker, unter denen sie lebt, gegeneinander kämpfen. Sie muß erst recht dieselben Gebete sprechen, nämlich daß Gottes Name geheiligt werde, daß sein Reich komme und sein Wille geschehe in beiden oder allen kriegführenden Nationen. Diese Gemeinschaft des Gebetes muß, koste es, was es wolle, unversehrt bleiben. Ebenso muß die Kirche ihre Glieder in der Einheit christlicher Bruderschaft zusammenhalten, wenn sie verschiedener Ansicht darüber sind, was im Kriegsfalle ihre Pflicht als christliche Staatsbürger ist.

Mit der Verurteilung des Krieges ist es nicht getan. Es gibt einen Scheinfrieden, der in Wirklichkeit ein kaum verhüllter Kriegszustand ist. Christen müssen alles tun, was in ihrer Macht steht, um unter den Völkern Gerechtigkeit und friedliche Zusammenarbeit zu fördern und auch für deren sich wandelnde Lebensbedingungen Mittel des friedlichen Ausgleichs zu finden."[13]

Der Test — Ökumenische Friedensethik während des 2. Weltkrieges

Der 2. Weltkrieg traf die ÖB nicht unvorbereitet. Verglichen mit dem 1. Weltkrieg, hatte sich ihre Situation in wichtigen Punkten geändert. Mit dem 1938 ins Leben gerufenen Ökumenischen Rat der Kirchen (ÖRK — offiziell bezeichnete er sich als „Im Aufbau begriffen") besaß die ÖB eine Organisation mit einer Basis in den Mitgliedskirchen. Mit den Ergebnissen der Weltkirchenkonferenz von Oxford waren die Anfänge einer ökumenischen Friedensethik vorhanden, die weiter ausgebaut werden konnten. Schließlich verfügte die ÖB mit dem kleinen Stab des ÖRK in Genf unter der Leitung seines tatkräftigen Generalsekretärs W. A. Visser 't Hooft über ein Zentrum der Koordination, Aktion und Inspiration. Das Ergebnis dieser drei Faktoren war eine langfristig geplante Friedensarbeit des ÖRK für den Ernstfall.

Visser 't Hooft nannte im Frühjahr 1939 — also fast ein halbes Jahr vor Kriegsausbruch — als die Aufgaben der ÖB in Kriegszeiten drei Schwerpunkte:

„1. Die Aufgabe des Gebets und der lauteren Verkündigung des Wortes Gottes.

2. Die Aufgabe, brüderliche Beziehungen mit Kirchen in allen Ländern aufrechtzuerhalten.

3. Die Aufgabe, einen gerechten Frieden vorzubereiten."[14]

Zur ersten Aufgabe: Hier rief der ÖRK seine Mitgliedskirchen zu der ihnen aufgetragenen Sache: Verkündigung und Fürbitte. Niemals darf es wieder dazu kommen, daß Kirchen gegeneinander predigen und gegeneinander beten! Die beste Hilfe für eine rechte Fürbitte ist, „daß in Kriegszeiten ebenso wie in Friedenszeiten das Gebet der Kirche von dem Gebet des Herrn selbst bestimmt sein soll: „Dein Wille geschehe"[15].

Das Vaterunser als Gebet, das die Welt umspannt, sollte im Frieden wie im Krieg die Kirchen miteinander verbinden.

Zur zweiten Aufgabe „Aufrechterhaltung brüderlicher Beziehungen zwischen den Kirchen" erklärte der ÖRK:

„Es kann Zweifel darüber bestehen, daß in einem künftigen Kriege die Aufrechterhaltung brüderlicher Beziehungen zwischen den Kirchen kriegführender Nationen eine ungeheuer schwierige Aufgabe sein wird. Der Druck der Zensur, der offiziellen Propaganda und des gesamten Systems massenpsychologischer Beeinflussung wird so furchtbar sein, daß es für die Kirchen außerordentlich schwierig sein wird, über die Grenzen hinaus miteinander in Fühlung zu bleiben. Andererseits sollte sich die Tatsache, daß in den letzten 20 Jahren enge persönliche Beziehungen zwischen den Kirchen geschaffen worden sind, unmittelbar in dieser Lage auswirken.

Es ist unmöglich, gegenwärtig bestimmte Pläne darüber auszuarbeiten, wie die ökumenischen Beziehungen aufrechterhalten bleiben können, da so viel von der Frage abhängen wird, welche Länder in den Krieg verwickelt werden und welche Länder neutral bleiben. Indessen sollte rechtzeitig vereinbart werden, daß bestimmte Kirchenführer in neutralen Ländern gebeten werden sollten, eine feste Verantwortung für die Aufrechterhaltung der Beziehungen zu den Kirchen auf jeder Seite zu übernehmen und durch Korrespondenz oder wenn irgend möglich durch persönliche Fühlungnahme die Verbindungslinien zwischen den verschiedenen Kirchen offenzuhalten. Dabei mag es für die Kirchenführer angezeigt sein, bereits vor dem Kriegsausbruch zu einer klaren Verständigung mit ihren Regierungen über die Lage der Kirchen in Kriegszeiten zu kommen und besonders im Hinblick auf ihr Recht, als Glieder der ökumenischen Kirche Beziehungen mit Kirchen in allen anderen Ländern aufrechtzuerhalten.

Eine andere besonders ökumenische Aufgabe im Kriegsfall wird darin bestehen, den Kriegsgefangenen und Flüchtlingen in ihren geistlichen und geistigen Bedürfnissen zu dienen, soweit sie von ihren eigenen Kirchen abgeschnitten sind."[16]

Hier dachte man vor allen Dingen an die Vermittlerrolle neutraler Kirchenführer, wie dies auch schon im 1. Weltkrieg versucht worden war.

Zur dritten Aufgabe: Vorbereitung für einen gerechten Frieden.

Mitte Juli 1939 tagte in Genf eine kleine Gruppe von Experten für Fragen der Außenpolitik und führenden kirchlichen Persönlichkeiten.

Das Ergebnis ihrer Besprechungen legte die Konsultation unter dem Titel „Die Kirchen und die internationale Krisis"[17] den Mitgliedern des Vorläufigen Ausschusses des ÖRK vor.

An drei Fragenbereichen hatte man gearbeitet.

Erster Bereich: Grundsätze eines christlichen Handelns im Bereich des politischen und internationalen Lebens. Trotz der bestehenden erheblichen Unterschiede in der christlichen Ethik für das Staatsleben, derer man sich wohl bewußt war, wagte man über die in Oxford erreichten Positionen hinauszugehen und folgende „grundlegende Prinzipien" als „Maßstab der Ordnung und des Verhaltens" für das Zusammenleben der Völker und Staaten aufzustellen: „. . . gleiche Würde aller Menschen, die Ehrfurcht vor dem Leben, die Anerkennung der Tatsache, daß wir für Heil und Unheil aller Völker und Rassen der Erde gemeinsam haften, die Achtung vor dem gegebenen Wort und die Erkenntnis, daß der Macht jeder Art, politischer wie wirtschaftlicher, immer eine Verantwortung gleichen Umfanges entspricht. . ."[18]

Der zweite Fragenbereich ist überschrieben: „Die internationale Ordnung".

Hier versuchte die Konsultation, eine internationale Ordnung zu skizzieren, die in der Lage ist, dem „rechtlosen" Zustand im Zusammenleben der Staaten, diesem „kriegerischen Urzustand"[19], ein Ende zu machen und an Stelle der Rechtlosigkeit Recht zu setzen und es auch durchzusetzen. Hierzu bedarf es einmal der verpflichtenden Strukturen einer internationalen Organisation, die das Recht setzt und übt. Vor allem bedarf eine solche internationale Organisation auch eines „wirksamen, vor dem Gebrauch der Gewalt abschreckenden Mittels" zur Durchsetzung ihrer Rechtsurteile. „Was die Anwendung von Zwangsmaßnahmen in diesem Zusammenhang betrifft, so besteht in dieser Sache keine Übereinstimmung unter uns"[20], erklärte die Konsultation. Sie stand damit im Juli 1939 — einen Monat vor Ausbruch des 2. Weltkrieges — vor dem gleichen Problem, vor dem die Vereinten Nationen und die Kirchen des ÖRK heute noch stehen: dem Problem der internationalen Exekutive.

Der dritte Fragenkreis war von der Konsultation als „Aufgaben der Kirche und der Christen" überschrieben worden.

Sie gab folgende Antworten. Es ist „die erste Aufgabe der Kirchen, ihre Diener und Glieder in allen Ländern über die Bedeutung des Glaubens an die Una Sancta zu unterrichten."[21]

Die zweite Aufgabe ist die Verkündigung des 1. Gebots „Gott allein ist absolut und Er allein hat einen Anspruch auf bedingungslosen Gehorsam."[22]

Weitere Aufgaben bestehen in der Wahrnehmung des Missionsauftrages, der Evangelisation, der ökumenischen Studienarbeit in internationalen und interkonfessionellen Gruppen, kurz, in der Sichtbarmachung der ökumenischen Gemeinschaft. Alle diese Aufgaben sind der Kirche sowohl im Frieden als auch im Kriege gegeben. Die „Aufgaben der Kirche in Kriegszeiten" umfassen evangeliumsgemäße Verkündigung, Fürbitte füreinander, Enthaltung von jeglicher Propaganda, Dienst an den Kriegsgefangenen, Flüchtlingen und Kriegsvertriebenen, Bekenntnis der eigenen Schuld am Kriege und williges Tragen des auferlegten Kreuzes. Das Dokument schließt mit der einstimmigen Verwerfung des Krieges als Mittel zur Lösung internationaler politischer Streitfragen. Überblickt man die Liste der „unmittelbaren Aufgaben der Kirche in Kriegszeiten"[23], so hat man eine ziemlich vollständige Aufzählung der verschiedenen Aktivitäten des ÖRK während des bald darauf ausgebrochenen Zweiten Weltkrieges.

Es würde den Rahmen dieser Darstellung sprengen, wollte man die Praxis ökumenischer Friedensethik, die in ihrer Vielfalt beeindruckend ist, hier aufzeigen. Nur soviel muß gesagt werden, daß diese Praxis die ökumenische Friedensethik zutiefst geprägt hat.

Schuld und Versöhnung
— Lebensfragen einer ökumenischen Friedensethik —

Ein Zentralproblem christlicher Ethik stand am Ende des 2. Weltkrieges zum zweiten Male auf der Tagesordnung der ÖB: „Die Schuldfrage".

In endlosen quälenden und unfruchtbaren Kriegsschulderörterungen nach dem 1. Weltkrieg war es nicht gelungen, die lösende Antwort zu finden. Das Wachstum der ÖB und die Entwicklung einer ökumenischen Friedensethik waren dadurch fast zwei Jahrzehnte lang gehemmt worden. Die Fehler dieser Erörterungen durften sich nicht wiederholen. Jetzt kam es darauf an, Versöhnung nicht nur theologisch zu definieren, sondern im Umgang der Kirchen des Ökumenischen Rates miteinander zu praktizieren.

Echte Versöhnung setzte voraus, daß jede Kirche ihr eigenes Versagen und die Sünden ihres Volkes anerkenne. Eine Gemeinschaft von Kirchen, die vor konkreter Buße nicht zurückscheut, würde Kräfte der Vergebung empfangen, die die Schuld der Vergangenheit bewältigen könnten. Eine Gemeinschaft von Kirchen, die als versöhnte Kirchen miteinander lebten, könnten in Zukunft eine Kraft der Versöhnung auch im Leben der Völker sein.

Da die Kriegsschuldfrage eine eminent „politische Frage" war, würde eine Bewältigung der Schuldfrage ein wichtiger politischer Beitrag der Kirchen zum Frieden sein. In der Stuttgarter Erklärung des Rates der EKD vom 19. Oktober 1945 und der Anwort der Delegierten des ÖRK ist dieser Beitrag Ereignis geworden. Man darf dieses Ereignis daher ohne Übertreibung als einen Markstein in der Geschichte ökumenischer Friedensethik bezeichnen.[24]

Im Gegensatz zur Zeit nach dem 1. Weltkrieg hat die Christenheit ökumenische Friedensethik so praktiziert, daß sie wenigstens unter ihren Gliedern den Geist der Vergeltung energisch bekämpft und in ihrer ökumenischen Gemeinschaft die äußere Ordnung einer übernationalen Gemeinschaft hergestellt hat. Diese äußere Ordnung einer übernationalen Gemeinschaft unter den Gliedern der Una Sancta trat sichtbar drei Jahre später mit der offiziellen Gründung des ÖRK auf seiner ersten Vollversammlung 1948 in Amsterdam in Erscheinung. Die EKD nahm mit einer starken Delegation als vollberechtigtes Mitglied an dieser Vollversammlung in Amsterdam teil.

Ökumenische Friedensethik im Atomwaffenzeitalter

Atomwaffen und der Ost-Westgegensatz bezeichnen die geschichtliche Situation, in der 1948 in Amsterdam die Delegierten von 147 Mitgliedskirchen zur Beratung zusammenkamen. Die Anfragen an eine ökumenische Friedensethik wurden dadurch bedrängender, die zu lösenden Aufgaben erschwert. Gemeinsam erklärte die erste Vollversammlung des ÖRK „Krieg soll nach Gottes Willen nicht sein."[25]

Die Erläuterung dazu lautete: „Die Rolle, die der Krieg im heutigen internationalen Leben spielt, ist Sünde wider Gott und eine Entwürdigung des Menschen. . . Der Krieg bedeutet heute etwas völlig anderes als früher. . . Die herkömmliche Annahme, daß man für eine gerechte Sache einen gerechten Krieg mit rechten Waffen führen könne, ist unter solchen Umständen nicht mehr aufrechtzuerhalten. Es mag sein, daß man auf Mittel der Gewalt nicht verzichten kann, wenn das Recht zur Geltung gebracht werden soll. Ist der Krieg aber erst einmal ausgebrochen, dann wird die Gewalt in einem Umfang angewandt, der dem Recht seine Grundlage zu zerstören droht."[26] Wie aber angesichts der Bedrohung durch totalitäre Ideologien und machtbesessene Diktatoren die Verteidigung von Recht und Freiheit, vor allem der Schutz der Menschenrechte in der modernen Welt zu gewährleisten sei, darüber konnten sich die Kirchen 1948 in Amsterdam nicht einigen.

Drei unterschiedliche Standpunkte ließen sich trotz einer intensiv geführten Grundsatzdebatte nicht miteinander vereinbaren. Die erste Gruppe meinte, auch wenn Christen unter bestimmten Umständen genötigt seien, zur Waffe zu greifen, so könne doch der Krieg im atomaren Zeitalter mit seiner totalen Zerstörungskraft „niemals ein Akt der Gerechtigkeit sein."[27]

Die zweite Meinung lautete, da es gegenwärtig unparteiische, übernationale Instanzen nicht gebe, seien militärische Maßnahmen das letzte Mittel, um das Recht zu schützen. Deswegen sei der Staatsbürger verpflichtet, das Recht mit der Waffe in der Hand zu verteidigen, wenn es keine andere Möglichkeit des Rechtsschutzes mehr gebe. Eine dritte Gruppe lehnte schließlich jeden Kriegsdienst ab in der Überzeugung, daß Gott von ihnen als Christen verlange, bedingungslos gegen den Krieg und für den Frieden Stellung zu nehmen. Ihrer Meinung nach müsse die Kirche als ganze im gleichen Sinne sprechen.

Wenngleich diese Meinungsverschiedenheiten unter Christen als beschwerlich empfunden wurden, so erklärten alle Mitgliedskirchen des ÖRK doch gemeinsam, die Kirche dürfe „nicht aufhören, alle, die eine dieser drei Meinungen mit Ernst vertreten . . . als ihre Brüder und Schwestern anzusehen."[28]

Wenngleich die Verwerfung des Krieges stärker betont worden ist, als dies 1937 in Oxford der Fall war, läßt sich eine Veränderung in den Grundsatzpositionen nicht feststellen. Bekräftigt wird allerdings auch, daß diese Unterschiede in Grundsatzpositionen zusammengehören und die Vertreter dieser unterschiedlichen Meinungen gleiches Recht innerhalb der christlichen Gemeinde besitzen und miteinander im Gespräch bleiben müssen, um so die ökumenische Friedensethik weiterzuentwickeln.

Abrüstung und vertrauensbildende Maßnahmen

Trotz unterschiedlicher Meinung in den Grundsatzfragen ging das Friedensgespräch der Kirchen des ÖR weiter. Allerdings nahm es in den Jahren nach 1948 eine andere Richtung. Weil offenbar in den Grundsatzfragen zunächst weitere Fortschritte nicht zu erzielen waren, wandte sich der ÖRK der Frage zu, wie die bisher erreichten Grundsätze ökumenischer Friedensethik für die internationale Politik wirksam gemacht werden könnten. Für die internationalen politischen Beziehungen des ÖRK war damals — und ist heute noch — die Kommission der Kirchen für internationale Angelegenheiten (KKIA) verantwortlich.

Nach jahrelangen intensiven Beratungen legte sie 1957 ein Abrüstungsprogramm vor, das auf drei Grundsätzen beruhte.[29]

Erstens: Krieg kann heute kein Mittel mehr zur Lösung politischer Konflikte sein. Daher ist er in jeder Form zu ächten und aus dem Denken aller Völker als Mittel der Politik zu verbannen. — Die sittliche Aufgabe der Christenheit ist mit der bloßen Verurteilung des Krieges nicht gelöst. Das christliche Gewissensanliegen der Friedenssicherung kann nicht oberhalb oder abseits von, sondern nur im Ringen mit politischen, militärischstrategischen, waffentechnologischen, kurz geschichtlichen Konzeptionen zur Geltung gebracht werden.

Daher schlug die KKIA als zweiten Grundsatz eine bestimmte langfristige Strategie vor, durch die kleine, aber konkrete Schritte auf dem Weg zur Sicherung des Weltfriedens ermöglicht werden sollten. Zu diesen Schritten zählten Atomversuchsstopps, Einstellung der Atomwaffenproduktion, Reduzierung bestehender Rüstung mit Sicherheitsvorkehrungen gegen Überraschungsangriffe, friedliche Nutzung der Kernenergie, friedliche Beilegung internationaler Streitigkeiten und friedliche Anpassung an veränderte Verhältnisse.

Der dritte Grundsatz betonte die Bedeutung vertrauensbildender Maßnahmen. Falls beharrliche Bemühungen keine ausreichenden Vereinbarungen über irgendeinen dieser miteinander zusammenhängenden Punkte ergeben würde, sollten ernsthaft Teilabkommen erkundet werden, und falls erforderlich, die Beteiligten annehmbare Risiken auf sich nehmen, um die miteinander verbundenen Zielvorstellungen zu fördern.

Dieses Abrüstungsprogramm, das auch heute noch das friedensethische Handeln des ÖRK im internationalen Bereich bestimmt, besitzt die Unterstützung der Kirchen des ÖR.

Zwei Vollversammlungen des ÖRK haben sich die hier vorgeschlagene Strategie zu eigen gemacht:

Die dritte Vollversammlung 1961 in Neu-Delhi und die vierte 1968 in Uppsala. Und auch die fünfte Vollversammlung von Nairobi 1975 bezieht sich auf dieses Programm, wenn sie fordert, die Kirche „sollte . . . bedeutsame Initiativen ergreifen, um auf eine wirksame Abrüstung zu drängen."[30]

Was aber ist „wirksame Abrüstung"? Manche verstehen „wirksam" als rasch und sofort. Der erste Direktor der KKIA, Frederick Nolde, der die komplizierte Materie politischer, strategischer, militärischer, waffentechnologischer und wissenschaftlicher Probleme, die in Abrüstungsverhandlungen heute bedacht werden müssen, aus langjähriger Erfahrung kannte, hat gewarnt: „Abrüstung ist offensichtlich ein Gebiet, auf dem das Kriterium christlichen Zeugnisses geduldiger Gehorsam und nicht weltlicher Erfolg ist."[31]

Ökumenische Friedensethik — ein Prozeß

Die Frage nach einer ökumenischen Friedensethik hängt zusammen mit der Frage nach der Ekklesiologie des ÖRK, nach seinem Kirchesein. Auf diese Frage haben die Mitgliedskirchen des ÖR 1952 in der berühmten Toronto-Erklärung geantwortet: „Der Ökumenische Rat der Kirchen ist keine Überkirche" und auch nicht „die Weltkirche". Er stellt — viel bescheidener — „einen Versuch dar, das Problem der zwischenkirchlichen Beziehungen in einer Weise anzupacken, die neu und ohne geschichtliches Vorbild ist."[32]

Neu und ohne Vorbild ist auch der Versuch, eine ökumenische Friedensethik zu entwickeln. Aber der Versuch ist gewagt worden, mußte gewagt werden, weil „die Mitgliedskirchen des Rates bereit sind, sich im Gespräch miteinander darum zu bemühen, von dem Herrn Jesus Christus zu lernen, wie sie Seinen Namen vor der Welt bezeugen sollen."[33]

Die Kirchen können einfach, wenn sie sich als Kirchen begegnen, dies nicht tun, „ohne sich um ein gemeinsames Zeugnis für ihren gemeinsamen Herrn vor der Welt zu bemühen."[34]

Wenn das gelingt und die Kirchen gemeinsam reden und handeln, können „die Kirchen es dankbar als ein gnädiges Geschenk Gottes annehmen, daß er sie dazu befähigt hat, trotz ihrer Uneinigkeit ein und dasselbe Zeugnis abzulegen, und daß sie so etwas von der Einheit sichtbar gemacht haben, die eben darin ihren Sinn hat, daß die Welt glauben möge, und sie bezeugen mögen, daß der Vater den Sohn gesandt hat zum Heiland der Welt."[35] „Die Mitgliedskirchen treten in ein geistliches Verhältnis miteinander ein."[36]

Aus diesem geistlichen Verhältnis entspringt die ökumenische Friedensethik. Sie ist keine Sammlung von Dekreten eines geistlichen Oberweltkirchenrates, sondern der Prozeß „der Selbstverständigung der Kirchen" über ihr gemeinsames Zeugnis im Bereich der internationalen Beziehungen, des Völkerrechts, der Menschenrechte, der Sicherheit, Rüstungskontrolle und Entspannung. Daß dieser Prozeß nicht ohne Auswirkungen auf die Mitgliedskirchen des ÖRK geblieben ist und auch Ergebnisse hervorgebracht hat, ist gezeigt worden. Ein Ergebnis verdient besonders hervorgehoben zu werden. Die ein Menschenalter währenden Bemühungen um eine ökumenische Friedensethik haben trotz sich rasch wandelnder politischer und damit auch ethischer Fragestellungen eine Erkenntnis herausgearbeitet, die immer wieder in Vergessenheit zu geraten droht: daß nämlich entgegengesetzte ethische Entscheidungen in der Christenheit zusammengehören können.

Die Heidelberger Thesen haben für diesen Tatbestand den Begriff der Komplementarität benutzt. Komplementarität ist ein Ausdruck christlicher Gemeinschaft im Blick auf die besondere Problematik der modernen Atomwaffendiskussion und des Friedensdienstes mit und ohne Waffen.

„Von größter Bedeutung ist die volle kirchliche Gemeinschaft der Christen, die sich in der Verantwortung vor Gott so oder so entscheiden. Nur in dieser Gemeinschaft bewahrt der eine den anderen vor den spezifischen Gefahren seines Weges. Beide Entscheidungen gehören zusammen. Die Isolierung je einer von beiden wäre ein Irrweg. Nur in diesem Miteinander brüderlicher Gemeinschaft werden sich neue Wege zur Verhinderung eines Atomkrieges zeigen, die man dann Schritt für Schritt weitergehen kann. Denn die Christenheit bleibt bis zum Ende der Welt unter den beiden Geboten Gottes, dem des Erhalters und dem des Erlösers."[37]

Der Prozeß der ökumenischen Friedensethik scheint an ursprünglicher Dynamik verloren zu haben. Dafür mag einmal die automatisch eintretende Gewöhnung der Kirchen des ÖR an diesen Prozeß verantwortlich sein. Gewichtiger sind aber die in der Sache des Weltfriedens selber liegenden Schwierigkeiten, die offenbar besonders in den letzten zwanzig Jahren größer geworden sind. Sie traten verstärkt im Jahre 1958 auf. Eine vom ÖRK 1955 ins Leben gerufene Kommission legte das Ergebnis ihrer Studie „Christen und die Verhütung des Krieges im Atomzeitalter — Eine theologische Diskussion"[38] der Öffentlichkeit vor. Im August 1958 kam es auf dem Zentralausschuß des ÖRK in Nyborg/Dänemark zu einer lebhaften Diskussion. Die versammelten Delegierten erklärten schließlich: „Dieses Dokument ist in keiner Weise eine Erklärung über Standpunkt und Ziele des Ökumenischen Rates"[39]. Trotz dieser eindeutigen Distanzierung beschloß der Zentralausschuß gleichzeitig, das vorläufige Studiendokument an seine Mitgliedskirchen „als Anregung zum Nachdenken und Diskutieren" zu verteilen. Hinter dieser zwiespältigen Haltung stand ein tiefgreifender Meinungsstreit zwischen zwei Abteilungen des Stabes des ÖRK, der Studienabteilung und der KKIA. Die Studienabteilung unter Leitung des beigeordneten Generalsekretärs Robert Bilheimer/USA hatte als federführende Abteilung Wissenschaftler aus USA und Westeuropa für die Studie gewonnen. Aus der Bundesrepublik gehörten Carl Friedrich von Weizsäcker und Helmut Thielicke zur Gruppe. Professoren der Theologie, Philosophie, Physik, Chemie, Jurisprudenz, Ethik, Politologie, Politiker und Kirchenführer und ein britischer Admiral als militärischer Fachmann arbeiteten drei Jahre zusammen. Sie vertraten unterschiedliche Konfessionen und Standpunkte, z. B. pazifistische und nichtpazifistische. Eine gemeinsame theologische Linie konnten sie nicht finden. So stellten sie die seit Amsterdam 1948 bekannten gegensätzlichen theologischen Positionen (s. o. S. 153) unverbunden nebeneinander. Im politisch-militärstrategischen Bereich waren die Mitglieder weniger zurückhaltend. Unter dem Eindruck vor allem der Zerstörungskraft der Wasserstoffbombe formulierten sie die Forderung: „Christen sollten, wenn es zum totalen Krieg kommen sollte, einen Waffenstillstand fordern, wenn es nötig wäre, unter den Bedingungen des Feindes, und ihre Zuflucht zum gewaltlosen Wiederstand nehmen."[40] An anderer Stelle fügten sie hinzu, „daß es zumindest nicht zulässig ist, diese Waffen anzuwenden, bevor die andere Partei sie angewendet hat."[41]

Gegen diese beiden Feststellungen wandte sich die KKIA. Ihr Direktor Frederick Nolde/USA, ebenfalls beigeordneter Generalsekretär des ÖRK, reagierte in ungewöhnlich scharfer Form. Er sei „bestürzt" darüber, daß die Studiengruppe durch ihre Forderungen das „Gleichgewicht der Abschreckung", das „heute tatsächlich eine Kriegführung verhindert"[42], zu zerstören im Begriffe sei. Eine derartige Verkennung politischer Sachzusammenhänge bilde keine geeignete Voraussetzung, um die Unterstützung verantwortlicher Politiker zu finden, die man benötige, wenn man den Krieg im Atomzeitalter verhindern wolle. Kurz, die KKIA warf der Studienabteilung vor, ihrer Studie fehle die erforderliche Sachkenntnis. Nur diese könne ihre ethischen Forderungen politikfähig werden lassen und sie davor bewahren, zu bloßen verbalen Kraftakten zu verkümmern. Diese Frage, wieviel Sachverstand der ÖRK für seine Stellungnahmen mobilisieren kann, ist seither zum ständigen kritischen Begleiter ökumenischer Friedensethik geworden.

Eine andere Kritik an dem erwähnten Bericht betraf die einseitig westliche Zusammensetzung der Kommission. Mit dem Beitritt der Russischen Orthodoxen Kirche und weiterer orthodoxer Kirchen aus Bulgarien, Rumänien und Polen im Jahre 1961 war die Möglichkeit gegeben, die Fragen des Friedens im Atomzeitalter in einem echten Ost-West-Dialog zu erörtern. Die KKIA ergriff sofort diese Möglichkeit und veranstaltete im Juni 1962 in Genf eine Konsultation über Abrüstung und Kernwaffenversuche[43]. Das Besondere an dieser Konsultation war, daß hier neben Kirchenführern aus Ost und West und Ländern der Dritten Welt führende Diplomaten der USA, UdSSR, Großbritanniens sowie der blockfreien Mächte an einem Konferenztisch saßen. Die Diplomaten, Leiter der Delegationen ihrer Länder bei den Genfer Verhandlungen über einen Atomwaffenversuchsstopp, erläuterten die Position ihrer Regierungen, die Kirchenführer stellten ihre Fragen. Sachverstand und ethisches Engagement begegneten einander. Ein Informationsaustausch von besonderer Intensität entstand. Leider ist es zu weiteren Schritten auf diesem Weg nicht gekommen. In den 60er Jahren zog die Prager Christliche Friedenskonferenz das Thema des Weltfriedens an sich und blockierte durch ihre Eigenwilligkeit den vom ÖRK 1962 begonnenen Weg der Ost-West-Gespräche. Als mit der Besetzung der Tschechoslowakei im August 1968 und dem Tode des Gründers, Professor J. L. Hromadka, die Prager Christliche Friedenskonferenz an Bedeutung verlor, waren wichtige Jahre verlorengegangen, in denen eine ökumenische Friedensethik im Ost-West-Dialog hätte weiterentwickelt werden können.

Seit 1965 näherte sich die römisch-katholische Kirche der ÖB. Der ÖRK und die römisch-katholische Kirche bildeten eine gemeinsame Arbeitsgruppe. Aus deren Beratungen ging 1967 eine Kontaktstelle für die gemeinsame Arbeit im Bereich des Weltfriedens und der Entwicklungshilfe hervor mit der offiziellen Bezeichnung „Ausschuß für Gesellschaft, Entwicklung und Frieden", besser bekannt unter der Abkürzung SODEPAX. Damit schien der Weg sich zu öffnen zu einer ökumenischen Friedensethik, an deren Gestaltung sich alle christlichen Kirchen beteiligen. Leider ist SODEPAX seit Ende 1980 aufgelöst worden, weil Strukturunterschiede zwischen den Partnern, wie es offiziell heißt, eine Weiterarbeit unmöglich gemacht haben[44]. Dies ist zweifellos ein Rückschlag für die Ausbildung einer wahrhaft ökumenischen Friedensethik.

Wenn der Prozeß der ökumenischen Friedensethik seine anfängliche Dynamik wiedergewinnen und neue der Förderung des Weltfriedens dienliche Ergebnisse hervorbringen soll, so sind die zuletzt genannten Schwierigkeiten zugleich die drei Aufgaben, die es zu lösen gilt:

Mobilisierung des erforderlichen Sachverstandes, Behandlung für den Weltfrieden relevanter Fragen wie Rüstungssteuerung, Rüstungskontrolle, vertrauensbildender Maßnahmen in einem ständigen Ost-West-Dialog unter Beteiligung von Experten beider Seiten und schließlich die Einbeziehung der römisch-katholischen Kirche in die Gestaltung der ökumenischen Friedensethik.

Zusammenfassend läßt sich ökumenische Friedensethik durch zwei paradoxe Feststellungen kennzeichnen:

1. Auf dem Weg zur Herausbildung einer ökumenischen Friedensethik sind die Kirchen des ÖR miteinander weiter gekommen, als sie es vor 80 Jahren waren.

2. Zugleich stecken die Kirchen des ÖR noch immer in denselben ungelösten Problemen. Gerade die schwierigen Fragen einer Kriegsverhinderung und Friedensförderung im Atomzeitalter machen dies deutlich.

Anmerkungen

1 Vergl. A. Boyens, Kirchenkampf und Ökumene 1933-1939, München 1969, S. 17 (KÖB I, 17).
2 Rouse/Neill, Geschichte der Ökumenischen Bewegung II, S. 141 (GÖB II, 141).
3 Ebd. S. 141.
4 Martin Ceadel, Pacifism in Britain 1914-1945: The Defining of a Faith, Oxford 1980, S. 24.
5 KJB 1932, 529ff.
6 Bonhoeffer, GS I, 140-161.
7 Ebd.
8 Die Kirche und das Staatsproblem in der Gegenwart, 2. Aufl. Genf 1935, S. 215ff.
9 J. H. Oldham, Kirche, Staat und Volk, Genf 1935.
10 Kirche und Welt in ökumenischer Sicht, Bericht der Weltkirchenkonferenz in Oxford, Genf 1938, S. 250.
11 Ebd., S. 251ff.
12 Ebd., S. 253f.
13 Ebd., S. 262.
14 KÖB I, S. 386.
15 Ebd.
16 Ebd., S. 386f.
17 Ebd., S. 395ff.
18 Ebd., S. 397.
19 Ebd., S. 266.
20 Ebd., S. 401.
21 Ebd., S. 402.
22 Ebd., S. 402.
23 Ebd., S. 404.
24 Text im KJB, 1945-1948, S. 27.
25 Die erste Vollversammlung des Ökumenischen Rates der Kirchen in Amsterdam vom 22. August bis 4. September 1948, Zürich 1948, offizieller Bericht, S. 117.
26 Ebd., S. 117f.
27 Ebd., S. 118.
28 Ebd., S. 118f.
29 GÖB III, S. 363f.
30 Bericht aus Nairobi 75, 2. Aufl., Frankfurt 1976, S. 192.
31 GÖB III, S. 364.
32 Evanston — Neu Delhi, Genf 1961, Anhang IX, S. 275.
33 Ebd., S. 278.
34 Ebd.
35 Ebd., S. 278.
36 Ebd., S. 279.

[37] E. Schlink, Die Atomfrage in der kirchlichen Verkündigung, in G. Howe, Atomzeitalter, Krieg und Frieden, 3. unveränderte Aufl. 1962 Witten/Berlin, S. 219f.

[38] ,,Christen und die Verhütung des Krieges im Atomzeitalter — Eine theologische Diskussion". Hg. Ökumenischer Rat der Kirchen/Studienabteilung, Genf 1958, masch. schriftl. Vervielftg.

[39] Ebd.

[40] Ebd. § 66.

[41] Ebd. § 81.

[42] Ebd.

[43] Protokoll der 16. Tagung des Zentralausschusses des ÖRK 7.-16. August 1962 in Paris; Genf 1962, S. 115ff.

[44] Church Alert — The SODEPAX Newsletter, No. 29, 1980, S. 7.

HERMANN KALINNA

Das ökumenische Programm für Abrüstung und gegen Militarismus und Wettrüsten

I

Dieses Programm[1] geht zurück auf Empfehlungen der 5. Vollversammlung in Nairobi, Kenia, November/Dezember 1975. Das Engagement für Kriegsverhütung, Abrüstung und Frieden ist eine der Triebkräfte der Ökumenischen Bewegung seit ihrem Beginn[2]. Das Thema „Militarismus" dagegen wurde m. W. bisher nicht derart intensiv in ökumenischen Gremien und Tagungen verhandelt. Es hat offenbar in den verschiedensten Gruppen in Nairobi eine nicht unerhebliche Rolle gespielt[3]. Es sind vor allem drei Empfehlungen, die als Ursprung des Programms betrachtet werden können. In der Sektion IV „Erziehung zur Befreiung und Gemeinschaft" wird gefordert: „Die Gefahren des Militarismus bewußter zu machen und nach kreativen Möglichkeiten der Erziehung zum Frieden zu suchen."[4] Im Bericht der Sektion VI „Menschliche Entwicklung: Die Zwiespältigkeit von Macht und Technologie und die Qualität des Lebens" wird auf die Höhe der Verteidigungsausgaben, den Rüstungswettlauf und die Bedeutung militärischer Macht aufmerksam gemacht. In den Empfehlungen heißt es: „Im Hinblick auf die weltweite wachsende Tendenz zum Militarismus, die dem christlichen Verständnis von einer gerechten und friedlichen Welt zuwiderläuft und außerdem einen äußerst negativen Einfluß auf den Entwicklungsprozeß in Richtung auf soziale Gerechtigkeit, Selbständigkeit und wirtschaftliches Wachstum ausübt, empfehlen wir dringend, daß die Kirchen und der ÖRK ihren Warnungen vor dem Militarismus, die sie bereits ausgesprochen haben, Nachdruck verleihen. Wir empfehlen daher dem ÖRK, als Vorbereitung für ein Programm zur Bekämpfung des Militarismus eine besondere Konferenz über das Wesen des Militarismus einzuberufen."[5] Schließlich ist unter den neun öffentlichen Erklärungen eine über die Weltrüstungssituation[6]. Sie enthält in elf Punkten eine Analyse über die Rüstungssituation der Welt. In Punkt 5 wird die zunehmende Militarisierung der Dritten Welt beklagt und darauf hingewiesen, Aufrüstung und Militarisierung hätten in vielen Fällen dazu beigetragen, daß sich die Entwicklungsprioritäten verlagerten, daß das wirtschaftliche Wachstum geschwächt bzw. erstickt und die soziopolitische Kraft der Länder in der Dritten Welt reduziert wurden. Ferner wird die Rivalität zwischen den beiden Militärblöcken und die Rolle der „ständig expandierenden militärischen, industriellen, bürokratischen Apparate" herausgestellt. Die Analyse endet mit folgendem Appell an die Kirchen:

1. Die obige Untersuchung wird den Kirchen zum Studium empfohlen.

2. Die Christen müssen der Versuchung widerstehen, sich mit einem falschen Gefühl von Machtlosigkeit oder Sicherheit abzufinden. Die Kirche sollte ihre Bereitschaft betonen, ohne den Schutz von Waffen zu leben und behutsame Initiativen ergreifen, um auf eine wirksame Abrüstung zu drängen. Die Kirchen, die einzelnen Christen und die Mitglieder der Öffentlichkeit aller Länder sollten bei ihren Regierungen darauf drängen, daß die nationale Sicherheit ohne den Einsatz massiver Zerstörungswaffen gewährleistet wird.

3. Wir fordern den neuen Zentralausschuß auf, Schritte zu unternehmen, um eine Konsultation über Abrüstung durchzuführen. Diese Konsultation sollte eine Untersuchung und einen Vergleich des verfügbaren Materials über die ursächlichen Faktoren des gegenwärtigen Wettrüstens sowie die technischen, wirtschaftlichen, umwelttechnischen und militärischen Auswirkungen anstellen. Die Konsultation sollte sich zum Ziel setzen, eine Strategie auf nationaler und internationaler Ebene zur Verhinderung der weiteren Aufstockung der Militärausgaben vorzuschlagen. Diese Strategie sollte u. a. folgende Punkte berücksichtigen:

a) Vorbereitung von Bildungsprogrammen zur Verwendung durch die Kirchen,

b) Anregung diesbezüglicher Diskussionen in der Öffentlichkeit,

c) Studium der Fragen von Krieg und Frieden in theologischer Sicht,

d) Vermittlung der Erfahrungen der historischen Friedenskirchen,

e) Untersuchung der Beteiligung der Kirchen an Waffenproduktion und -handel,

f) Förderung der Einberufung einer weltweiten Abrüstungskonferenz unter der Schirmherrschaft der Vereinten Nationen,

g) Notwendigkeit der Umschulung und Wiederbeschäftigung derer, die bisher in der Rüstungsindustrie ihren Lebensunterhalt verdienten.

4. Der Zentralausschuß sollte sicherstellen, daß Abrüstung ein Hauptanliegen des Ökumensichen Rates der Kirchen ist.

5. Wir appellieren an alle Christen, für die Abrüstung der Welt zu denken, zu arbeiten und zu beten.

Diese Empfehlungen von Nairobi riefen bald nach ihrem Bekanntwerden ein zwiespältiges Echo hervor, besonders in der Bundesrepublik Deutschland. Die Kritik betraf in erster Linie die Begriffe „Programm zur Bekämpfung" und „Militarismus", aber auch den der Abrüstung.

A

Die Anreger des Programms zur Bekämpfung des Militarismus hatten an ein aktionsorientiertes Programm gedacht[7]. Der Eindruck mußte sich aufdrängen, hier handle es sich um eine ähnliche Aktion wie das Programm zur Bekämpfung des Rassismus („Antirassismusprogramm"). Nicht so sehr dieses Programm und seine Ziele als solche, sondern bestimmte Teile davon hatten in der Bundesrepublik Deutschland eine heftige Kontroverse ausgelöst[8]. Die Beziehungen zwischen der EKD und dem ÖRK waren durch das Programm belastet worden. Insbesondere diejenigen, die sich darum bemüht hatten, in der Auseinandersetzung um diese Fragen Schaden von der ökumenischen Gemeinschaft abzuwenden, waren zunächst sehr betroffen, als der Eindruck entstand, es handle sich bei dem „Anti-Militarismus-Programm" um eine ähnliche Unternehmung. Zu diesem Eindruck gab es Anlaß. Wie Ninan Koshy mitteilt[9], wurde schon in der Diskussion während der Vollversammlung eine Parallele zwischen den beiden Programmen gezogen. Auch Ulrich Albrecht sieht die Zusammenhänge ähnlich: „Der Versuch, die ökumenische Bewegung mit einem neuen Aktionsprogramm in der Art des Antirassismus-Programms zu beleben und die verschiedenen Mitgliedskirchen durch die Vorgabe eines gemeinsamen Themenbereiches verstärkt zu integrieren, bleibt weiter im Streit. Jedenfalls räumen selbst die Niederländischen Protestanten, welche vor zwei Jahren auf der Ratstagung in Nairobi diesen Vorschlag einbrachten, inzwischen ein, daß die Schwierigkeiten des Militarismusprojektes unterschätzt worden sind."[10] Ulrich Lochmer konstatiert eine innere logische Verbindung zwischen dem Antirassismus- und dem Antimilitarismus-Programm. „Zeigt dieses die unbedingte Solidarität der Christen mit den Verdammten dieser Erde — bis hin zur letzten Konsequenz, diese Solidarität auch den Befreiungskämpfern nicht aufzukündigen —, so jenes den unbedingten Friedenswillen der Christen — bis hin zu der Konsequenz, für einen Verzicht auf bewaffneten Schutz einzutreten."[11]

Sehr früh setzten Bemühungen ein, das Programm zur Bekämpfung des Militarismus von dieser Parallelisierung zu befreien. Ninan Koshy wies auf die Unvergleichbarkeit beider Projekte hin. Lange vor dem Entstehen des Antirassismusprogramms habe ein ökumenischer Konsens über Rassismus bestanden und in verschiedenen Kirchen habe es schon Aktionsmodelle gegeben. Über Militarismus bestünde noch kein solcher Konsens, die Verbindung zwischen Militarismus und Wettrüsten sei noch nicht geklärt, und schließlich gäbe es in den Kirchen nur wenige — wenn über-

haupt — Aktionsmodelle für diese Fragen[12]. In der Deutschen Arbeitsgruppe KKIA bemühte man sich, den Auftrag mehr in Richtung auf ein
Studien- statt eines Aktionsprogramms zu interpretieren.

B

Mehr noch als die gewollte oder in Kauf genommene Nähe zum um-
strittenen Antirassismus-Programm drohte der Militarismusbegriff[13] eine
sachliche Diskussion der damit anvisierten Probleme zu erschweren.
Schon während der Vollversammlung war deutlich geworden, wie un-
scharf der Begriff ist und wie sehr er benutzt werden kann zur polemi-
schen Beschreibung sehr verschiedener Phänomene. Er zielt einerseits auf
die Beschreibung des Vorrangs militärischer Interessen und Überlegungen
gegenüber anderen Bereichen der Politik, wie es z. B. in bestimmten Phasen der preußisch-deutschen Geschichte der Fall war. Viele Teilnehmer in
Nairobi dachten allerdings in erster Linie an Militärregierungen in einigen
Ländern der Dritten Welt. Andere hatten vielleicht schon — vor allem die
Initiatoren — einen umfassenden Begriff von Militarismus im Auge, wie
er dann später auf der Tagung in Glion I[14] gesucht wurde. Daß der Begriff
in der Bundesrepublik Emotionen weckte, konnte nicht überraschen. Die
Auseinandersetzung mit der eigenen „militaristischen" Vergangenheit,
die Kontroversen um die Wiederbewaffnung und die Eingliederung der
Bundeswehr in das westliche Verteidigungsbündnis, die Debatte um die
inneren und äußeren Strukturen der neuen Armee, das starke Engagement der EKD für Kriegsdienstverweigerer aus Gewissensgründen bei
gleichzeitiger Anerkennung der Notwendigkeit, heute noch mit Hilfe militärischer Abschreckung den Frieden zu sichern, die Auseinandersetzung
um die Einführung der Militärseelsorge: All dies hatte zu einer hochgradi-
gen Sensibilisierung für die ethische Problematik aller mit Rüstung und
Verteidigung zusammenhängenden Fragen geführt. In dem immer wieder
auflebenden Streit der Meinungen mußte das Stichwort „Bekämpfung des
Militarismus" polarisierend wirken. Viele sahen alte Vorwürfe wiederbe-
lebt. Andere fürchteten, der deutsche Verteidigungsbeitrag im Rahmen
des Bündnisses solle diskutiert werden, was um so unverständlicher war,
als die Bundeswehr nicht nur ein bewußt „antimilitaristisches" Konzept
des Bürgers in Uniform zu verwirklichen trachtete, sondern auch unter
Verzicht auf nationale Autonomie und eigene Verfügung über das Militär
sich ganz in das Bündnis hatte einbinden lassen. Diese Irritation blieb in
ökumenischen Kreisen nicht verborgen. Der Vorsitzende der Deutschen
Arbeitsgruppe KKIA, Professor Dr. Ludwig Raiser, schilderte schließlich

dem Direktor der KKIA, Leopoldo Niilus, in einem Schreiben die deutschen Sorgen hinsichtlich des Programms, warb um Verständnis für die besondere Lage der Bundesrepublik und drückte gleichzeitig die Hoffnung aus, es müsse möglich sein, „den mit so vielen unklaren und unglücklichen Vorstellungen belasteten Begriff des Militarismus aus dem Verkehr zu ziehen oder wenigstens mehr und mehr zurücktreten zu lassen".

C

Weniger in der Öffentlichkeit als unter Experten hat der Begriff der Abrüstung zu Rückfragen Anlaß gegeben. In den Texten des ÖRK wird der Begriff im Sinne der Vorstellung einer vollständigen und allgemeinen Abrüstung benutzt. Nun ist dies zwar das erklärte Ziel der UNO. Auch die Bundesregierung bekennt sich hierzu[15]. Es handelt sich hierbei aber um eine allgemeine Absichtserklärung, um ein „Fernziel"[16]. Die unmittelbaren Bemühungen der deutschen Politik gehen sehr viel konkreter auf Rüstungskontrolle, Rüstungsbegrenzung (und das heißt vor allem Begrenzung der Aufrüstung) und schließlich schrittweisen Abbau von Rüstung und Streitkräften bei Erhaltung des Gleichgewichtes[17]. Ein Programm für vollständige und allgemeine Abrüstung muß die ungeheuren Schwierigkeiten des Problems bewußt machen, sonst werden unrealistische Hoffnungen geweckt, als ob es sich bei der Lösung dieses menschheitsbedrohenden Problems vor allem oder gar in erster Linie um eine Frage des guten Willens der Beteiligten handele. Diese Einwände bedeuten jedoch nicht, daß das Anliegen, das in diesem Programm zum Ausdruck kommt, nicht ernstgenommen würde. Ganz im Gegenteil.

II

Die Programmeinheit „Gerechtigkeit und Dienst" schlug dem Zentralausschuß auf seiner Sitzung vom 10./18. August 1976 in Genf vor, das Militarismusthema (wie auch eine Reihe anderer von der Vollversammlung vorgeschlagener Studien) „auf Einheitsbasis und in Zusammenarbeit mit den geeigneten Untereinheiten der beiden Programmeinheiten zu realisieren". Der Entwurf für dieses Programm trug den Titel: „Auf dem Weg zu einem aktionsorientierten Programm über Militarismus und Wettrüsten"[18]. Trotz der inneren Zusammenhänge sollten beide Themen im Vorbereitungsstadium von zwei getrennten Konsultationen behandelt werden. Von der Konsultation über den Militarismus erhoffte man sich unter anderem neue Perspektiven über das Abrüstungsproblem, so daß die Abrüstungskonsultation über die begrenzten Ziele wie „Rüstungskontrolle", „Verhinderung weiteren Anstiegs der Rüstungsausgaben" etc. hinausführen könnte. Der Programmentwurf endet: „Die beiden Konsultationen zusammen sollten dem ÖRK helfen, ein aktionsorientiertes Programm über Militarismus und Rüstungswettlauf zu formulieren, das vom ÖRK in aktiver Zusammenarbeit mit den Kirchen ausgeführt werden sollte."

Der Zentralausschuß billigte diese Pläne. Er betonte, die Mitwirkung der Mitgliedskirchen und Regionalkonferenzen an Planung und Vorbereitung müsse gewährleistet werden. Bereits in der ersten Studienphase müsse ein Überblick über die Haltung der Kirchen zur Frage des Militarismus und der Abrüstung erarbeitet werden.

Zur Vorbereitung beider Konsultationen wurde eine Expertentagung in Cartigny/Schweiz vom 18.-22. Januar 1977 gehalten[19]. In das Militarismusthema führte M. Klare ein, F. Barnaby hielt das Einleitungsreferat über die Abrüstungsproblematik. Auf der Grundlage der Diskussionen dieses „Brain-Stormings" wurde ein Bericht erarbeitet, der unter dem Titel „Studienprogramm über Militarismus und Wettrüsten" dem Exekutivausschuß auf seiner Tagung in Genf vom 14./18. Februar 1977 vorgelegt wurde. Der Bericht wurde dann mit einem Begleitschreiben des Generalsekretärs an die Mitgliedskirchen des ÖRK und die nationalen Christenräte gesandt mit der Bitte um Kommentare und Vorschläge, Informationen über bereits bestehende Programme, bisherige Stellungnahmen sowie um die Namen von Personen und Gruppen, die sich mit diesen Problemen schon befaßt hatten.

III

Konsultation über Militarismus, Glion sur Montreux vom 13.-18. November 1977[20]

An dieser Konsultation nahmen aus 30 Ländern 36 Delegierte und 6 Berater teil sowie 13 Stabsmitglieder. Drei Hauptvorträge führten in die Thematik ein:

1. Warum ökumenische Beschäftigung mit dem Militarismus? (Dr. Anwar Barkat)
2. Der Militarismus: Die heutigen Probleme (Dr. Michael Klare)
3. Theologische Perspektiven des Militarismus (Dr. Wolfgang Huber)

Die Konsultation arbeitete in drei Arbeitsgruppen, von denen die erste die inneren und die zweite die äußeren Faktoren des Militarismus behandeln sollte, während die dritte sich mit den sozialen Konsequenzen befaßte. Jede Arbeitsgruppe legte zwei Berichte vor, von denen der erste der Analyse und Definition der Probleme galt, während im zweiten konkrete Programmvorschläge gemacht wurden. Vielfach wurden die gleichen Fragenkomplexe in den verschiedenen Gruppen behandelt, so daß manche Überschneidungen in den Berichten vorkommen. Der Stab hat aus dem Konferenzmaterial einen Gesamtbericht erarbeitet.

Alle großen und kleinen Probleme, die man mit den Stichworten Militär und Militarismus assoziieren kann, sind in den Gruppen und zum Teil auch im Plenum vorgebracht worden. Die eindrücklichsten Beiträge stammten von Frauen und Männern, die unter Militärregimen lebten bzw. gelebt hatten, vor allen Dingen in Lateinamerika. Die Last ihrer Erfahrungen und ihrer Leiden gaben der Konsultation Gewicht und Tiefe. Andere Beiträge waren geprägt von naivem Optimismus. Der preußisch-deutsche Militarismus erschien unter anderem Namen als weltweites Phänomen, sowohl in seinen tragischen wie in seinen eher komischen Aspekten. Es ging um Spielzeug der Kinder, um Lieder, Fahnen und Kriegerdenkmäler, ja um die Attraktivität der Uniformen auf Frauen. Auch die Bibel blieb wegen ihrer kriegerischen Passagen nicht verschont.

Schon in den Vorbereitungspapieren klang ein Thema an, das auch während der Tagung immer wieder laut wurde, der Vorwurf nämlich, die kapitalistischen Gesellschaften trügen wegen des Profitstrebens stärker zur Militarisierung der Welt bei als andere Gesellschaftsformen. Demgegenüber wurde betont, daß die psychologische Motivation für die Verantwortlichen in Entscheidungspositionen nicht Gewinnmaximierung, sondern Ausgabenmaximierung sei, und dieses gelte im Osten wie im Westen. Auch sei der größte Teil der amerikanischen Rüstungsindustrie aus dem normalen Funktionieren der kapitalistischen Marktwirtschaft seit langem herausgenommen und sei im Grunde nichts anderes als ein verlängerter administrativer Arm der Regierung.

Die Diskussionen drifteten immer wieder vom Militarismusthema weg zu Abrüstungsfragen. In dieser Neigung, sich dem konkreteren Problem zuzuwenden, zeigte sich, wie schwierig es war und bleibt, das Wesen des Militarismus begrifflich zu erfassen und in ihm gar einen Schlüsselbegriff für die Erklärung der meisten die Menschheit bedrohenden Probleme zu sehen. Die Kritik am Militarismusbegriff kam nicht nur aus europäischen Kreisen, sondern wurde auch von Vertretern der Dritten Welt vorgebracht.

Die zahlreichen Analysen und Anregungen dieser Tagung lassen sich nur schwer systematisieren. Man einigte sich schließlich, unter Militarismus das Ergebnis des Prozesses der Militarisierung zu verstehen, „durch den militärische Werte, Ideologien und Verhaltensmuster einen beherrschenden Einfluß auf alle anderen Bereiche des gesellschaftlichen Lebens gewinnen". Militarismus sei keineswegs nur auf Militärregime begrenzt, sondern sei ein weltweites Phänomen, daher erfordere die Auseinandersetzung mit ihm weltweite Solidarität. Die besondere Verantwortung des ÖRK ergebe sich daraus, daß keine andere Organisation derart eng mit Menschen in allen Teilen der Welt verbunden sei, die unter Militarismus leiden. Dennoch stelle sich das Problem des Militarismus von Land zu Land verschieden. Jede christliche Gemeinschaft müßte sich daher in ihrer je eigenen Situation aufgrund ihrer je eigenen Erfahrung mit diesem Problem auseinandersetzen.

Besondere Aufmerksamkeit verlange die Entwicklung von Massenvernichtungsmitteln, der Waffenhandel mit konventionellen Waffen sowie die Verbreitung von Technologie und Ausbildungsmethoden einschließlich der Folter zur Unterdrückung innerer Opposition.

Auf nationaler, regionaler und internationaler Ebene sollten Schritte zur Bekämpfung des Militarismus unternommen werden.

1. Nationale Ebene. Informationen über den Militarisierungsprozeß sollten für Gemeinden und die allgemeine Öffentlichkeit verbreitet werden. Einige Kirchen sollten ihr wirtschaftliches Interesse an Waffenproduktion und Waffenhandel untersuchen.

2. Regionale Ebene. Hier werden als Beispiel Untersuchungen über die Aktivitäten multinationaler Konzerne genannt. In Europa sollten sich die Kirchen mit den Problemen der beiden großen Paktsysteme und mit den vertrauensbildenden Maßnahmen beschäftigten. Im übrigen sollten auf regionaler Ebene ökumenische Organisationen ähnliche Aufgaben aufgreifen wie der ÖRK auf internationaler Ebene.

3. Internationale Ebene. Hier wird nun eine ökumenische Aktion für den Frieden gefordert. Dieses „dynamische Aktionsprogramm" soll unter anderem folgende Aufgaben umfassen (Reihenfolge und Auswahl von mir):

a) Bereitstellung einer Plattform für wechselseitige Anregungen und Herausforderung der Kirchen zur Förderung ausreichender Informationen und wirksamer Aktionen.

b) Sammlung von Erfahrungen, Einsichten und Problemen der verschiedenen Kirchen.

c) Anregung von Forschungsarbeiten. Fachleute aus den Wissenschaften, der Industrie und dem militärischen Bereich sollen das Problem des Militarismus gemeinsam erforschen. Mit Hilfe von Fallstudien sollen Modelle möglicher nicht-gewaltsamer Aktionen gegen Militarismus formuliert werden. Militärische Implikationen ziviler Nukleartechnologie sollen untersucht werden. Religiöse und theologische Faktoren, die zu militaristischen Verhaltensweisen führen, sollen erforscht werden.

d) Erarbeitung pädagogischen Materials. Für Kinder und Jugendliche soll Arbeitsmaterial bereitgestellt werden, um den paramilitärischen Ausbildungen in vielen Ländern unter der Jugend entgegenzuwirken.

e) Erarbeitung eines Handbuches über Militarismus.

f) Herausgabe eines Nachrichtenblattes.

g) Organisation einer weltweiten Friedenswoche.

Daß an der Frage nach dem Militarismus als dem Mißbrauch des militärischen Machtinstrumentes in besonders krasser Weise die Frage nach legitimer und illegitimer Gewaltanwendung und damit die Frage nach Recht und Grenzen staatlicher Macht aufbricht, klang an einzelnen Stellen der Diskussion zwar an, ohne jedoch in seinem ganzen Gewicht erkannt zu werden. Aufschlußreich für diese Unsicherheit ist z. B. die Formulierung, die Erklärung von Nairobi, nach der die Kirche in der Lage sein sollte, ohne Waffen zu leben, könne erweitert werden zu dem Satz „und ohne den Schutz eines Staates überhaupt."[21] Diese Unsicherheit meldet sich auch in der Frage des Berichtes: „Wenn unser Herr uns auffordert, auf Macht zu verzichten, womit sollen wir dann gegen den Machtmißbrauch ankämpfen, den wir Militarismus nennen?"[22] Würde man sich dem Thema nach Aufgabe und Grenzen des Staates stellen, dürfte eine bessere Beurteilung der unter dem Phänomen Militarismus zusammengefaßten, oft aber sehr disparaten Probleme möglich sein. Man kann auch fragen, ob ein Teil der unter dem Stichwort Militarismus verhandelten Phänomene nicht sinnvoller unter dem Begriff der Menschenrechte reflektiert wird, die zu gewähren und durchzusetzen oberste Aufgabe jeder staatlichen Ordnung sein muß. Von einem solchen Ansatz her würde sich auch ein besserer Zugang zum Problem der nationalen Sicherheit ergeben. Der Mißbrauch des Konzepts der nationalen Sicherheit zur Unterdrückung innerer staatlicher Opposition ist ein anderes Phänomen als die Gefährdung des Weltfriedens durch einen Rüstungswettlauf, der durch eine übersteigerte und dadurch die Sicherheit wiederum gefährdende, aber im Ansatz berechtigte Sorge um die nationale Sicherheit angetrieben wird. Schließlich würde der Ansatz bei einer Reflexion über den Staat zu einer Präzisierung des genuin theologischen Beitrages führen können. Zwar ist es wich-

tig, die Rolle von Kirche und Theologie für das Entstehen und Unterstützen „militaristischer" Phänomene zu untersuchen. Aber dies wird nur
dann weiterführen, wenn man zu einem Konsens über Aufgabe und Rolle
des Staates kommt. Daß ein solcher Konsens schwerlich zu erreichen ist
ohne eine Verständigung über die Art von Gesellschaft, in der wir leben
wollen, liegt auf der Hand. Insofern war der Hinweis — an mehreren Stellen vorgebracht — schon berechtigt, daß auch dieses Programm in den
Rahmen des Programmbereichs „Das Streben nach einer gerechten und
partizipatorischen Gesellschaft" gehört[23]. Allerdings wird die Auseinandersetzung dann gerade darüber stattfinden, was mit diesen Begriffen gemeint ist.

IV

Konferenz über Abrüstung, Glion sur Montreux vom 9.-14. 4. 1978 (Glion II)[24]

An dieser Konferenz nahmen 56 Delegierte und 5 Berater aus 33 Ländern sowie 14 ÖRK-Stabsmitglieder teil. Die Konferenz arbeitete in vier
Gruppen unter folgenden Themen:
1. Der Rüstungswettlauf und Strategien der Abrüstung.
2. Abrüstung und Entwicklung.
3. Friedliche Lösung von Konflikten.
4. Theologische Probleme.
Die rüstungspolitische Situation wurde folgendermaßen charakterisiert: Trotz des zunehmenden Tempos der Rüstung, trotz der Tatsache,
daß die nuklearen Waffen heute mehr als die millionenfache Zerstörungskraft der Hiroshima-Bombe haben, reflektierten wir über diese Probleme
immer noch eher in statischen statt in dynamischen Begriffen. Wir gingen
davon aus, dieses Rüsten sei zwar gefährlich, führe aber nicht notwendigerweise zu Feindseligkeiten. Dabei würde übersehen, daß das Wettrüsten
längst nicht mehr um Quantitäten, sondern um Qualitäten geht. Auch sei
die Steigerung nicht mehr arithmetisch, sondern exponential. Zur vertika-
len Eskalation komme die horizontale. Außer der Verschwendung der
materiellen Ressourcen binde die Rüstungsindustrie eine halbe Million
Wissenschaftler und Ingenieure, die anderen Aufgaben zur Lösung weltweiter Menschheitsprobleme entzogen werden. Die Kirchen werden daher
aufgefordert, sich einzusetzen für die Abschaffung aller für Angriffe geeigneten Waffen, für Erforschung nichtgewaltsamer Methoden der Verteidigung und für Gespräche mit denjenigen, die die Möglichkeit eines nu-

klearen Krieges hinzunehmen bereit sind. Öffentliche Diskussionen sollten in allen Ländern gefördert werden, die unter dem nuklearen Schirm leben.

Die Regierungen werden aufgefordert, eine Weltabrüstungskonferenz zu halten. Ziel solle nicht Rüstungskontrolle, sondern allgemeine und vollständige Abrüstung sein. Einseitige Schritte sollten dazu beitragen, das Abrüstungsproblem aus der Sackgasse zu führen.

Die zweite Arbeitsgruppe befaßte sich mit der Auswirkung des Rüstungswettlaufs auf die Entwicklungsländer. Es bestehe eine klare Beziehung zwischen Wettrüsten und der sozio-ökonomischen Ordnung. Die vernünftige Verwendung der vorhandenen Ressourcen werde durch die Verschränkung zwischen der bestehenden Weltwirtschaftsordnung mit dem militärisch-industriellen-bürokratischen und technologischen Komplex verhindert. Die angestrebte neue internationale Weltwirtschaftsordnung setze Abrüstung voraus. Spezielle Maßnahmen sollten getroffen werden, um die Ersparnisse aus dem Rüstungssektor auch wirklich den Entwicklungsländern zugute kommen zu lassen. Um dies sicherzustellen, sollen 5 % der Militärausgaben als Steuer an einen besonderen UN-Fonds abgeführt werden.

Da Abrüstung die sozialen und politischen Konflikte nicht aus der Welt schafft, sei eine ihrer Voraussetzungen, friedliche Konfliktlösungsmöglichkeiten zu finden. Deshalb wurde dem ÖRK vorgeschlagen, eine Expertentagung zu halten, um die in der UN-Charta und den regionalen Abmachungen und Erklärungen liegenden Möglichkeiten für neue Wege friedlicher Konfliktlösungen zu untersuchen. Diese Tagung fand vom 17.-19. Januar 1980 in Chambésy, Genf statt.

Gründlicher als in Glion I wurde versucht, einen theologischen Beitrag zur Problematik zu leisten. Stichwortartig seien nur erwähnt die Anregungen, über „eschatologische Hoffnung in einer apokalyptischen Zeit" nachzudenken; die Bemühungen, mit Hilfe der Kategorie der Entmythologisierung bestimmte politische Grundüberzeugungen in Frage zu stellen, wie z. B. das Konzept der „nationalen Sicherheit", das Ziel der sogenannten „qualitativen Waffenverbesserung" und sogar den „Götzen der Entspannung". Besonders wurde auf den Versöhnungsauftrag der Kirchen hingewiesen, der allerdings nur glaubwürdig sein könne, wenn die Kirchen untereinander Frieden und Versöhnung überzeugender als bisher lebten.

Dr. Konrad Raiser unternahm es, verschiedene theologische Motive zu einem Gesamtkonzept zusammenzufassen. Er forderte, den säkularen Stil der Behandlung des Themas aufzugeben zugunsten eines „wirklich prophetischen, geistlichen Verständnisses der Probleme von Krieg und Frieden im Kontext des Kampfes für Gerechtigkeit in der Gesellschaft." Er stellte die Abrüstungsproblematik in den Gesamtzusammenhang des ökumenischen Programms für eine gerechte, partizipatorische und lebensfähige Gesellschaft. Dabei ginge es darum, von der Behandlung der Symptome zu einer klaren Bestimmung der Ursachen zu kommen. Zusammen mit den Parallelprogrammen über Weltwirtschaftsordnung, die transnationalen Gesellschaften, die Menschenrechte, Rassismus, Macht, neuer Lebensstil und schließlich Glaube, Wissenschaft und die Zukunft gehöre das Programm für Militarismus und Wettrüsten hinein in den Versuch, die wesentlichen Elemente einer christlichen Vision für eine neue Gesellschaft zu entwerfen. „Der interdependente Charakter der Probleme verlangt einen neuen und zusammenfassenden Zugang zu den globalen Problemen der ungerechten Strukturen und der Notwendigkeit der Errichtung einer neuen Weltordnung."

Begrüßenswert an diesem Entwurf ist der Versuch, die Abrüstungsdebatte von der Engführung auf militärische und strategische Probleme zu befreien und damit aus der Isolierung von Expertengesprächen. In der Tat ist das Abrüstungsthema zu ernst, als daß man es Generalen, Politikern und Waffentechnikern überlassen dürfte. Auf der anderen Seite muß betont werden, daß der Problembereich so kompliziert ist, daß ein außerordentliches Maß an Kenntnissen sowohl von Fakten wie Analysen notwendig ist, um sich überhaupt am Gespräch zu beteiligen. Glion II hat die ungelöste Aufgabe hinterlassen herauszufinden, in welcher Weise Experten und Laien hier sinnvoll zusammenarbeiten können. Eine solche Zusammenarbeit allerdings wird gerade von Experten nachdrücklich gefordert, jedenfalls von solchen, die der Überzeugung sind, die Rüstung habe eine eigene Dynamik gewonnen, die sich der sozialen Kontrolle schon fast völlig entzieht. Ob eine solche Zusammenarbeit, die in der Tat das Einbringen der von Raiser erwähnten vielfältigen Aspekte verlangt, eine gemeinsame Vision einer neuen Weltordnung voraussetzt, muß freilich gefragt werden. Das Schwierigste wird sein herauszufinden, worin die Zusammenhänge im einzelnen bestehen, wie diese Interdependenz konkret zu interpretieren ist und welche Schritte an welcher Stelle möglich und notwendig sind. Auch dürfte es nicht leicht sein, den Schritt von den Symptomen zu den Ursachen zu tun, weil gerade daran der Streit sich entzünden wird, was denn als Symptom, was als Ursache zu definieren ist. Notwendig ist dieser Streit allerdings.

V

*KEK-Konsultation „Sicherheit, Abrüstung und Ökonomie"
in Siofok, Ungarn, 26./29. 9. 1978*[25]

Diese Konferenz war die dritte einer Reihe von Nach-Helsinki-Konsultationen der KEK. Sie griff die in Glion I und II gegebene Anregung zur Fortarbeit auf regionaler Ebene auf. Referate und Diskussionen bewegten sich im wesentlichen in dem in Glion I und II gesteckten Rahmen. Die Diskussion weiterführende Gesichtspunkte und Akzente findet man noch am ehesten in dem Beitrag von Hans Ruh, Bern. Er wies darauf hin, daß Angst eine Grundbefindlichkeit einer Gesellschaft sei, in der Autorität, Ordnungen, Normen, Werte und Traditionen zusammenbrechen. Angst führe zu Bedrohungsgefühlen und rufe eine überdimensionierte Reaktion hervor. Da als realistisch nur die Angst vor dem schlechtesten aller denkbaren Fälle gelte, gäbe es für Maßnahmen der Angst auch keine oberen Grenzen. In dieser Situation bestünde ein wichtiger Beitrag der Kirchen in einer Strategie der Angstbeseitigung. Dabei müsse auch ernstgenommen werden die Angst der Eliten, der Mächtigen, der Besitzenden. Eine solche Strategie der Angstbeseitigung sei eine Gratwanderung. Der Einsatz für Befreiung von Angst müsse in eine sinnvolle Beziehung gesetzt werden zum Kampf für Gerechtigkeit und Gleichheit. Der Beitrag der Kirche in einem besonderen Lande hänge von den entsprechenden Anstrengungen anderer Kirchen jenseits der Grenzen ab. Appelle über die Grenzen hinweg seien nicht hilfreich, vielmehr Veränderungen in der eigenen Gesellschaft. Die Frage der Christen laute nicht, welche Appelle hast du für mich, sondern was tust du im eigenen Land? Wegen dieses angeblich zu individualistischen Ansatzes und seines Plädoyers für Rücksichtnahme auf das Sicherheitsbedürfnis der Eliten wurde Ruh kritisiert. Er hat jedoch das Verdienst, das Augenmerk auf einen Bereich gelenkt zu haben, der m. E. in den bisherigen Empfehlungen zu kurz gekommen ist und darüber hinaus in besonderer Weise einen Verantwortungsbereich anspricht, in dem die Kirchen noch am ehesten direkt wirken können.

VI

Zentralausschußsitzung Kingston/Jamaika 1.-11. Januar 1979[26]

Über die bisherige Entwicklung des Programms wurde im Zentralausschuß des ÖRK auf der Grundlage des Dokuments Nr. 10 „Studienprogramm über Militarismus und Wettrüsten" berichtet. Darin heißt es unter III Nr. 21: „Die Dringlichkeit der Lage, die qualitativ neuen Elemente der Militarismus- und der Rüstungsproblematik sowie deren neue Perspektiven sollten den Ökumenischen Rat und die Mitgliedskirchen veranlassen, einem entsprechenden Aktions-Reflexions-Programm hohe Priorität einzuräumen." Nr. 25 fährt fort: „Die Erfahrung, die Erkenntnisse und Probleme und Aktionsmodelle der Kirchen und anderer Gruppen, die sich mit den Themen Militarismus und Wettrüsten auseinandersetzen, sollten zusammengetragen und einer breiteren Öffentlichkeit innerhalb der ökumenischen Bewegung zugänglich gemacht werden. Es sind bereits eine ganze Reihe kirchlicher und nichtkirchlicher Organisationen im Kampf gegen den Militarismus aktiv geworden und haben sich mit Nachdruck für die Abrüstung eingesetzt. Es ist wichtig, daß der ÖRK mit diesen Gruppen zusammenarbeitet und Möglichkeiten für gemeinsame Aktivitäten prüft. . . . Gruppen, die den ÖRK um Unterstützung ihrer Programme zur Mobilisierung, Information und Aktion ersuchen, sollten gefördert werden." Das Dokument endet mit der Empfehlung, den Titel des Studienprogramms abzuändern in „Studienprogramm für Abrüstung und gegen Militarismus und Wettrüsten."

Der Ausschuß der Programmeinheit Gerechtigkeit und Dienst erarbeitete dann seinerseits einen Bericht, der einschließlich der Empfehlungen vom Zentralausschuß entgegengenommen wurde[27]. In diesem Bericht heißt es: „Der Militarismus sucht sich ein Feindbild oder erfindet es — und steht dadurch in krassem Widerspruch zum ökumenischen Streben nach der Einheit der Kirche und der Menschheit. Der Militarismus sucht die Unterstützung der Kirche — womit er unser Verständnis von der Mission und der Verkündigung verfälschen würde. Der Militarismus strebt die Kontrolle über Wissenschaft und Technik an, um die Zukunft nach seinem verzerrten Weltbild zu gestalten. Der Militarismus setzt falsche wirtschaftliche Prioritäten und erschwert damit ganz außerordentlich die Verwirklichung einer neuen Weltwirtschaftsordnung und die Lösung von Entwicklungsproblemen. Der Militarismus strebt die totale Kontrolle der Gesellschaft an und blockiert jegliche Mitbestimmung. Der Militarismus fördert und schürt lokal begrenzte Konflikte, er ist eine der Hauptursachen des Flüchtlingsproblems und vieler von Menschen verursachter Katastrophen. Der Militarismus strebt die Beherrschung der Kommunikationsmittel und des Bildungswesens an, wobei er sich darum bemüht, jegliche noch vorhandene Transparenz abzuschaffen. Der Militarismus schafft und perpetuiert ungerechte Rassen- und Klassenstrukturen."[28]

Dann wird gefordert, das Programm umzubenennen in: Programm für Abrüstung und gegen Militarismus und Wettrüsten, und zwar mit der Begründung, „daß Militarismus und Wettrüsten nicht nur öffentlich gebrandmarkt, sondern daß auch konstruktive Alternativen für das derzeitige, im höchsten Maße gefährliche System entwickelt werden müssen"[29].

„Bei der Durchführung dieses Programms mögen der ÖRK und die Kirchen die Erfahrungen der Opfer des Militarismus vollauf berücksichtigen und sie sich als Basis für ihr Aktionsprogramm zunutze machen und ihre Aufgabe darin sehen, Strukturen und Mechanismen zu schaffen und zu unterstützen, durch die mit Mut und Einfallsreichtum für die Abrüstung gearbeitet werden kann."[30] Das Programm soll als Bestandteil des Programmschwerpunktes „Grundlagen einer gerechten, partizipatorischen und verantwortbaren Gesellschaft betrachtet werden. Der ÖRK soll den Kirchen Anstöße zu Diskussionen und Aktivitäten geben und Kirchen und Gruppen, die sich mit dieser Problematik befassen, tatkräftig unterstützen und ihnen bei ihren Bemühungen, die Öffentlichkeit aufzuklären, zu mobilisieren und zu Aktionen zu veranlassen, Hilfestellung leisten. Darüber hinaus soll er mit anderen ökumenischen, religiösen und weltlichen Organisationen, die sich ebenfalls mit der Problematik auseinandersetzen, engen Kontakt halten.

VII

EKD-Konsultation zum Studienprogramm des ÖRK über Militarismus und Wettrüsten 26.-28. März 1978 in Bonn

Die deutsche Arbeitsgruppe KKIA hat regelmäßig über den Fortgang des Programms beraten. Ihr Vorsitzender, Professor Dr. Ludwig Raiser, berichtete dem Rat der EKD in der Sitzung vom 17./20. Mai 1978 über den Stand der Entwicklung des Programms und regte eine innerdeutsche Konsultation an, die die bisherigen Ergebnisse auswerten und Vorschläge für die Weiterarbeit machen sollte. Diese Konsultation fand vom 26. bis 28. März 1979 in Bonn unter Leitung von Professor Raiser statt. Neben den Mitgliedern und ständigen Gästen der deutschen Arbeitsgruppe nahmen daran teil u. a. Professor Carl Friedrich von Weizsäcker, Staatssekretär Dr. von Bülow (Bundesministerium der Verteidigung), der Beauftragte der Bundesrepublik für Fragen der Abrüstung und Rüstungskontrolle, Botschafter Dr. Ruth (Auswärtiges Amt) und Christian Potyka von der Süddeutschen Zeitung. Außerdem waren der damalige Direktor der KKIA Leopoldo Niilus und der für das Programm zuständige Sekretär Ninan Koshy anwesend.

Die deutsche Arbeitsgruppe hatte vorgeschlagen, die Thematik auf drei für die Situation der Bundesrepublik besonders wichtige Komplexe zu beschränken:

1. Sicherheitspolitik und Entspannung; Möglichkeiten der Rüstungsbegrenzung.
2. Sicherheitsbedürfnis und seine Grenzen.
3. Öffentlichkeitsarbeit und Erziehung zum Frieden.

Carl Friedrich von Weizsäcker hielt das Grundsatzreferat. Er rückte das ökumenische Studienprogramm zusammen mit anderen Abrüstungsvorstellungen in einen großen kulturgeschichtlichen und globalen Rahmen. Das Dilemma, in dem wir uns befänden, sei das Ergebnis einer geschichtlichen Entwicklung der europäischen Kultur, die primär von Wille und Verstand, von Theorie und Praxis bestimmt sei. Die Probleme, die diese Willens- und Verstandeskultur geschaffen habe, könne man nicht mit denselben Mitteln lösen, durch die sie entstanden sind. Auch sei eine Rückkehr in eine bessere Vergangenheit nicht möglich. Wir müßten mit der Atombombe leben. Dies hieße, eine politische Struktur entstehen zu lassen, in der es ebenso unmöglich sei, Atomwaffen zu benutzen, wie heute viele Formen mittelalterlichen Fehderechts unanwendbar geworden seien. Im Grunde sei eine radikale Umwandlung der politischen Struktur der Welt notwendig. Diese setze einen Bewußtseinswandel voraus, der jenseits der Möglichkeit unseres eigenen Tuns läge.

Staatssekretär von Bülow und Botschafter Dr. Ruth legten die außerordentlich langwierigen und mühseligen Verhandlungen, Maßnahmen und Schritte dar, die unternommen werden, um zu einer Begrenzung des Wettrüstens zu gelangen. Die hochgradige Spezialisierung in diesem Bereich macht es für Laien schwierig, sich ein eigenes Urteil zu bilden. Trotz der bedrückenden Erkenntnis, wie wenig auf dem Verhandlungswege bisher erreicht worden ist, wurde überzeugend deutlich, daß die Verhandlungen als solche eine nicht zu unterschätzende Wirkung haben, schon allein dadurch, daß Experten in immer sich wiederholenden Runden von Verhandlungen einander kennen, einschätzen und sogar in einem gewissen Maße einander vertrauen lernen. Wegen der durch Langwierigkeit und zahlreiche Rückschläge verbreiteten Skepsis solchen Verhandlungen gegenüber sollten und könnten die Kirchen einen besonderen Beitrag für ein verhandlungsfreundliches Klima schaffen, auch wenn die Kirchen zu dem Inhalt dieser Expertengespräche keinen eigenen Beitrag leisten könnten.

Alternativen zum gegenwärtigen Wettrüsten sind während dieser Konsultation nicht ausführlich zur Sprache gekommen. Die Tagungsergebnisse entziehen sich, wie Professor Raiser in seiner Stellungnahme für den Rat zum Ausdruck brachte, angesichts der höchst komplexen Natur der behandelten Probleme einer raschen und eindeutigen Formulierung und Bewertung.Die Konzentration auf die für die Bundesrepublik wichtigen Themen führte dazu, daß Fragen der Dritten Welt zwar nicht ausgeschlossen, auch in ihrem Rückbezug auf Europa mitbedacht wurden, aber doch eher am Rande präsent waren. Auch die Thematik des Militarismus fand keine besondere Aufmerksamkeit, da Übereinstimmung darüber bestand, daß eine Militarisierung des öffentlichen Lebens in der Bundesrepublik derzeit nicht droht.

Als unmittelbares konkretes Ergebnis der Tagung wäre zu nennen der Vorschlag, für die innerkirchliche Diskussion eine Handreichung zu erarbeiten, die kurz und übersichtlich über die Abrüstungsdiskussion, ihre Probleme und Argumentationen berichtet und eine Sammlung der wichtigsten Materialien zum Thema enthält.

VIII

Mit dem Programm hat der ÖRK eine Thematik aufgegriffen, die zwar die Geschichte des ÖRK ständig begleitet hat, dessen Problematik aber zur Zeit der Vollversammlung in Nairobi mit erneuter Dringlichkeit in vielen Teilen der Welt erfahren wurde. Insofern ist das Programm Ausdruck sowohl einer zunehmenden Beunruhigung über die innenpolitische Entwicklung in vielen Ländern wie der zunehmenden Sorge um die Destabilisierung des Gleichgewichts zwischen den Supermächten und der ihnen zugeordneten Bündnissysteme. Daß es Niederländer gewesen sein sollen, die das Programm auf den Weg gebracht haben, entspricht dem besonderen Engagement, das in den Niederlanden seit langem dieser Frage gewidmet wird[31].

Die Frage, welchen Einfluß auf die Mitgliedskirchen das Programm bisher gehabt hat, ist nicht leicht zu beantworten. N. Koshy zählt in seinem Bericht auf der 35. Tagung der KKIA 1981 in Friedewald (Dokument Nr. 5) einige Beispiele für solche Wirkungen auf. Er nannte die vier Nach-Helsinki-Konsultationen der KEK, die Kampagne der Pazifischen Konferenz der Kirchen, eine afrikanische, vom KKIA und dem AACC gemeinsam gehaltene Konferenz und den Aufruf der Vereinigten Presbyterianischen Kirche in den USA, ein vierjähriges Programm über Friedensstiftung durchzuführen. Auch die Bonner Konsultation[32] geht auf diese ökumenische Anregung zurück. Aber auch in Bonn konnte man auf zahlreiche frühere Arbeiten zur Friedensfrage zurückgreifen. Das Bemühen, einen Beitrag der Christen und Kirchen zur Friedenserhaltung zu leisten, hat seit 1945 in Kundgebungen, Studien- und Denkschriften seinen Niederschlag gefunden[33].

Die Verstärkung des Erfahrungsaustausches zwischen nationalen, regionalen und weltweiten Bemühungen um den Frieden ist sicher eine der stärksten Aktivposten des Programms. Aber gerade, wenn man diesen neuen Vorstoß, in der für die Zukunft der Menschheit wichtigsten Frage die Weltchristenheit zu sensibilisieren, grundsätzlich positiv bewertet, darf man die evidenten Schwächen des Programms nicht übersehen. Eine gründliche Analayse und Bewertung kann hier nicht geleistet werden[34]. Über die in meinem Beitrag bisher aufgeworfenen Fragen hinaus sollen nur noch drei Probleme angeschnitten werden:

1. Versuche, das ganze Programm primär als ein Studienprogramm zu interpretieren, haben sich nicht durchgesetzt. Der endgültige Titel, seine Begründung wie auch zahlreiche Einzelempfehlungen legen den Akzent eindeutig auf Aktionen[35]. Nichts gegen Aktivitäten. Aber durch Aktionen wird man doch wohl immer nur klarmachen können, daß man für den Frieden, für Abrüstung, gegen Militarismus ist. Die Mittel und Wege, diese Ziele zu erreichen, bedürfen vor allen Dingen der Reflexion[36].

2. Angeregt durch dieses Programm und in Verbindung damit ist bisher eine allmählich unübersehbare Fülle von Vorbereitungs-, Ausschuß- und Berichtspapieren erarbeitet worden. Abgesehen davon, daß im Laufe der Zeit einige Stichworte und Gesichtspunkte hinzugefügt worden sind, ist keine rechte gedankliche Entwicklung seit dem Beginn des Programms in Nairobi zu erkennen. Das Erstellen von immer neuen Konferenzpapieren mag eine pädagogische Bedeutung für die jeweilige Konferenz haben, führt aber in der Sachproblematik nicht unbedingt weiter. Für die Wirksamkeit nach außen dürften soche Papiere jedenfalls wenig beitragen.

3. Trotz der mehrfach zum Ausdruck gebrachten richtigen Erkenntnis, daß die im Programm enumerierten Probleme von Land zu Land, von Region zu Region sich sehr verschieden darstellen, Lösungsversuche also auch sehr verschieden aussehen müssen, versucht das Programm, eine einheitliche Theorie zu entwerfen. In der Endfassung sind Militarismus und Abrüstungsthematik noch enger verbunden als zu Beginn. Als eigentlicher Schlüssel zum Problem erscheint der „Militarismus"[37]. Man kann sich des Eindrucks nicht erwehren, daß mit diesem Begriff in ähnlicher Weise wie mit dem Rassismusbegriff der Versuch gemacht wird, ein ungeheuer komplexes Problem gesellschaftlicher Defizite in einem Begriff ein-

zufangen, der als Sünde qualifiziert werden kann und muß, um darauf zu antworten mit einem Programm zur Bekämpfung derselben. Viele, wenn nicht die meisten der im Programm erwähnten Probleme verlangen in der Tat gründliche Reflexion und energische Aktion, wobei der Schritt von einem zum anderen nicht leicht sein wird. Sie alle in Verbindung zu bringen mit oder gar abzuleiten aus dem einen Phänomen des Militarismus scheint mir weder möglich noch erforderlich.

Anmerkungen

[1] vgl. zum Ganzen jetzt: Militarismus und Rüstung. Beiträge zur ökumenischen Diskussion, Texte und Materialien der FEST, Reihe A, Nr. 12, Juli 1981.

[2] vgl. R. Rouse/St. Ch. Neill, Geschichte der ökumenischen Bewegung 1517-1948, Bd. 2, Göttingen 1958, S. 181 ff.

[3] vgl. Bericht aus Nairobi 1975, hrsg. von Hanfried Krüger und Walter Müller-Römheld, 2. Aufl. 1976, Index.

[4] a.a.O. S. 68 Nr. 40.12.

[5] a.a.O. S. 120 Nr. 79.

[6] a.a.O. S. 189 ff.

[7] Dokument Nr. 10 der Tagung der Programmeinheit Gerechtigkeit und Dienst, 28. 7.-6. 8. 1977, Genf.

[8] vgl. Antirassismusprogramm der Ökumene, epd-Dokumentation Nr. 5, hrsg. von Klaus-Martin Beckmann, S. 13: „Selten hat in der Bundesrepublik Deutschland ein ökumenisches Dokument solches Aufsehen erregt in der Presse und in der kirchlichen Öffentlichkeit wie der Beschluß des Exekutivausschusses des ÖRK am 2. 9. 1970 in Arnoldshain, 200.000 Dollar an 19 Organisationen zu verteilen, die den Rassismus teilweise auch mit Waffengewalt bekämpfen."

[9] Studienheft Nr. 11 der KEK, 1979, S. 83.

[10] Deutsches Allgemeines Sonntagsblatt Nr. 48 vom 27. 11. 1977, S. 9.

[11] Ökumenische Rundschau 25, Heft 2, April 1976, S. 221.

[12] Ninan Koshy, a.a.O. S. 83.

[13] hierzu vgl. B. Moltmann, Militarismus: Ein Problem und seine Bezeichnung, in: Militarismus und Rüstung, S. 101 ff.

[14] s. S. 9.

[15] vgl. Abrüstung und Rüstungskontrolle, Dokumente zur Haltung der Bundesrepublik Deutschland, hrsg. vom Auswärtigen Amt 1981.

[16] Der gemeinsame Vorschlag für ein „umfassendes Abrüstungsprogramm" — ausgearbeitet von der Bundesrepublik Deutschland u. a. Staaten 6. 8. 1981 Genfer Abrüstungsausschuß der UN, Dokument CD 205 in epd-Dokumentation 37a/1981 S. 1.

[17] vgl. a.a.O. S. 1 f. über die unmittelbaren Ziele des Programms. Vgl. hierzu auch die Arbeiten von Professor Graf von Baudissin, DGFK-Veröffentlichungen Bd. 3/1977, Grünbuch zu den Folgewirkungen der KSZE: „Vertrauensbildende Maßnahmen als Instrument der kooperativen Rüstungssteuerung"; DGFK-Jahrbuch 1979/80 Kooperative Rüstungssteuerung in Europa — Analysen und Perspektiven; KKIA-Dokumentation 1980/3 Wettrüsten in Europa.

[18] Dokument 13 der Zentralausschußsitzung des ÖRK, Genf 1976.

[19] Teilnehmer: U. Albrecht, BR Deutschland; A. Arnold, Schweiz; F. Barnaby, Schweden; W. Graf von Baudissin, BR Deutschland; O. Dahlén, Schweden; L. Franco, Argentinien; L. Gibble, USA; B. Ige, Nigeria; M. Klare, USA; H. de Lange, Niederlande; J. Oporio-Ekwaro, Uganda; T. T. Poulose, Indien; Kjell Skjelsbaek, Norwegen; L. A. Comes de Souza, Mexiko; A. Tolen, Kamerun; K. Toth, Ungarn; D. Wood, Großbritannien/Schweiz; N. Zabolotsky, UdSSR.

[20] epd-Dokumentation 22/23/1978.

[21] KKIA-Dokumentation 1978/2, S. 15.

[22] a.a.O. S. 14.

[23] epd-Dokumentation Nr. 43/1976 S. 12.

[24] epd-Dokumentation Nr. 27/32/33/1978.

[25] Sicherheit, Abrüstung und Ökonomie, Bericht der II. Nach-Helsinki/Belgrad-Konsultation, KEK, Genf 1979.

[26] ÖRK-Zentralausschuß, Protokoll 31. Tagung Genf 1979 und epd-Dokumentation 7/79 (in vorläufiger Übersetzung).

[27] ÖRK Zentralausschuß-Protokoll, S. 53.

[28] a.a.O. S. 172.

[29] a.a.O. S. 54.

[30] a.a.O. S. 54.

[31] Vgl. Kirche und Kernbewaffnung, Materialien für ein neues Gespräch über die christliche Friedensverantwortung, Handreichung der Nederlandse Hervormde Kerk, Neukirchen-Vluyn 1981.

[32] L. Niilus und N. Koshy betonten, welch große Bedeutung sie dem Beitrag der EKD beimäßen und lobten den hohen Informationsstand.

[33] Vgl. Kundgebungen, Worte und Erklärungen der EKD 1945-1959, herausgegeben von Merzyn, Hannover; die Denkschriften der EKD, Frieden, Versöhnung und Menschenrechte Bd. I,1 und I,2 GTB Siebenstern, Gütersloh, 1978.

[34] Hier sei nachdrücklich verwiesen auf Wolfgang Lienemann in: Militarismus und Rüstung, S. 165 f.

[35] In: Militarismus und Rüstung gehen W. Huber, S. 133, und W. Lienemann, S. 179 (Anmerkung 32), irrtümlicherweise davon aus, daß der Zentralausschuß in Jamaika definitiv den Titel eines „Studienprogramms" empfohlen habe. Dieser Vorschlag aus Dokument 10 ist eben vom Ausschuß und Zentralausschuß abgeändert worden.

[36] Vgl. die interessante Bemerkung von Lienemann a.a.O. S. 186, er habe bislang keinen Ansatz einer Fragestellung im Programm des ÖRK gefunden, „die zu klären versuchen würde, warum die bisherigen Abrüstungsbemühungen bei gelegentlicher großer Annäherung der Standpunkte im Ergebnis stets fehlgeschlagen sind.

[37] Vgl. z. B. Bericht des Ausschusses der Programmeinheit, epd-Dokumentation S. 25.

REINHARD HENKYS

Die Friedensfrage in der Diskussion der evangelischen Kirchen in der DDR

1. Kontext und Grundbedingungen

Relevanz, Chancen und Grenzen kirchlicher Diskussion und Aktion in der DDR zum Friedensthema lassen sich nur erkennen, wenn zunächst versucht wird, allzu Geläufiges auf den Begriff zu bringen: die gesellschaftlichen Bedingungen, das politische und ideologische Umfeld dortiger christlicher Existenz.

Die DDR gehört nicht nur zum Militärbündnis des Warschauer Vertrages, sondern ist von Beginn an Teil des „Sozialistischen Lagers", das sich als „Friedenslager" ansieht. Das ist ideologisch begründet. Die marxistische Theorie und die auf ihr gründende Wirtschafts-, Gesellschafts- und Staatsverfassung will den Menschen von ökonomischer und damit sozialer, kultureller und politischer Ausbeutung befreien, ihn aus der Entfremdung heraus und letztlich zu sich selbst führen. Der dieser Theorie folgende Sozialismus versteht sich damit grundsätzlich als humanistisch. Ziel ist der gesellschaftliche Friede, der sich auf die Beseitigung klassenbedingter Ausbeutung und ihrer ökonomischen Voraussetzungen gründet. Der Weg dazu führt über die Herrschaft der Arbeiterklasse, die wiederum durch ihren Vorreiter, die Partei, herrscht. Nur diese Klasse ist in der Lage, die wahren Interessen aller zu verfolgen und eine revolutionäre Politik zu betreiben, die am Ende zur Aufhebung der Klassen und damit jeder Klassenherrschaft in der kommunistischen Gesellschaft führt.

Was für den sozialen Frieden im nationalen Bereich gilt, hat seine Entsprechung im internationalen Rahmen. Friede ist Beseitigung der Ausbeutung einer Nation durch die andere, der Weg zum dauerhaften Weltfrieden führt über den gegen den (kapitalistischen) Imperialismus gerichteten internationalen Klassenkampf. In grundsätzlicher und, wo immer es geht, praktischer Parteinahme für ausgebeutete Völker und Klassen realisiert sich im Zeichen der friedlichen Koexistenz, also unterhalb der Schwelle des Krieges und auch bei wünschenswerter vielseitiger Kooperation zwischen sozialistischen und kapitalistischen Staaten, sozialistische Friedenspolitik.

Diese Politik setzt sozialistische Staaten voraus, die allein schon durch ihre Existenz und Stärke dem Imperialismus Zügel anlegen, ihn zu einer gewissen Humanisierung und internationalem Wohlverhalten zwingen. So dient alles, was den real existierenden Sozialismus stärkt, dem Frieden, und alles, was ihn schwächt, erhöht die Kriegsgefahr. So konnte der X. Parteitag der SED im April 1981 die Parole ausgeben, daß Sozialismus und Frieden wesensgleich seien.

Wie der überwiegende Teil der Bevölkerung hat sich auch die evangelische Kirche in der DDR zunächst außerordentlich schwergetan, dieses monokausale Friedensdenken überhaupt als solches zu begreifen und ernst zu nehmen. Realerfahrungen mit unterdrückender Herrschaft im Namen einer Arbeiterklasse, die sich zu großen Teilen durch die mit Hilfe der sowjetischen Siegermacht zur Herrschaft gekommene Partei nicht repräsentiert sah, der zudem die in der Kirche Tonangebenden in aller Regel nicht angehörten, Fixierung auf die nationale Frage in der durch Fremdbestimmung gegen ihren Willen geteilten Nation und traditionelle Bevorzugung der Individualethik gegenüber gesellschaftlichen Fragestellungen führten zu Opposition oder doch innerer Abgrenzung.

Zum Frieden äußerte sich die Kirche entweder im gesamtdeutschen EKD-Verbund und dann vornehmlich im Blick auf die Wiedervereinigungsproblematik, oder Kirchensprecher nahmen kommunistische Friedenspropaganda, Friedenskampfparolen usw. kritisch-abwehrend unter die Lupe. Noch ein im Juli 1958 nach kontroversen Staat-Kirche-Verhandlungen, in denen die Kirche den Vorwurf des Verfassungsbruchs zurücknehmen mußte, staatlich veröffentlichtes Kommuniqué läßt Distanz, läßt abgepreßtes Zugeständnis erkennen, wenn es da heißt:

,,Die Vertreter der evangelischen Kirchen in der DDR erklärten, daß die Kirche mit den ihr gegebenen Mitteln dem Frieden zwischen den Völkern dient und daher auch grundsätzlich mit den Friedensbestrebungen der DDR und ihrer Regierung übereinstimmt. Ihrem Glauben entsprechend erfüllen die Christen ihre staatsbürgerlichen Pflichten auf der Grundlage der Gesetzlichkeit. Sie respektieren die Entwicklung zum Sozialismus und tragen zum friedlichen Aufbau des Volkslebens bei.''[1]

Zehn Jahre später hingegen grenzten sich sieben evangelische Bischöfe in ihrer Stellungnahme zum Entwurf einer neuen DDR-Verfassung schon nicht mehr gegen das nunmehr offizielle sozialistische Ordnungsprinzip des Staates ab, sondern formulierten: ,,Als Staatsbürger eines sozialistischen Staates sehen wir uns vor die Aufgabe gestellt, den Sozialismus als eine Gestalt gerechteren Zusammenlebens zu verwirklichen. Als Christen lassen wir uns daran erinnern, daß wir es weithin unterlassen haben, ,die Sache der Armen und Entrechteten gemäß dem Evangelium von Gottes kommendem Reich zur Sache der Christenheit zu machen' (Darmstädter Wort des Bruderrates zum politischen Weg unseres Volkes vom 8. 8. 1947).''[2]

Und wiederum nach weiteren zehn Jahren konnte sich am 6. März 1978 der Staatsratsvorsitzende Honecker gegenüber dem Kirchenbundesvorsitzenden Bischof Schönherr auf das Selbstverständnis der Kirche als „Kirche im Sozialismus" beziehen und Schönherr seinerseits eine bereits 1973 von der Bundessynode gebilligte Definition dieses Begriffes vortragen:

„Kirche im Sozialismus wäre die Kirche, die dem christlichen Bürger und der einzelnen Gemeinde hilft, daß sie einen Weg in der sozialistischen Gesellschaft in der Freiheit und Bindung des Glaubens finden und bemüht sind, das Beste für alle und für das Ganze zu suchen. Kirche im Sozialismus wäre eine Kirche, die auch als solche, in derselben Freiheit des Glaubens, bereit ist, dort, wo in unserer Gesellschaft menschliches Leben erhalten und gebessert wird, mit vollem Einsatz mitzutun, und dort, wo es nötig ist, Gefahr für menschliches Leben abzuwenden, zu helfen. Es kann sich, wie sich gezeigt hat, ergeben, daß wir Christen im Lichte der Verheißung Gottes und unter seinem Gebot Probleme und Nöte in Welt und Gesellschaft anders sehen, als sie von anderen Voraussetzungen aus gesehen werden, oder Fragen hören, die andere nicht so hören."[3]

Die wichtige Thematik „Kirche im Sozialismus" kann hier nicht im einzelnen erörtert werden. Festgehalten sei nur, daß es sich um eine gesellschaftliche Orts- und Aufgabenbestimmung für Zeugnis und Dienst der Kirche handelt, nicht um eine ideologische Option. Konkretisiert auf das Friedensthema bedeutet das, daß mit dem (real existierenden) Sozialismus auch dessen Friedenstheorie ernstgenommen, die Friedenszielsetzung der Staatspolitik anerkannt und nicht als propagandistische Verschleierung verdächtigt wird, daß aber die Kirche sich der Monokausalität dieses Denkens nicht anschließt, sondern bemüht sein will, ihrerseits dieser Engführung zu entgehen, als Beitrag zur Humanität des Sozialismus, nicht gegen ihn.

Der kurze Überblick über zwanzig Jahre kennzeichnet einen kirchlichen Lernprozeß, dem ein gewisser Lernprozeß von Partei und Staat entspricht. Dies läßt sich belegen. An dieser Stelle mag der Hinweis genügen, daß Duldung und immer wieder auch öffentlich geäußerte positive Einschätzung eigenständiger (und damit nicht sozialistischer) Beiträge aus der Kirche zur Friedensdiskussion durch die SED vor zwanzig Jahren nicht denkbar erschienen. Sie wären vielmehr als Aktivitäten des Klassenfeindes verdächtigt worden. Von diesem Verdacht ist die Kirche spätestens mit dem Gespräch vom 6. März 1978 offiziell befreit.

Das bedeutet keineswegs, daß die Kirche ohne negative Folgen die Friedenspolitik der DDR einer kontinuierlichen Grundsatzkritik unterziehen oder sich für systemfremdes, gar systemwidriges Handeln einsetzen könnte. Insbesondere dann, wenn der Sicherheitsbereich tangiert erscheint, ist mit harten staatlichen Reaktionen zu rechnen. Alles, was nach Kampagne oder Demonstration aussieht, vor allem auch wenn westliche Publizistik sich des Themas annimmt, kann zu schwerwiegenden Beeinträchtigungen des Staat-Kirche-Verhältnisses führen und damit auch reale Störungen in das Leben der einzelnen Christen bringen.

Die offene und öffentliche kritische Diskussion der Sicherheitspolitik des eigenen Lagers ist damit der Kirche in der DDR, anders als der in der Bundesrepublik, weitgehend verwehrt. Oft genug besteht ihr Diskussionsbeitrag im Schweigen: Wenn Erklärungen kirchlicher Gremien im Zuge staatlicher Kampagnen etwa gegen die Neutronenwaffe fehlen, fällt das politisch bewußten DDR-Bürgern auf (und sollte auch von Westdeutschen registriert werden).

Auf der anderen Seite aber gilt auch dies: In der einheitlich strukturierten, zentral geleiteten und uniform publizierten Gesellschaft der DDR ist eigenständiges Reden der Kirche im politischen Felde leichter als in der pluralistischen Gesellschaft der Bundesrepublik. Jedes selbständige Aufgreifen von Fragestellungen, fast schon jede eigengeprägte Formulierung erweist die unverwechselbare Identität der Kirche.

Und auch das ist richtig: Auf Positionen politischer Ethik und auch Vorstellungen ihrer Konkretion können sich unter bestimmten Umständen Kirchenleute in der DDR eher einigen als die im Westen. Hier nämlich repräsentiert die Kirche nicht auch die politisch relevanten Kräfte in der Gesellschaft. Politische Entscheidungsträger haben keine kirchliche Bindung. Sie greifen nicht in die innere kirchliche Diskussion ein, weil sie sich nicht betroffen fühlen. Auch die Diskussionsbeiträge von Funktionären der DDR-CDU kommen kaum aus der Situation der Betroffenheit. Anders ausgedrückt: Die Kirche in der DDR muß zwar gegebenenfalls mit negativen Rückwirkungen ihrer politischen Haltung auf sich rechnen, kann aber kaum davon ausgehen, von christlichen Politikern in die Mitverantwortung einbezogen und damit möglicherweise auch mit den politischen Folgen von ihr vertretener Positionen konfrontiert zu werden.

Auch dies führt zur Zurückhaltung in dem breiten Feld zwischen prinzipiellen friedensethischen Aussagen und Zielformulierungen (Abrüstung, Verlagerung der Friedenssicherung vom militärischen auf den politischen Bereich, Vertrauensbildung usw.) und kleineren konkreten Zielen im Bereich unmittelbarer eigener Erfahrung und aktiver Mitwirkungsmöglichkeit (etwa Kommunikation mit Polen, Eintreten für Wehrdienstverweigerer und Zivildienst, Abwehr von Diskriminierung bei Nichtbeteiligung am schulischen Wehrunterricht).

Ein weiteres Faktum ist die Ohnmachtserfahrung gegenüber der zentralen politischen Steuerung der öffentlichen Kommunikationsmedien. Zwar ist im letzten Jahrzehnt die früher übliche wahrheitswidrige Inanspruchnahme kirchlicher Friedensdiskussion für staatliche Propagandaziele selten geworden, doch werden die eigentlich eigenständigen Beiträge aus der DDR-Kirche zur politischen Diskussion von Presse und Funk nicht registriert und können auch nur in karger Auswahl in evangelischen Zeitschriften oder Buchveröffentlichungen gedruckt werden.

Immerhin, das gibt es, und es gibt vor allem eine kaum überschaubare kircheneigene „hektografierte Öffentlichkeit", dazu die Öffentlichkeit der Synoden, der Vorträge und Seminare, der Gruppen und Kreise, des Gesprächs.

Dem folgenden Versuch, einen knappen Überblick über die wichtigsten Positionen der kirchlichen Friedensdiskussion in der DDR zu geben, werden offizielle, also von kirchlichen Fach- und Leitungsgremien ausgearbeitete und verbreitete Papiere zugrunde gelegt.

2. *Kriegsdienst — Friedensdienst*

Seit der Einführung der Allgemeinen Wehrpflicht 1962 (immerhin sechs Jahre später als in der Bundesrepublik) ist die evangelische Grundposition, für Kriegsdienstverweigerer aus Gewissensgründen einzutreten, immer wieder der konkrete Ansatzpunkt für friedensethische Überlegungen gewesen, die über den individuellen Gewissensschutz hinausgreifen und der gesellschaftlichen, der friedenspolitischen Relevanz der Verweigerung nachgingen. Dabei hat die zunächst von Bischof Mitzenheim vertretene konservative Auffassung keine weiteren Fürsprecher gefunden, das Eintreten für Kriegsdienstverweigerer als Akt der Barmherzigkeit anzusehen, den die Kirche ohne Ansehen der Person und politische Hintergründe tue. Andererseits ist die beim Bemühen um staatliches Entgegenkommen Ministerpräsident Stoph von Mitzenheim und Bischof Krummacher im März 1962 gegebene Versicherung, die Kirche begründe nicht generell und nicht lehrmäßig die Kriegsdienstverweigerung, nicht widerrufen worden. Diese Zusage auf der einen Seite, die — für DDR-Verhältnisse — sehr verbreitete, entschlossene und in intensiven Diskussionen begründete Ablehnung des Waffendienstes durch Betroffene auf der anderen Seite führten die DDR-Regierung dazu, 1964 die Möglichkeit des waffenlosen Militärdienstes in Baueinheiten der Armee zu schaffen[4].

Die Bausoldatenregelung ist von der Kirche durchweg begrüßt, stets aber auch als ungenügend empfunden worden. Das Verlangen nach einer nichtmilitärischen Alternative verstummte nicht. Der Ruf nach einem gleichberechtigten zivilen „Sozialen Friedensdienst" (ausdrücklich eben nicht „Ersatzdienst") in der DDR ist keineswegs ein Reflex der westlichen rüstungskritischen Friedensbewegung des Jahres 1981, wenn auch der evangelische Kirchenbund Vergleichbares vorher nur einmal mehr am Rande im Zusammenhang einer Stellungnahme zum Jugendgesetz 1973 der Regierung förmlich vorgeschlagen hat.

Die langjährige gesamtkirchliche Zurückhaltung in dieser Sache (Landessynoden, vor allem die Kirchenprovinz Sachsen, haben sich weit mehr vorgewagt) ist weniger theologisch als durch pragmatische Erwägungen (Chancenlosigkeit bei kirchenpolitischen Komplikationen) begründet gewesen. Die Erfahrungen mit der 1965 von der Konferenz der Kirchenleitungen akzeptierten und verbreiteten Handreichung „Zum Friedensdienst der Kirche" für Seelsorge an Wehrpflichtigen wirkten sich aus [5].

Daß die DDR-Führung in diesem angeblich „mit der Tinte der Militärkirche" geschriebenen Dokument einen Angriff auf die Allgemeine Wehrpflicht und Verteidigungsbereitschaft sah und entsprechend massiv reagierte, ist verständlich. Denn hier wurde auf der Basis ausführlicher theologischer Reflexion sowie einer Situationsanalyse der Problematik von Frieden und Sicherheit im Atomzeitalter Position bezogen. Bei aller Offenheit gegenüber der Entscheidung, der Wehrpflicht mit der Waffe nachzukommen und dies als Friedensdienst zu verstehen, kommt die Handreichung zu dem nie revidierten, wenn auch bis zum Ende der siebziger Jahre kirchenoffiziell nicht wiederholten oder diskutierten Ergebnis:

„Es wird nicht gesagt werden können, daß das Friedenszeugnis der Kirche in allen drei der heute in der DDR gefällten Entscheidungen junger Christen in gleicher Deutlichkeit Gestalt angenommen hat. Vielmehr geben die Verweigerer, die im Straflager für ihren Gehorsam mit persönlichem Freiheitsverlust leidend bezahlen, und auch die Bausoldaten, welche die Last nicht abreißender Gewissensfragen und Situationsentscheidungen übernehmen, ein deutlicheres Zeugnis des gegenwärtigen Friedensgebots unseres Herrn."

Mit dieser Aussage scheint zunächst die Spannung der Komplementarität zwischen militärischem Verteidigungskonzept und Waffenverzicht, wie sie in den von der Handreichung erörterten Heidelberger Thesen von 1959 charakterisiert wird, zugunsten des Friedenszeugnisses der Verweigerung aufgehoben. Deshalb wird das DDR-Kirchenwort vom „deutlicheren Zeichen" von Vertretern dieser Position auch im Westen gern zitiert.

Der Zusammenhang des Zitats erschwert jedoch seine unreflektierte Übertragung in andere Situationen. Es geht hier um eine konkret in der DDR gegebene Entscheidungssituation, die für die Seelsorge an hier wehrpflichtigen jungen *Christen* friedensethisch bewertet wird.

Schon 1965 war die christliche Gemeinde in der sozialistischen Gesellschaft faktisch eine Minderheit und verstand sich auch so. Das galt zumal für die Jugendlichen, bei denen auch die formale Kirchenzugehörigkeit bereits weit unter fünfzig Prozent lag. Während die Heidelberger Thesen die Situation der bundesrepublikanischen Volkskirche im Blick hatten, in der sich die Pluralität der Gesellschaft reproduziert und komplementäres Friedenshandeln folglich komplementäre Entscheidungen von Christen umfassen muß, entwickelte sich in der DDR ein Bewußtsein des Gegenübers von christlicher Gemeinde und sozialistisch formierter Gesellschaft. Diese Gesellschaft ließ (und läßt) für Komplementarität keinen Raum. Damit ergibt sich zwangsläufig ein Gefälle für die christliche Entscheidung.

Der Handreichung geht es nicht so sehr um individuellen Gewissensschutz. Sie sieht in der Entscheidung für totale Verweigerung oder Dienst als Bausoldat ausdrücklich ein christliches Friedenszeugnis in — oder eben gegenüber — der Gesellschaft. Es ließe sich schlußfolgern: Damit es in der DDR zum komplementären Friedenshandeln unter den Bedingungen des Atomzeitalters kommt, müssen Christen vornehmlich den Part der Verweigerung übernehmen.

Es sei angemerkt: Nicht nur Christen (und wiederum auch nicht die Mehrzahl der Christen) treten in der DDR für alternatives Friedenshandeln ein. Doch fällt der Kirche als einziger handlungsfähiger nicht sozialistischer Gemeinschaft die Rolle zu, stellvertretend auch für andere Positionen zu formulieren und zu reflektieren.

Seit 1965 hat sich die gesellschaftliche Situation der christlichen Gemeinde in der DDR geändert. Die siebziger Jahre standen im Zeichen der Bemühung um eine neue Positionsbestimmung als „Kirche im Sozialismus" mit dem Ziel, aus der Gegenüber-Haltung zur sozialistischen Gesellschaft heraus und in eine Position der Teilhabe unter Wahrung der unverwechselbaren eigenen Identität zu kommen. Auch dieses Bemühen dürfte dazu beigetragen haben, daß die „Handreichung" lange Zeit nicht zitiert, aktualisiert, aktiviert wurde. Die Bausoldaten allerdings haben sie nie vergessen und immer wieder versucht, kirchliche Leitungsgremien beim alten Wort zu nehmen.

Heute zeigt sich, daß die Handreichung an Aktualität nicht verloren hat. Sie wird weiterhin kaum zitiert, aber der Sache nach ist sie integraler

Bestandteil der DDR-kirchlichen Diskussion der Friedensproblematik. Die erste internationale Diskussionsrunde um die Neutronenwaffe, der neue atomare Rüstungsschub in Europa durch SS-20-Raketen und Brüsseler Nato-Beschlüsse, die zunehmende Militarisierung der DDR-Gesellschaft u. a. durch obligatorische Wehrerziehung in allen Schulen, die engagierte Beteiligung des DDR-Kirchenbundes am ökumenischen Gespräch und entsprechende Studien einschließlich des Programms für Abrüstung und gegen Militarismus und Wettrüsten erlaubten nicht mehr, die Problematik auszuklammern, die nun allerdings auf wesentlich breiterer Basis behandelt wird. Die Frage der Beteiligung am Militärdienst ist nur ein Aspekt.

Dabei nimmt das Drängen auf konfessorische Entscheidung zu. Die Synode der Evangelischen Kirchenprovinz Sachsen ist zwar nicht repräsentativ für die Gesamtkirche in der DDR, aber sie hat oft genug Vorreiterfunktion gespielt. Deshalb sei aus der Synodalentschließung vom November 1980 zitiert:

„Es hat sich herausgestellt, daß das Konzept, Sicherheit durch militärisches Gleichgewicht zu gewährleisten, wegen des fehlenden gegenseitigen Vertrauens das Wettrüsten faktisch nicht verhindert hat, das alles Leben auf der Erde gefährdet. Mit der Kirchenleitung sind wir der Meinung, daß jetzt der Zeitpunkt gekommen ist, an dem radikale Konsequenzen gezogen werden müssen." Neben nuklearem, auch einseitigem, Rüstungsstopp wird in Frageform u. a. vorgebracht: „Müssen die Christen sich nicht ausschließlich auf das tätige Ja zu allem, was dem Frieden dient, konzentrieren, damit nicht Leben zerstört wird?"[6]

Hier wurde formuliert, was moderater, politisch abgesicherter ein Jahr später allen Synoden in der DDR auf dem Tisch lag: Eingaben junger DDR-Bürger — nicht nur Christen! — mit der Bitte, die Kirche möge sich für die Einrichtung einer echten und gleichberechtigten Alternative zum Armeedienst, eines „Sozialen Friedensdienstes", beim Staat bemühen. Da in der DDR keine Gewissensprüfung stattfindet, geht dieser Vorschlag weiter als die Wirklichkeit des Zivildienstes in der Bundesrepublik. Seine Begründung: „Wir suchen weiter nach Wegen zum Frieden. Die ,Ehrfurcht vor dem Leben' gebietet uns, Frieden zu schaffen ohne Waffen und uns für das bedrohte Leben einzusetzen. Uns bedrängt die immer weiter wachsende Rüstung, im Westen wie im Osten. Uns bedrängt das immer mehr zunehmende Gewicht des Militärischen in unserer Gesellschaft. Uns bedrängen auf der anderen Seite ebenso die sozialen Mangelerscheinungen. . ."[7]

Als erste reagierte die Synode des Kirchenbundes im September 1981 in Güstrow. Trotz eines im voraus signalisierten staatlichen „Nicht akzeptabel!" machte sie sich zum Fürsprecher des Anliegens, ohne allerdings die Grundsatzfrage der Handreichung und der provinzsächsischen Synode aufzugreifen. Das war auch nicht nötig, denn bereits ein Jahr zuvor hatte ihr die Konferenz der Kirchenleitungen das „Rahmenkonzept Erziehung zum Frieden" vorgelegt. Dieser umfassende Orientierungsrahmen für die Friedensaktivitäten der DDR-Kirche, der auch vorher verbreitete Einzelpapiere wie die „Orientierungshilfe" zur Frage der Wehrerziehung in den Schulen, aber eben auch die „Handreichung" von 1965 eingeordnet und damit die Relevanz der einzelnen Papiere gültig für die Gegenwart charakterisiert, nimmt in einer speziellen Anlage zum Komplementaritätsproblem auch im Vergleich zur Diskussion in der EKD Stellung. Wegen der Bedeutung des Dokuments sei aus den Feststellungen dazu ausführlicher zitiert:

5. „. . . Das der ‚Komplementaritätsthese' 1959 zugrundeliegende Friedensverständnis ist ein geschichtlich-dynamisches: Es impliziert die politische Arbeit für Abrüstung und alternative Friedensstrukturen als unabdingbare Voraussetzung für die vorläufige Hinnahme von atomarer Abschreckung und Waffendienst.

6. Bereits in den 60er Jahren wird die Spannung zwischen den beiden komplementären Handlungsweisen des einzelnen in verschiedenen Richtungen ansatzweise aufgelöst:

6.1 Auf dem Kirchentag in Hannover 1968 mit der Formulierung von der Gleichgewichtigkeit eines Friedensdienstes ‚mit und ohne Waffen'. Aus dem geschichtsoffenen ‚heute noch' der Heidelberger Thesen wird ein statisch-geschichtsloses ‚und' — und damit eine Gleichstellung.

6.2 In der DDR bereits früher mit der Handreichung der Konferenz der Evangelischen Kirchenleitungen von 1965 ‚Zum Friedensdienst der Kirche'. In ihr werden Waffenverzicht in Gestalt von Bausoldatendienst und Totalverweigerung als ‚ein deutlicheres Zeugnis des gegenwärtigen Friedensgebotes unseres Herrn' bezeichnet. Unter Verweis auf die Priorität einer zukünftigen internationalen Friedensordnung wird damit der Waffenverzicht zum Leitbild eines zukunftsbezogenen Friedensdienstes.

7. Neue Äußerungen der evangelischen Kirchen in der BRD und der DDR machen die divergierenden Rezeptionstendenzen der ‚Komplementaritätsthese' manifest:

7.1 Die EKD-Erklärung zur Kriegsdienstverweigerung vom Sommer 1978 hält Friedenssicherung mit der Waffe für eine ebenso begründete Überzeugung wie die ohne Waffen.

7.2 Die ‚Orientierungshilfe' der Konferenz der Evangelischen Kirchenleitungen zur Einführung des Wehrunterrichts vom 14. Juni 1979[8] wird
bestimmt von einer durchgängigen kritischen Position gegenüber dem
Primat militärischen Sicherheitsdenkens — unter Hinweis auf die Notwendigkeit effektiver Abrüstungsschritte. Die friedensethische Argumentation der ‚Orientierungshilfe' ist inhaltlich und strukturell der Position
des Waffenverzichts in der ‚Komplementaritätsthese' vergleichbar."[9]
Der letzte Satz kennzeichnet die offizielle Position des DDR-Kirchenbundes, der die lange verschwiegene Handreichung von 1965 damit adap-
tiert hat. Damit aber auch wirklich klar wird, was gemeint ist, heißt es in
dieser Anlage zum „Rahmenkonzept" weiter:

„Die ursprünglich in der Entscheidung für einen ‚Friedensdienst mit
der Waffe' enthaltene Hoffnung auf wirksame Abrüstungsschritte
wird . . . ständig von den Fakten überholt und damit ins Utopische ver-
schoben. Man muß fragen, ob in dieser Erfahrung nicht eine Herausforderung für die friedensethische Orientierung von Christen und Kirchen in
der DDR liegt, die sie an ihrem geschichtlichen Ort nur über den Ansatz
der ‚Komplementaritätsthese' hinausführen kann." Und, unter Bezug auf
die ökumenische Erklärung von Nairobi 1975 „Die Kirche sollte ihre Bereitschaft betonen, ohne den Schutz von Waffen zu leben", heißt es abschließend: „Gegenwärtig zeichnen sich zwei Möglichkeiten für die Kirchen in der DDR ab, diesen ökumenischen Impuls aufzunehmen: die öffentliche Absage an nukleare Abschreckung als übergreifende militärische
und politische Sicherheitsstrategie und eine Friedenserziehung, die die
politisch-gesellschaftlichen Phänomene von Friedlosigkeit mit der gleichen Entschlossenheit aufgreift wie die individuell-zwischenmensch-
lichen."

3. Friedenserziehung

Die „öffentliche Absage an nukleare Abschreckung als übergreifende
militärische und politische Sicherheitsstrategie" könnte, situationsbezo-
gen, nur bedeuten, daß die evangelischen Kirchen in der DDR für einseitige Vorleistungen ihres Staates bzw. des Warschauer Vertrages eintreten.
Das ist bisher nicht der Fall. Immerhin gibt es Vorstöße. Zwischen der
Theologischen Studienabteilung beim Kirchenbund und dem niederländischen Interkirchlichen Friedensrat bestehen nicht nur enge Arbeitsverbin-
dungen, sondern auch inhaltliche Affinitäten. Mitarbeiter des Facharbei-
terkreises Friedensfragen und der Ad-hoc-Gruppe Abrüstung in der Studienabteilung haben persönlich verantwortete, von kirchlichen Leitungs-

gremien bisher nicht nachvollzogene Vorstöße unternommen und öffentlich gemacht. Nach einer Konsultation mit dem niederländischen Interkirchlichen Friedensrat schrieben sie dem ökumenischen Generalsekretär Potter im Mai 1980 u. a.:

„Die Teilnehmer der Konsultation sind zu der Überzeugung gelangt, daß unsere öffentliche Absage an das nukleare Abschreckungssystem, an den militärischen und politischen Gebrauch von Kernwaffen und anderen Massenvernichtungsmitteln gefordert ist. Wir erklären, daß wir uns an einem mit solchen Waffen geführten Krieg nicht beteiligen werden. Wir verstehen diese Aussage als die heute unausweichlich gewordene Konsequenz eines Zeugnisses für den Frieden, das im Evangelium vom befreienden Handeln Gottes in Jesus Christus gründet."[10]

Größere Aufmerksamkeit (und interne Kritik wegen fehlender kirchenpolitischer Koordinierung) fand ein Jahr später die Veröffentlichung einer „Erklärung zur Abrüstungsfrage" der Ad-hoc-Gruppe, die die Kernwaffenerklärung der Synode der Niederländisch-Reformierten Kirche vom November 1980 aufnahm und für den eigenen Bereich zu dem Schluß kam:

„In der gegenwärtigen europäischen Situation, die durch zunehmende ökonomische und politische Krisenentwicklungen und durch anhaltende Verzögerung von Rüstungsbegrenzungsverhandlungen gekennzeichnet ist, erscheinen einseitige kalkulierte Vorleistungen (durch die die militärische Sicherheit nicht gefährdet werden darf) auch jetzt noch als Möglichkeit, in Europa eine Gegenbewegung gegen den sich immer weiter beschleunigenden Rüstungsprozeß in Gang zu setzen. Wir meinen, daß ein einseitiger — in Abstimmung mit den verbündeten Staaten des Warschauer Vertrages durchgeführter — Verzicht der DDR auf eigene nuklearfähige Trägersysteme als ein Schritt in Richtung auf die Denuklearisierung Europas angestrebt werden sollte."[11]

Solche Vorstöße gehören in den Zusammenhang des kirchlichen Versuches, zur Entwicklung eines kritischen Abrüstungsbewußtseins in der Bevölkerung beizutragen. Das ist ein Teilziel des Gesamtkonzepts Erziehung zum Frieden. Darauf zielt z. B. auch einer der vom DDR-Kirchenbund 1977 gelieferten Beiträge zum ökumenischen Programm für Abrüstung, gegen Militarismus und Wettrüsten, der sich mit den Möglichkeiten der Kirche in der DDR im Bereich des Eintretens für Abrüstung beschäftigt[12]. Dieser Beitrag ist ebenso wie die bereits erwähnte Orientierungshilfe von 1978 und andere Texte in das Rahmenkonzept Erziehung zum Frieden eingegangen.

Friedenserziehung ist gewiß kein christliches Sondergut. Gerade der Sozialismus will ausdrücklich zum Frieden erziehen. Die Heranbildung sozialistischer bzw. neuerdings kommunistischer Persönlichkeiten bedingt schon dem ideologischen Selbstverständnis nach notwendig die Friedenserziehung, da ja Sozialismus und Frieden als wesensgleich gelten. Das bedeutet freilich, daß sozialistische Friedenserziehung nicht anders kann und will, als System und Staaten des real existierenden Sozialismus zu stärken. Sie schärft den Blick für den Internationalen Klassenkampf, will überzeugte Parteinahme auf der Seite des Fortschritts erreichen und ortet friedensgefährdende Faktoren ausschließlich jenseits der Grenzen des eigenen Lagers (es sei denn, daß konterrevolutionäre Kräfte im Innern identifiziert werden). Sozialistische Friedenserziehung bewirkt damit, bei aller emanzipatorischen Zielstellung im Weltmaßstab, im Innern Anpassung, unkritische Aneignung des herrschenden Wertsystems.

Vor diesem Hintergrund tritt der kritisch-emanzipatorische Charakter des vom DDR-Kirchenbund 1978 beschlossenen Studien- und Aktionsprogramms Erziehung zum Frieden besonders hervor. Ausgelöst wurde das Programm durch die Einführung des Pflichtfachs sozialistische Wehrerziehung für die 9. und 10. Klassen aller Schulen und die Tatsache, daß der Widerspruch des Kirchenbundes dagegen von der Regierung zwar angehört und argumentativ beantwortet wurde, aber eben ergebnislos blieb.

Die kirchliche Kritik an dem neuen Pflichtfach für 15- und 16jährige hatte sich zwar nicht ausschließlich, aber doch betont auch am Fehlen jedes komplementären Ansatzes in diesem Wehrkundeunterricht entzündet: Ein von Angst und Bedrohung bestimmtes Sicherheitsdenken wurde erzeugt, die Gefahr der Gewöhnung an militärische Mittel der Konfliktlösung werde sich langfristig als Hindernis für wirkliches Abrüstungsbewußtsein erweisen, die Möglichkeit einer bewaffneten Auseinandersetzung zwischen Ost und West werde als selbstverständlich vorausgesetzt, die Einübung militärischer Denkweise mindere die Chancen friedlicher Konfliktbewältigung. Im übrigen leide die Glaubwürdigkeit der Friedenspolitik der DDR Schaden, wenn im Innern die Erziehung betont auf militärische Sicherheit ausgerichtet wird.

Der letztere Hinweis zeigt besonders, daß die kirchlichen Gegenvorstellungen aus der Position einer Mitverantwortung für das Ganze der Gesellschaft erhoben worden sind. Und so will das kircheneigene Programm der Erziehung zum Frieden ebenfalls verstanden werden. Es ist im Sinne des musikalischen Kontrapunkts angelegt, wie der stellvertretende Kirchenbundesvorsitzende Kurt Domsch einmal meinte, oder eben komplementär im Sinne der Heidelberger Thesen. Einzelheiten können hier nicht geschildert werden. Kennzeichen ist, daß die Friedensfähigkeit des einzelnen als Beitrag für mehr Frieden auf der Ebene der gesellschaftlichen und politischen Strukturen gestärkt, die Fähigkeit zu veränderndem Handeln aufgrund veränderter Einstellungen eingeübt und als Übungsfeld der eigene Lebensbereich in Familie, Kirche und Gesellschaft benannt wird.

Damit wird die eigene individuelle und gesellschaftliche Friedensfähigkeit zum Erziehungsziel. Praktisch führt das dazu, daß friedensgefährdende Faktoren außerhalb in die zweite Linie oder gar an den Rand des Interesses rücken. Der westliche Beobachter sollte sich allerdings hüten, darin verdeckte Parteinahme für die von ihm vertretenen Auffassungen zu erblicken. Man wird davon ausgehen können, daß in den Kirchen der DDR etwa die Rüstungspolitik der Nato mit gleicher Kritik und Besorgnis gesehen wird, wie sie die offizielle DDR äußert. Nur sieht die Kirche es nicht als erforderlich an, hier als Lautverstärker der landeseigenen Propaganda zu wirken. Und sie blendet eben nicht die Rüstungsanstrengungen der eigenen Seite aus. Wichtiger allerdings ist ein anderes: Kirchliche Friedensarbeit in der DDR geschieht im ökumenischen Kontext. Sie lebt von dem Vertrauen, daß Christen und Kirchen in allen Teilen der Welt Friedensarbeit in vergleichbarem Sinne betreiben, also vornehmlich vor der Tür des eigenen Landes, des eigenen Systems kehren.

Dieser friedenspädagogische Ansatz bestimmt auch das Reden und Handeln offizieller Kirchenbundesgremien im Rahmen der Debatte um Rüstungseskalation und Abrüstung. Wer das im einzelnen beobachtet hat, registrierte: Bei der Mobilisierung des sozialistischen Volkszorns gegen Rüstungsbeschlüsse der USA oder der Nato fehlte regelmäßig die akklamierende Stimme der Kirche (während einzelne Sprecher, vor allem wenn sie der CFK und/oder der DDR-CDU verbunden sind, in Presse und Funk stark herausgestellt wurden). Kennzeichnend war, daß die erste Großaktion gegen die Neutronenwaffe unter Präsident Carter den Kirchenbund dazu führte, rüstungspolitische Konsultationen mit dem Nationalrat der Kirchen in den USA zu führen und auf diese Weise den Gesamtzusammenhang der atomaren Rüstungsproblematik zu thematisieren.

Auf der anderen Seite haben Verhandlungsangebote der Sowjetunion und Ankündigungen von Schritten zur Rüstungsminderung stets auch artikulierte Zustimmung gefunden, mit dem deutlichen kritischen Hinweis an den Westen, derlei erst zu prüfen und auszuloten, anstatt bereits wenige Stunden nach einer entsprechenden Breschnew-Rede sie als bloße Propaganda zu „entlarven". Wiederum aber hat sich die Kirche versagt

oder erkennbar kritische Distanz gezeigt, wenn eine solche östliche Initiative in dem Sinne propagandistisch genutzt wurde, daß damit eine emotionale Verstärkung des propagandistischen Feindbildes einherging. Die
Kanzelabkündigung zur Unterschriftensammlung der Nationalen Front
der DDR zur Breschnew-Initiative vom Herbst 1979 zeigte das.

Der Blick auf die eigene Gesellschaft als Aktionsfeld für Friedenshandeln hat den Kirchenbund mehrfach dazu geführt, beispielhaft Tenden-
zen zur Vorherrschaft militärischen Denkens in der DDR-Gesellschaft anzusprechen, auch in heiklen Situationen. Der auf der Kirchenbundessyno-
de im Herbst 1980 sehr zurückhaltend artikulierte Hinweis auf das Klima
der Manöverberichterstattung in den DDR-Medien, das nicht dazu ange-
tan war, Angst der Nachbarn abzubauen, führte im Zusammenhang mit
der Erwähnung der Afghanistan-Intervention unter den weltpolitischen
Destabilisierungsfaktoren zu massiven Eingriffen in die DDR-
Kirchenpresse und zu einem einjährigen Ausschluß westlicher Korrespon-
denten von der Synodenberichterstattung aus der DDR. Aber der DDR-
Kirchenbund sieht, entsprechend der sehr breit angelegten Erziehung zum
Frieden, auch das engere kirchliche Handeln nicht nur dann als Friedensdienst an, wenn es sich unmittelbar mit Weltpolitik, Rüstungsproblematik, Wehrkunde und Militarisierungstendenzen befaßt. So gehören die
hier nicht abzuhandelnden Studien und Handlungsbemühungen zur Men-
schenrechtsfrage ebenso zur Friedensverantwortung wie etwa die Befürwortung des Programms zur Bekämpfung des Rassismus oder auch die
Großaktion zur Unterstützung des Kinderkrankenhauses in Warschau.
Vor der Dessauer Bundessynode 1979 formulierte die Konferenz der
Kirchenleitungen:

„Der Friede ist unteilbar, zumal in einer Welt, in der alles von allem abhängig ist. Darum muß auch der Zusammenhang zwischen Frieden und
Gerechtigkeit innerhalb der Staaten und Gesellschaften und zwischen den
Staaten beachtet werden. Sicherheit erfordert mehr als die machtvolle Ab-
schirmung gegen reale oder vermeintliche Bedrohung. Sie muß gerade
auch innerhalb der Staaten die Lösung von Spannungen und Konflikten
ohne Bedrohung und Gewalt ermöglichen. Diesem Zusammenhang hat
die Schlußakte von Helsinki in ihren Prinzipien Rechnung getragen. Der
Beitrag der Kirchen und Gemeinden zur Gestaltung des Miteinanders in
der sozialistischen Gesellschaft will als eine Form der Friedensverantwortung verstanden werden. So haben die Kirchen ihre Erkenntnisse — wenn
es nötig ist, auch öffentlich — auszusprechen, auch dann, wenn sie sich
von der Meinung der Regierung unterscheiden."[13]

4. Vertrauensbildung

Die starke Betonung der eigenen Gesellschaft als Aktionsfeld der Friedensverantwortung gibt dem Friedenshandeln der DDR-Kirchen ein im Vergleich mit den übrigen osteuropäischen Kirchen unverwechselbares Profil. Der Verdacht provinzieller Verengung, Fixierung auf die Problematik der eigenen Situation könnte aufkommen. Er ist unbegründet. Es wurde schon auf die ökumenische Einbettung des Gesamtprogramms hingewiesen. Das gilt sowohl für die sehr intensive Beteiligung des Kirchenbundes an Gremien und Programmen des Ökumenischen Rates, der Konferenz Europäischer Kirchen und — über das DDR-Nationalkomitee — des Lutherischen Weltbundes. Das gilt aber auch für die mit Sorgfalt gepflegten bilateralen ökumenischen Beziehungen: zu den übrigen Kirchen Osteuropas, zu Kirchen Westeuropas, Nordamerikas und der Dritten Welt und — in Wahrnehmung der besonderen Gemeinschaft — zur EKD in der Bundesrepublik.

Auf eine genauere Darlegung muß hier aus Raumgründen verzichtet werden. Aber zumindest erinnert sei an das gemeinsame Wort von Kirchenbund und EKD zum 40. Jahrestag des Beginns des 2. Weltkrieges, das Anfang September 1979 von den meisten evangelischen Kanzeln in beiden Staaten verlesen wurde, und an den 9. November 1980, der von den Gemeinden beider Kirchenbünde nach einer gemeinsamen Liturgie gottesdienstlich als Friedenssonntag begangen wurde. Seit Anfang 1980 besteht im übrigen eine ständige gemeinsame Konsultationsgruppe zu Fragen der Friedensverantwortung.

Besondere Aufmerksamkeit hat im Januar 1980 eine Erklärung des Kirchenbundes zur gegenwärtigen weltpolitischen Situation gefunden (also nach Brüsseler Nato-Beschluß und sowjetischem Einmarsch in Afghanistan), die für eine Budapester Konsultation der osteuropäischen Mitgliedskirchen des Ökumenischen Rates bestimmt war und dort weitgehend rezipiert wurde[14]. Sie legt, wie viele andere kirchliche Äußerungen aus der DDR, den Akzent bei internationalen wie nationalen kirchlichen Bemühungen auf die Vertrauensbildung. Dazu sei abschließend aus dem Bericht zitiert, den die Konferenz der Kirchenleitungen der Bundessynode im Herbst 1980 in Leipzig erstattete: „Förderung von Vertrauen in einer von Angst und Mißtrauen erfüllten Welt — erstmals Bestandteil einer gemeinsamen politischen Absichtserklärung in der Helsinki-Schlußakte — wird in den Kirchen Europas und Nordamerikas immer mehr als die spezifische Aufgabe von Kirchen und Christen erkannt."[15] Und erläuternd hieß es vorher dazu:

„Im Berichtszeitraum haben Krisen das Vertrauen erschüttert und immer neue Ängste hervorgerufen. Der Nato-Beschluß zur Stationierung von Mittelstreckenraketen in Westeuropa, das militärische Eingreifen der Sowjetunion in Afghanistan, das Aussetzen der Salt-II-Ratifizierung durch den Präsidenten der USA, die erneute Zuspitzung der Situation im Nahen Osten und eine Reihe weiterer Ereignisse an Brennpunkten der Welt offenbaren eine zunehmende Destabilisierung von globalem Ausmaß.

,Wie können wir der Friedensaufgabe in der Treue zum Evangelium, als Partner der ökumenischen Gemeinschaft der Kirchen und als Diener der Menschen jetzt verantwortlich nachkommen?' Diese Frage hat die Erklärung zur weltpolitischen Situation gestellt, die der Bund am Beginn dieses Jahres abgab. Sie hält fest, ,daß die Arbeit für den Frieden von den Kirchen nicht mehr als eine gelegentliche Aufgabe, sondern als eine der wichtigsten Herausforderungen an ihr Zeugnis und ihren Dienst verstanden und praktiziert werden muß.' Die Konsultation des Ökumenischen Rates der Kirchen in Budapest mit Vertretern von Kirchen aus sozialistischen Ländern Europas . . . hat dringlich bekräftigt, daß es gerade jetzt darauf ankomme, als Kirchen und Christen in gegenseitigem Vertrauen beieinander zu bleiben und sich nicht in neu aufbrechenden Fronten des Kalten Krieges auseinander treiben zu lassen. Vom Leitgedanken der Vertrauensförderung waren die Gespräche dieser Konsultationen bestimmt, in deren einstimmig verabschiedetem Aide-mémoire es heißt:

,In einer Situation, in der die Beziehungen zwischen den Nationen angespannt sind oder gar blockiert oder unterbrochen werden, glauben wir, daß es die Aufgabe der Kirchen ist, als Instrument der Kommunikation zu dienen. Sie können sich nicht an der Eskalation der Polemik beteiligen, sondern sind dazu aufgerufen, Vertrauen und gegenseitiges Verstehen wiederherzustellen, auch dann, wenn solche Aktionen mißverstanden werden. Sie sollten mit Einfallskraft neue Wege der Erziehung zum Frieden erkunden, die zu einer tieferen Wahrnehmung und zur Wiederherstellung des Vertrauens im Blick auf die Instrumente und Methoden einer friedlichen politischen Lösung von Konflikten führen. Darüber hinaus sollten sie jedoch durch ihr Leben und Zeugnis, ihr Gebet und ihre gegenseitige Fürbitte Furcht vertreiben und gegen Hilflosigkeit und Resignation arbeiten.' "

Anmerkungen

1 Neues Deutschland 23. 7. 1958, abgedruckt u. a. bei Henkys, Bund der Ev. Kirchen in der DDR, Witten/Berlin 1970, 50 f.
2 Henkys a.a.O., 113.
3 Kirche als Lerngemeinschaft, Berlin/DDR 1981, 214 f.
4 Vgl. im einzelnen B. Eisenfeld, Kriegsdienstverweigerung in der DDR — ein Friedensdienst?, Frankfurt/Main 1978. Diese bisher einzigartige Arbeit informiert in Darstellung und zahlreichen Dokumenten nicht nur über den Gesamtkomplex Bausoldaten in der DDR, sondern vermittelt Einblick in Bewußtseinslage und Diskussion der Beteiligten, vor allem auch in ihre kritische Reflexion und Aktion gegenüber der oft als zu unentschlossen und retardierend empfundenen evangelischen Kirche.
5 Wortlaut Kirchliches Jahrbuch 1966, neuerdings wieder bei Heidingsfeld/Röder, Kirche in der DDR, Heft II: Friedensdienst und Diakonie, Erlangen 1980.
6 epd Dokumentation 52/80.
7 epd Dokumentation 35/81.
8 epd Dokumentation 30a/78.
9 epd Dokumentation 35/81. In Kirche als Lerngemeinschaft ist zwar das Rahmenkonzept gedruckt, aber ohne diese Anlage. Vgl. zur Sache auch: Erziehung zum Frieden, Anregungen und Vorschläge für die Durchführung von Gemeindeveranstaltungen, epd Dokumentation 41/79, und: Gemeindetag Frieden — Was macht uns sicher? epd Dokumentation 2/80.
10 epd Dokumentation 30/80.
11 epd Dokumentation 35/81.
12 Kirchliches Jahrbuch 1976/77, 462 ff.
13 epd Dokumentation 44-45/79.
14 epd Dokumentation 10a/80.
15 epd Dokumentation 46-47/80.

ERNST J. NAGEL

Katholische Friedensethik nach dem 2. Weltkrieg Konzeptionen und Entwicklungen

Die katholische Friedensethik ist vor und nach dem 2. Weltkrieg weithin durch die Lehre vom gerechten Krieg oder eine ihr ähnliche Logik geprägt. Darum scheint zunächst ein Rückblick auf diese Lehre angeraten.

1. Der Ansatzpunkt für Pius XII. und die katholische Friedensethik nach dem 2. Weltkrieg

1.1 Der *hl. Augustinus* hatte das Grundargument der Lehre vom gerechten Krieg entwickelt: Zur Erhaltung des Friedens, wie er in der gegenwärtigen Weltordnung möglich ist, kann es auch dem christlichen Kaiser nicht schlechthin verboten sein, im konkreten Fall kriegerische Gewalt anzuwenden. Darin werden bereits zwei traditionsbestimmende Überlegungen deutlich:

— Erstens zeigen sich sowohl die sachliche Begründung wie aber auch die sittliche Begrenzung der Lehre: Nur um des Friedens willen kann militärische Gewalt sittlich erlaubt sein. So kann Augustinus Staat und Militärpolitik kritisieren, wenn sie sich streitsüchtig und imperialistisch zum Krieg entscheiden. Nicht jeder Krieg ist erlaubt, sondern er unterliegt einem fundamentalen sittlichen Begründungsbedürfnis. Die Politik ist auch im Falle des Krieges nicht moralfrei.

— Zweitens wird so verdeutlicht, daß wer immer für sich in Anspruch nimmt, einen gerechten Krieg zu führen, in der Beweispflicht ist; die Rechtsvermutung steht gegen ihn. Die Gewaltlosigkeit ist in possessione.

In der Folgezeit wurden dann die Bedingungen, die ein gerechter Krieg erfüllen müßte, immer genauer herausgearbeitet. Bei Thomas war ein Krieg nur erlaubt, wenn er von der zuständigen Autorität aus einem gerechten Grund und in rechter Absicht geführt wurde.

1.2 In der *spanischen Spätscholastik* des 16. und 17. Jahrhunderts stellt sich die Frage nach der sittlichen Erlaubtheit eines Krieges radikal anders als bei Augustin oder im Mittelalter. Die Einheit der mittelalterlichen Ordnung ist politisch wie kirchlich zerbrochen. Die Kirche ist nun durch die Reformation gespalten, das Reich in Nationalstaaten zerfallen. Ob ein Kriegsgrund „gerecht" ist oder nicht, muß nun offenbleiben. Nicht einmal mehr die Fiktion bleibt, eine oberste sittliche Autorität könne verbindlich entscheiden. Der Krieg kann von beiden Seiten in der

Überzeugung geführt werden, er sei gerecht. Ebenso kann nicht einmal mehr die Fiktion eines christlichen Kaisers, der über den Nationalstaaten steht, aufrechterhalten und systematisch verwendet werden.

So wundert es nicht, daß die spanischen Spätscholastiker den Schwerpunkt ihrer Arbeit vornehmlich auf das Recht im Krieg verlagern. Eine Kriegsverhinderung ist angesichts der neuzeitlichen Staatenvielfalt kaum zu erreichen; die sittliche Anstrengung widmet sich dem Möglichen. So sollte wenigstens die Unmenschlichkeit im Kriegsverlauf so gering wie möglich gehalten werden.

1.3 Im *17. und 18. Jahrhundert* bleibt die Lehre vom gerechten Krieg nach Art der Grundüberlegung von Augustin präsent. Die moderne Form des Krieges mit neuen Waffen und Strategien, mit allgemeiner Wehrpflicht und modernen Massenheeren wird kaum reflektiert. Allenfalls die sittliche Gefährdung der Jugend, die nun wehrpflichtig ist, wird der Schulbuchtheologie zum Problem. Ansonsten wiederholt sie das Ergebnis der Tradition: Ein Krieg ist nicht per se unerlaubt, unterliegt aber einer Anzahl von Bedingungen, sowohl was das Recht zum Krieg wie was das Recht im Krieg betrifft.

So kann man mit Recht sagen, daß die Lehre vom gerechten Krieg auf das 20. Jahrhundert nicht in der Form einer ausgearbeiteten ethischen Theorie überkommt, sondern eher in der Form eines „Rahmens" (Oberhem); es sind grundsätzliche, abstrakte Überlegungen, die auf eine konkrete politische Situation hin erst noch inhaltlich zu füllen wären. Eine solche Füllung nun erfährt die Lehre vom gerechten Krieg bei Pius XII.

1.4 Warum kann gerade *Pius XII.* die Lehre vom gerechten Krieg, deren systematische Krise wir bereits zu Beginn der Neuzeit gestreift haben, zu einer ethischen Friedenstheorie aufarbeiten? Die Antwort scheint eindeutig, wenn auch selten bedacht: durch die modernen Ideologien des Nationalsozialismus und des Kommunismus. Diesen Ideologien gegenüber können die humanistische, die reformatorische wie die katholische Tradition nur abweisend Stellung beziehen. So lädt die Moderne zu einer realen Erfüllung der fiktiven mittelalterlichen Einheit ein. Nun ist es eindeutig, wer den Frieden bedroht, wer ihn verteidigt, wer einen legitimen Verteidigungstitel besitzt, wer sich nur propagandistisch auf einen gerechten Grund beruft. Die Sowjetunion hatte 1939 Finnland überfallen, Hitler-Deutschland Polen. Dies kritisiert Pius in aller Schärfe. Es war sozusagen der empirische Beweis dafür, daß es nun wieder möglich ist, den Friedlichen vom Unfriedlichen zu scheiden — eine wesentliche Bedingung für die Anwendung der Lehre vom gerechten Krieg.

2. Die Entwicklung der Friedenslehre bei Pius XII.

2.1 Die *Grundkonzeption* der Friedenslehre Pius XII. hält sich von 1939 bis 1958 durch. Sie ist durchgehend am Ziel „christliches Europa" ausgerichtet. Hier nennt Pius Unterziele in der Form von Prinzipien einer christlichen Friedensordnung. Was die Mittel zur Verwirklichung dieses Zieles angeht, können wir zwei Ebenen unterscheiden. Zunächst und vor allem ist es die Bekämpfung der Kriegsursachen im Sinne einer Kriegsverhinderung; als ultima ratio aber werden auch Recht auf und Pflicht zur Verteidigung mitbedacht.

2.1.1 Im *„christlichen Europa"* sieht Pius den Kern einer neuen Weltfriedensordnung, einer Ordnung kollektiver Sicherheit. Bereits 1939/40 nennt er deren Prinzipien: In dieser Ordnung muß das Recht auf Leben und Unabhängigkeit für alle Nationen, auch für die kleinen, gesichert sein. Ein solches Recht ist unverzichtbar. Es besteht die Pflicht zur Abrüstung: Es „müssen die Nationen von der drückenden Sklaverei des Wettrüstens befreit werden" (UG 3658). Erforderlich ist der Sieg über Haß und Mißtrauen, die Abkehr von reinem Nützlichkeitsdenken, die Absage an „frostigen Eigennutz" (UG 3591) wie an ein staatliches Machtbewußtsein, das sich erhaben über die Rechte anderer Staaten wie der eigenen Bürger dünkt. Letztlich bedarf es der Rückkehr Europas zu seinen geistigen Quellen. Das gesamte Lehrwerk Pius XII. ist von der Überzeugung durchdrungen, daß ohne den Glauben an Gott der Friede unmöglich bleibt; allenfalls kann an seine Stelle die Unterwerfung unter die Prinzipien des Naturrechts treten.

2.1.2 Auf der Ebene der *Mittel* oder der konkret erforderlichen Handlungen steht die Bekämpfung der Kriegsursachen an erster und dringlichster Stelle. Die breite Palette reicht vom Kampf gegen internationale Ungerechtigkeiten, in denen Pius die wichtigste Kriegsursache sieht, bis zur individualethischen Abkehr von unfriedlichen Einstellungen. Doch bereits kurz nach Ausbruch des Krieges spricht Pius gegenüber dem litauischen Botschafter von der Verteidigungspflicht. Er sieht das christliche Europa durch die „Gottlosigkeit in Lehre und Tat" (UG 4175) bis in die Fundamente bedroht. Angesichts dieser Bedrohung erhält „der Schutz, die Pflege und nötigenfalls die Verteidigung des christlichen Erbes . . . eine entscheidende Bedeutung" (UG 4175).

2.2 M. E. muß man *fünf Etappen* in der Lehrentwicklung bei Pius XII. unterscheiden. Sie bilden sich aus der Anwendung der Prinzipien auf die je neue politische Lage. Die Situation ist 1939/40 geprägt durch die Hoffnung auf baldige Kriegsbeendigung; 1944/45 ist es die Aufgabe eines Neubeginns nach den Zerstörungen des Krieges; 1948 prägt der Kalte Krieg die Weltlage wie in den 50er Jahren die Entwicklung wissenschaftlicher, allzerstörender Waffen.

2.2.1 Die *erste Etappe* ist der Versuch, den Weltkrieg zu beenden. In einer Friedensordnung muß folglich Platz sein für das militärisch erfolgreiche Hitler-Deutschland wie für die Sowjetunion unter Stalin. Pius ist darum bereit, lediglich die Prinzipien einer solchen Friedensordnung für unverzichtbar zu halten. Ob Demokratie, Führerstaat oder Einparteienherrschaft — für all das würde ein friedliches Europa Platz bieten, wenn nur die elementarsten sittlichen Grundsätze befolgt werden. Das ist es, was die Lage hergibt. Zugleich aber ist Pius Realist: Das christliche Erbe ist von militantem Atheismus bedroht; es darf nicht zugunsten des reinen Nicht-Kriegs preisgegeben werden, sondern muß nötigenfalls verteidigt werden.

2.2.2 Die zweite Etappe ist das Kriegsende und die Planung für die Nachkriegszeit; vor allem die Weihnachtsbotschaft 1944 spricht in diese Situation. Die Idee eines christlichen Europas spielt wieder die fundierende Rolle; organisatorisch propagiert Pius die Abkehr von der Gleichgewichtspolitik und die Hinwendung zu einem System kollektiver Sicherheit. Der Angriffskrieg ist schlechthin verboten und im Sinne des Systems kollektiver Sicherheit nicht mehr erforderlich. Das Problem der Verteidigung stellt sich damals kaum.

Die Sowjetunion ist zwar wirtschaftlich ausgeblutet, Stalin aber innenpolitisch gestärkt und außenpolitisch hoffähig aus dem Krieg herausgekommen. Eine neue Friedensordnung der kollektiven Sicherheit kann folglich nicht ohne die Sowjetunion unter Stalin gelingen.

Nun rückt Pius von seiner Lehre, daß die Regierungsformen friedensneutral sind, ab. Die Völker werden zu Kontrolleuren der Staatsführer und dadurch zu Garanten des Friedens. Darum ist Demokratie für den Frieden unverzichtbar. Das demokratische Ideal schließt aber jeden „Staatsabsolutismus" (UG 3488) aus. So entsteht das Bild einer neuen Völkergemeinschaft, in der die neue Parole lautet: „Krieg dem Kriege!" (UG 3494).

Aus diesem Konzept ergibt sich für jeden Staat die Verpflichtung, das christliche Erbe zu pflegen und zu entwickeln. Dies galt für Ost wie für West. Der praktische Materialismus des Westens ist ebenso zu überwinden wie der thematisierte des Ostens. Dabei schlägt Pius gerade dem Osten eine Brücke: Es geht um die Rückkehr „zur ausdrücklichen Anerkennung der Rechte Gottes und seines Gesetzes..., mindestens aber des Naturrechts als des festen Grundes, in dem die Menschenrechte verankert sind" (UG 3868). Die Brücke ist deutlich: Dem Westen gegenüber kann explizit die Rückkehr zu Gott eingeklagt werden, dem Osten gegenüber genügt immer noch die Mindestforderung, das Naturrecht zu respektieren. Nur bleibt es 1944 gleich fraglich, ob der Westen die Kraft zum Glauben findet, wie ob der Osten wenigstens die Inhalte als naturrechtlich gesichert akzeptiert, hinter die Pius nicht zurückkann. Dieses Dilemma wird aber schnell durch die Entwicklung des Kalten Krieges überrollt.

2.2.3 Eine *dritte Etappe* bildet die Weihnachtsbotschaft 1948. Entscheidend ist die Veränderung der politischen Situation. Am 12. 3. 1947 erklärt Truman es als Pflicht der Vereinigten Staaten, gegen Stalins Expansions- und Unterjochungspolitik die Freiheit der freien Staaten zu schützen. George F. Kennan entwickelt das Konzept der Eindämmung (containment); die Marshallplanhilfe tritt hinzu. Stalin antwortet mit der Gründung des „Kommunistischen Informationsbüros" (Kominform, September 1947) zur Verteidigung der Demokratie gegen den amerikanischen Imperialismus. Die kommunistischen Parteien in Osteuropa übernehmen nun offen die Macht und werden bolschewisiert, was sich mit einem erbitterten Kirchenkampf verbindet. Er hat zum Ziel, den Einfluß der Kirche auf die Bevölkerung auszuschalten und die Kirchen von Rom zu trennen. Der Kontakt der Bischöfe mit Rom wird überwacht oder ganz unterbunden, wenn sie nicht in die Gefängnisse wandern.

In der Weihnachtsbotschaft 1948 nimmt Pius recht offen Partei für den Westen. Dies bewirkt, daß der ungarische Primas Mindszenty am 2. Weihnachtstag verhaftet wird. Die Tragödie seiner Haft und seines Prozesses wiederum bestätigen sozusagen empirisch die Richtigkeit der Weihnachtsbotschaft: Am Schicksal Mindszentys würde der wahre Hintergrund des Ost-West-Konflikts deutlich: Es ginge um die Humanität schlechthin und um die Werte der christlichen Kultur. Hier dürfe die Kirche nicht neutral verbleiben. Die Weihnachtsbotschaft beschreibt den „wahren christlichen Friedenswillen" in vier Punkten: Er kommt *erstens* von Gott (vgl. UG 4149). Wo die Anerkennung Gottes fehlt, fehlt auch „wahrer Friedenswille", nicht nur wahrer *christlicher* Friedenswille. Die Forderung nach Anerkennung Gottes ist apodiktisch und alternativlos: Kein Naturrecht bleibt Brücke zu deklariert atheistischen Systemen. *Zweitens* ist der Friedenswille „leicht erkennbar" (UG 4149). Leicht erkennbar ist, wer einen Angriffskrieg führt, daß man sich gegen ihn verteidigen darf, wie auch daß „jeder Rechtsbrecher als Friedensstörer in eine diffamierende Isolierung außerhalb der gesitteten Welt verwiesen werden (muß)" (UG 4150). Der Friedenswille ist *drittens* praktisch und realistisch, er geht den Kriegsursachen, den seelischen wie den materiellen an die Wurzel. *Viertens* aber bedeutet der christliche Friedenswille „Kraft" (UG 4152). Hier kommt die Weihnachtsbotschaft zu ihrer zentralen Aussage. Systematisch zusammengefaßt lautet sie: Es gibt „Güter, welche die göttliche Friedensordnung unbedingt zu achten und zu gewährleisten, deshalb auch zu schützen und zu verteidigen verpflichtet" (UG 4152). Der Angriffskrieg ist die Verletzung eines solchen Gutes, bedroht zugleich andere unverzichtbare „Menschheitsgüter". Gegen ihn ist militärische Verteidigung nicht nur erlaubt, sondern Pflicht. Zur Verteidigung verpflichtet ist sowohl der angegriffene Staat wie auch die „Solidarität der Völkerfamilie". Diese Solidarität führt dazu, „den Angreifer zu entmutigen und so den Krieg zu vermeiden oder wenigstens, im schlimmsten Fall, seine Leiden zu verkürzen" (UG 4154). Der christliche Friedenswille ist nicht zu verwechseln mit jener Mitleidsethik, die den Krieg nur sentimental wegen seiner Zerstörungen verabscheut. Er orientiert sich an der inneren Ungerechtigkeit des Angriffskrieges, am Schutz jener „Güter, welche die göttliche Friedensordnung unbedingt zu achten verpflichtet" (UG 4152). Schließlich aber macht Pius bezüglich der Verteidigungspflicht eine wichtige Einschränkung aus der Tradition der Lehre vom gerechten Krieg: Die Verteidigung ist erlaubt bzw. Pflicht „. . . immer eine begründete Wahrscheinlichkeit des Erfolges vorausgesetzt" (UG 4153). Die Erfolgsaussicht militärischer Verteidigung wird bereits bald zum Problem. 1948 besitzen nur die Vereinigten Staaten Atombomben. Erst am 23. 9. 1949 wird die erste sowjetische Atombombe gezündet. Ab 1954-1960 erwirbt die UdSSR die Fähigkeit, in einem Erstschlag die USA zu vernichten.

2.2.4 Dies genau bildet die *vierte Etappe*. Welche Erfolgsaussicht besteht noch, wenn beide Seiten einen Atomkrieg führen können? Pius antwortet auf diese Herausforderung wie folgt: Eine ABC-Verteidigung ist nach denselben Prinzipien zu beurteilen wie sie für eine traditionale Verteidigung gelten. Wie stets gilt auch: „Wenn die Schäden, die (ein Krieg) nach sich zieht, unvergleichbar größer sind als die der ‚geduldeten Ungerechtigkeit', kann man verpflichtet sein, die ‚Ungerechtigkeit auf sich zu nehmen'" (UG 2366). Entscheidend ist, ob die Wirkungen des Atomwaffeneinsatzes kontrollierbar sind. Die „Kontrollierbarkeit" wird zum Kriterium. Unsittlich ist der Gebrauch dieser Waffen, wenn Kombattanten von Nichtkombattanten nicht mehr unterschieden und ganze Gebiete total zerstört werden. Das Szenario des Grauens und der Zerstörung, das Pius in diesen Jahren mehrfach über die möglichen Wirkungen eines Atomkrieges entwirft, läßt eigentlich keinen Zweifel daran, daß in einem solchen Krieg dem Kontrollierbarkeitskriterium nicht mehr entsprochen werden kann, mit Sicherheit nicht, wenn alle verfügbaren Waffen eingesetzt werden: „Es wird kein Siegesgeschrei geben, sondern nur die untröstliche Klage der Menschheit, die traurig die durch den eigenen Wahnsinn erzeugte Katastrophe betrachtet" (UG 6367, WB 1955). Die Lehre vom gerechten Krieg scheint in der Krise zu stecken.

2.2.5 Eine *fünfte Etappe* nun beginnt mit der Weihnachtsbotschaft 1956. Diese Weihnachtsbotschaft steht vernehmlich unter dem Einfluß der russischen Invasion in Ungarn. Der ungeheure Rechtsbruch wird ergreifend beschrieben, das sittliche Recht auf Verteidigung wiederholt, jedes Recht auf Kriegsdienstverweigerung in demokratischen Staaten als Spruch eines irrigen Gewissens verneint (vgl. UG 4413). Neu ist, daß Pius vom denkbaren Fall des Atomkrieges zum realen Fall des politischen Einsatzes dieser Waffen übergeht, in dem „mit der Verwendung von Atomwaffen gedroht wird, um konkrete Forderungen durchzusetzen" (UG 4412). Bei diesem eigentlich politischen Szenario, in dem auch unsere aktuellen sittlichen Entscheidungen erst weltgestaltend wirken, bleibt Pius dann. In der Weihnachtsbotschaft 1957 beschreibt er die Vielschichtigkeit gegenwärtiger Friedenspolitik. Das göttliche Gesetz verpflichtet in aller Strenge: *Erstens* internationale Institutionen der Kriegsverhinderung aufzubauen, *zweitens* kontrolliert abzurüsten und *drittens* durch die Solidarität der friedliebenden Nationen jeden potentiellen Friedensstörer abzuschrecken. Zugleich relativiert Pius aber diese Forderungen: „Jetzt geht es nicht so sehr darum, sich in Sicherheit zu bringen, als vielmehr den Störungen der Ordnung vorzubeugen...". Die Kriegsursachenbekämpfung tritt ins Zentrum.

In dieser Weihnachtsbotschaft ist sozusagen ein jahrzehntelanges Ringen zur Synthese gekommen: Abschreckung und Kriegsursachenbekämpfung treten nicht in die Diastase, sondern bleiben gemeinsam Aufgabe und Pflicht. Dabei reduziert sich die Hoffnung des Papstes ab Anfang der 50er Jahre immer mehr auf die Christen in beiden Blöcken; die Hoffnung auf eine wesentliche Veränderung des Westens nimmt ab; die Kritik am Westen betrifft vor allem den Privat- und Gruppenegoismus, der sich über die Sorge um das Gemeinwohl stellt (vgl. UG 6337 f). Dieser Egoismus ist nicht in der Lage, die Ursachen der Kriege zu beheben. Pius kritisiert vor allem jene „Realisten", die in der Kriegsfrage die sittlichen Probleme ausklammern (vgl. WB 1956), die dem homo faber das Übergewicht über den homo sapiens geben (vgl. WB 1957). Die Hoffnung beruht auf dem „christlichen Menschen" (UG 4456).

3. Die Entwicklung der katholischen Friedenslehre in der Bundesrepublik nach 1945

Im Zusammenhang mit der Amtszeit Pius XII. kann man drei Abschnitte unterscheiden: Erstens einen spontanen Pazifismus bis Herbst 1950, zweitens die Auseinandersetzung um den Wehrbeitrag ab 1950 und drittens die Atomkriegsdebatte gegen Ende 1958, unmittelbar nach dem Tod Pius XII.

3.1 Der *spontane Pazifismus* hat vielfache Wurzeln. Generell spiegelt er die Enttäuschung der Deutschen über Krieg und Nachkriegszeit wieder. Der deutsche Katholizismus aber lehnt die Wiederbewaffnung vor allem aus Angst vor einem neuen Militarismus ab, der die junge Demokratie gefährden könne. Ganz in der Vorstellungswelt Pius XII. von einem ganz neuen christlichen Europa will man den neuen Staat gestalten. Ein solches politisches Programm läßt keinen Platz für Militär, zumal die militärische Tradition von den Katholiken kaum mitgeprägt und folglich auch nicht mitgetragen worden war.

Umfragen in den Zeitschriften katholischer Verbände spiegeln diesen Pazifismus wieder. Die bedeutendste Männerzeitschrift „Mann in der Zeit" (MiZ) stellt im November 1948 fest, daß 60 % ihrer Leser den Wehrdienst verweigern würden. Noch im Januar 1950 lehnen 90 % den Wehrdienst in jedweder Form ab. Die Redaktion kommentiert: „Daher entbehren alle Diskussionen über Remilitarisierung in Westdeutschland jeder realen Grundlage" (HK 1950/51, 154). 71 % Ablehnung ergibt noch im Oktober 1950 eine ähnliche Diskussion im CAJ-Organ „Befreiung". Dies teilt die Redaktion Adenauer in einem offenen Brief mit. Dabei ist sich der deutsche Katholizismus der Bedrohung durch den „gottlosen Kommunismus" bewußt. Das Mindszenty-Drama wird in der Kirchenpresse abundant dargestellt. So konvergiert die Einschätzung des Kommunismus mit der von Pius XII., ohne daß man in Deutschland daraus politische Konsequenzen gezogen hätte, wie Pius es 1948 getan hatte. Man glaubt, die Verteidigung getrost den Amerikanern überlassen zu können, zumal die Verteidigung wesentlich auf dem alleinigen Besitz der Atombombe durch die Amerikaner beruhte. Den Umschwung bringt der Koreakrieg (25. 6. 1950-27. 7. 1953). Die Forschungsstelle für Volkspsychologie in Wiesbaden fragt im Januar 1950 und im Januar 1951, d.h. vor und nach Ausbruch des Koreakrieges, nach der Stellung zur Einrichtung deutscher Divisionen. Die Zustimmung der Männer steigt von 28 auf 50 %. Befragte mit Volksschulabschluß bejahen den deutschen Wehrbeitrag mit 35 %, Hochschulabsolventen hingegen mit 54 %. Dabei ist die Angst vor einem

dritten Weltkrieg von April bis Juni 1950 von 26 auf 53 % gestiegen. Der
deutsche Wehrbeitrag wird gedanklich nicht mit einem geruhsamen Gar-
nisonsleben verbunden.

3.2 Die *Auseinandersetzung um den Wehrbeitrag* beginnt mit einer
Predigt von Kardinal Frings; der Papst hatte am 19. Juli 1950 auf die gefährliche Weltlage reagiert und Gebete für den Frieden vorgeschrieben.
So waren sich die Gottesdienstbesucher der politischen Gefahr bewußt.
Den Diözesantag der Erzdiözese Köln am 22.-23. 7. 1950 in Bonn nimmt
nun Kardinal Frings zum Anlaß, die Weihnachtsbotschaft 1948 in Erinnerung zu bringen. Er paraphrasiert die Papstbotschaft in aller Breite, auch
mit dem Verweis auf die Verteidigungspflicht.

Interessant ist die Reaktion der Verbände: Der MiZ schwenkt sofort
auf die Linie Pius — Frings ein. Seine Septembernummer enthält die Predigt von Kardinal Frings wie die Weihnachtsbotschaft 1948. Sie wird auf
dem Katholikentag in Passau breit gestreut. Doch die Begeisterung der
klassischen Verbände hält sich in Grenzen. Die Kolpingfamilie beschließt,
sich an einer „geistigen Friedensbemühung" (DM 147) zu beteiligen; die
Entscheidung über einen deutschen Wehrbeitrag sei Sache einer „verant-
wortungsbewußten Regierung". Im März 1952 sprechen Blank und Adenauer auf der Tagung der Katholischen Arbeiterbewegung KAB. Blank
wirbt um eine Unterstüzung des Wehrbeitrags und stößt auf wenig Reso-
nanz, sicherlich aber auf Duldung. Auch in der KAB stehen Sorgen um
die Auswirkungen der Wiederbewaffnung auf die politische Gestaltung
der Bundesrepublik im Vordergrund; man verlangt Sicherungen, damit
der deutsche Militarismus nicht wieder an Boden gewinne und so die junge Demokratie gefährde (vgl. DM 150). Die CAJ ist sich der Gefahr seitens des Kommunismus bewußt, bejaht auch die Verteidigung der Heimat, will jedoch nicht für die westliche Welt kämpfen, da diese „in ihren
Grundfesten morsch und faul ist" (11. 11. 1950, DM 101). Die „Wacht",
das Verbandsorgan des BDKJ, verspricht bereits im August 1950 die
„verantwortliche Mitarbeit der Teilverbände am Wehraufbau (DM 100).
Auf der 6. Vollversammlunmg des Bundesjugendrings in Elmstein (26.-
27. 4. 1952) äußert sich der Bundesvorsitzende J. Rommerskirchen explizit für eine deutsche Wiederaufrüstung; er verlangt auch das Recht auf
Kriegsdienstverweigerung sowie Sicherungen gegen einen neuen Militarismus. Das bisher in der Bundesrepublik Geleistete würdigt er als positiv
und als verteidigungswürdig.
Prinzipiell-theologischer Wiederspruch gegen eine militärische Verteidigung, d.h. gegen den Kerngehalt der Lehre vom gerechten Krieg ist während der gesamten Debatte so gut wie nicht vorhanden. Die große Aus-

nahme ist Reinhold Schneider. Wo eine ähnlich pazifistische Position vertreten worden war, wie im BDKJ-Organ „Fährmann", beugt man sich nun den Argumenten der Lehre vom gerechten Krieg. Die Debatte widmet sich den Modalitäten, dem wie der Wiederaufrüstung. Vor allem der BDKJ erarbeitet sich bezüglich der inneren Struktur der deutschen Streitkräfte in der Demokratie ein hohes Maß an Sachkenntnis, arbeitet eng mit dem Amt Blank zusammen und trägt wesentlich zur inneren Struktur der Bundeswehr bei. Die Lehre vom gerechten Krieg ist auch im deutschen Katholizismus in possessione. Das Recht auf Kriegsdienstverweigerung wird zwar vom BDKJ gefordert, doch sowohl Theologen (vgl. Egenter) als auch Pius XII. können es nur in Zusammenhang mit einem irrigen Gewissen bringen. Auch der BDKJ vermag dem dann nicht prinzipiell zu widersprechen. Mausbach-Ermecke wiederholt die Position Pius XII.: „Die absolute Kriegsdienstverweigerung, die jeden, auch den gerechten Verteidigungskrieg ablehnt, ist also sittlich unerlaubt" (3,312). Allenfalls könne man vor dem Staat dafür eintreten, daß „‚prophetische Vorkämpfer für Völkerversöhnung und Völkerfrieden' vom Kriegs- und Militärdienst ausgenommen werden, weil ihre Ausschaltung für das Staats- und Völkerleben heute und morgen ein großer Schaden wäre" (3,314). Auch M. Pribilla attestiert Kriegsdienstverweigerern, vor allem Sektenmitgliedern, „subjektiv ehrenwerte Gründe" (StdZ 151, 1952-53, 280). Doch „ein geeignetes und tatkräftiges Mittel, um in Zukunft die Geißel des Krieges fernzuhalten", vermag er in der Verweigerung nicht zu erkennen. Ebensowenig kann sich F. M. Stratmann, der Theologe von Pax Christi, der Argumentation der Weihnachtsbotschaft 1948 entziehen.

3.3 Die *Atomkriegsdebatte* beginnt nach dem Tode von Pius XII. Vorher haben sieben führende Lehrstuhlinhaber der Moraltheologie und der Sozialethik am 5. 5. 1958 ihr „Wort zur christlichen Friedenspolitik und zur atomaren Rüstung" (HK 13, 1958-1959, 395-398) angemeldet. Sie wenden das Kriterium der Kontrollierbarkeit auf die damalige Lage an und kommen zu dem Urteil, Atomwaffen wirkten nicht notwendigerweise unkontrolliert, ihre Verwendung sei darum nicht in jedem Fall unerlaubt. Weniger bedeutsam ist die Antwort als die Fragestellung: Es geht wieder um den realen Einsatz von Atomwaffen, nicht um deren politische Verwendung. Das war die vierte Etappe in der Lehre Pius XII.

Auf der Tagung der Katholischen Akademie Bayerns Anfang 1959 geht es wiederum nicht um die Frage des Besitzens, sondern des Einsatzes von Atomwaffen, um den Atomkrieg. G. Gundlach, ehemals einflußreicher Berater Pius XII., legt den Papst so aus, daß auch ein allzerstörender defensiver Atomkrieg nicht notwendigerweise sittlich verwerflich sei; selbst ein solcher Krieg könne als „Manifestation der Majestät Gottes und seiner Ordnung" erlaubt sein. An dieser unverständlichen These Gundlachs entzündet sich dann eine breite Debatte. Ihr Ergebnis lautet: Die Lehre vom gerechten Krieg ist in einem Dilemma geendet; die Atomwaffen stabilisieren einerseits den Frieden — dies ist eine Erfahrung; andererseits ist ein Atomkrieg unerlaubt, da seine Auswirkungen unkontrollierbar sind. So ist die Lehre vom gerechten Krieg absurd geworden. Die Differenz zwischen realem und politischem Einsatz der Atombombe, die Pius ab 1956 bedacht hatte, bleibt eher unberücksichtigt. Sie wird wenigstens nicht systematisch weiterverfolgt.

Der Ausgang der Debatte ist mehr als unbefriedigend: Man gibt vor, die Lehre vom gerechten Krieg ad absurdum geführt zu haben. Zugleich toleriert man pragmatisch die Existenz militärischer Verteidigungssysteme inklusive der Atomwaffen. Beispielsweise rät man von einseitiger Abrüstung ab. Zugleich bekennt man sich unfähig, dies alles in eine neue einheitliche Friedenstheorie zu integrieren. Der Verteidigungsapparat wird ethisch unbegründbar, wenngleich toleriert. So kommt es zur Diastase zwischen Kriegsursachenbekämpfung und Verteidigung; die Synthese bei Pius XII. ist zerbrochen. Diesem Urteil, das während der Atomkriegsdebatte nicht von Fachtheologen entwickelt wird, schließt sich dann die Fachtheologie an. Fortan soll man als Katholik Wehrdienst leisten, kann darüber aber nicht mehr argumentativ sprechen. So kann die Kirche zwei wichtige Funktionen der Friedensethik fortan nicht mehr erfüllen: Sie kann weder die (Verteidigungs)politiker beraten, noch die Gewissen der Christen als Staatsbürger, vor allem der Wehrpflichtigen, bilden. Die friedenssichernde Wirkung militärischer Vorsorge kann weiterhin bejaht werden, doch nur in der Form unbegründbarer Konzessionen, pragmatisch tolerierbarer Störfaktoren. Insofern ist die Friedensethik gegenüber Pius XII. entpolitisiert.

4. Die Entwicklung der Friedensethik seit Johannes XXIII.

Am 28. 10. 1958 wird Johannes XXIII. zum Papst gewählt. Die Weltlage hatte sich verändert. Chruschtschow hatte sowohl in der Berlin- wie in der Kubakrise Augenmaß bewiesen. Auf Bitten Kennedys hatte sich Johannes XXIII. in die Kubakrise eingeschaltet, war später dafür von Tass gelobt worden. Chruschtschow urteilte über die päpstliche Initiative: „Diese Botschaft war der einzige Hoffnungsschimmer" (Stehle 339). Im Oktober 1963 war es zum Abkommen über die Einstellung der oberirdischen Kernwaffenversuche gekommen, d. h. die Verhandlungspolitik

schien nicht aussichtslos zu sein. Auch die Kirchenverfolgung im Ostblock ebbte ab. Noch vor der Wahl des neuen Papstes hatte Gromyko
eine Zusammenarbeit mit dem Vatikan um des Friedens willen für möglich gehalten. 1961 sendet Chruschtschow Glückwünsche zum 80. Geburtstag des Papstes, 1962 gratuliert er gar zum vierten Jahrestag der
Papstkrönung. Als Geste des Entgegenkommens wird der ukrainisch-
unierte Metropolit von Lemberg, Erzbischof Slipyj aus der Haft entlas-
sen. Er kann am Konzil teilnehmen. Doch dafür hat Johannes verspro-
chen, alles zu tun, damit auf dem Konzil keine feindlichen Äußerungen
gegen die Sowjetunion gemacht würden. Als am Ende des Konzils einige
Bischöfe eine Verurteilung des Kommunismus beantragen, wird diese Initiative auf direkte Intervention Pauls VI. abgewiesen (vgl. Stehle 347) —
ein später Preis für die Freilassung Slipyjs, zugleich ein Zeichen vatikani-
scher Vertragstreue, was für die Vergangenheit nicht immer gegolten hat.
Auch die ,,Kirche des Schweigens" sieht neue Möglichkeiten. Nach dem
erheblichen Aderlaß während der Verfolgung — in der CSSR ist die
Hierarchie völlig lahmgelegt — ahnt sie die Chance eines neuen inneren
Aufbaus. Die kirchenpolitisch erfolgreiche Linie des polnischen Primas
Wyszynski setzt sich durch. Sie hat auch in Ungarn unter dem neuen Erzbischof Josef Grösz Erfolg gezeigt. So ist bewiesen, daß nicht nur die par-
tikuläre Lage Polens den Kurs Wyszynskis erlaubt.

   4.1 Auf dem Hintergrund muß sich die Friedenslehre von *Pacem in terris* von der Pius XII. unterscheiden. PT verliert kein Wort zur militärischen Verteidigung, zum sittlichen Problem der Gewalt. Sie behandelt
ausschließlich die Friedensförderung. Dies allerdings geschieht sachlich
wie methodisch neu. Dazu mögen zwei Beispiele genügen:

   — Johannes knüpft an die gemeinsame Frontstellung von Christen, So-
zialisten und Kommunisten gegen den Liberalismus des 19. Jahrhunderts
an. Der Liberalismus hatte damals das Individuum isoliert und die Freiheit in die Nähe rücksichtsloser Willkür dieses Individuums gerückt. Entsprechend kam Kritik an der liberalen Menschenrechtstradition auf. Sie
legalisiere das egoistische Individuum; sie übersehe vor allem die sozialen
Menschenrechte. Johannes räumt nun gerade den ökonomischen, kultu-
rellen und sozialen Menschenrechten einen zentralen Platz ein. Indem er
etwa das Recht, ,,an der geistigen Bildung teilzunehmen" (Nr. 13) betont,
signalisiert er dem Kommunismus Gemeinsamkeiten. Er erinnert an eine
gemeinsame Tradition — mit all den Konsequenzen, die sich daraus ergeben.

   — Das zweite Beispiel sei die Methode, das Vorgehen oder die Sprache
von Pacem in terris. Pius XII. verstand sein Amt als das ,,Amt des Stell-

vertreters gerade dessen, dem die Völker als Erbe gehören" (UG 6307). Johannes versteht sich auch als Stellvertreter, aber „dessen, den der Prophet . . . den Friedensfürsten genannt hat" (PT Nr. 167). Entsprechend lehrt Pius, was sein soll; Johannes beschreibt an zentralen Stellen lediglich, was man gemeinsam bejaht. Er beschreibt Überzeugungen des heutigen Menschen über die Gleichheit (Nr. 44), über zentrale Werte wie Wahrheit, Gerechtigkeit, Liebe und Freiheit. Das Christliche ist dabei nur eine Möglichkeit, und zwar eine vertiefende, der Begründung solcher Überzeugungen. Eine solche Methode greift hervorragend, wenn ein Konsens vorausgesetzt werden kann; beim Dissens wird sie hingegen sprachlos. Darum muß sie ihre Chance nutzen, und diese Chancen liegen auf dem Gebiet der Friedensförderung. Dafür muß sie den Preis zahlen, über die Friedenssicherung durch Gewalt zu schweigen. So wird der Umfang der Friedensethik halbiert.

4.2 Das Zweite Vatikanische Konzil behandelt die Friedensproblematik im 5. Kapitel des zweiten Hauptteils der Pastoralkonstitution *Gaudium et spes*.

Pacem in terris als Autorenschrift konnte ausklammern, was der Autor nicht sagen wollte; auf dem Konzil sind diesbezügliche Nachfragen unumgänglich. Der neuralgische Punkt der Konzilsdebatte war, ob man im Atomzeitalter noch in irgendeiner Form von einem gerechten Krieg sprechen dürfe. Diesbezüglich gehen in der Debatte die Meinungen weit auseinander. Bezüglich der Friedensförderung hingegen besteht große Einmütigkeit.

Was den verabschiedeten Text angeht, darf ich mich kurz fassen, zumal diese Texte ja auch weithin bekannt sind. Der neuralgische Punkt wird vor allem im ersten der beiden Abschnitte des 5. Kapitels behandelt. Es ist überschrieben „Von der Vermeidung des Krieges". Die Perspektive reicht vom hic et nunc Notwendigen bis zum Fernziel „absolute Ächtung des Krieges" (Nr. 82). Generell werden beide Elemente durch eine hohe Dringlichkeit verbunden: Die Lage ist sehr ernst, es verbleibt uns nur noch eine kurze „Frist" (Nr. 81), wir müssen die „Frage des Krieges mit einer ganz neuen inneren Einstellung prüfen" (Nr. 80). Dadurch wird bereits signalisiert, daß die Forderungen der Friedensförderung, der Kriegsursachenbekämpfung, nicht auf die lange Bank geschoben werden dürfen. Sie bedürfen einer radikalen und opferbereiten Verwirklichung. Für die heutige Situation nun bestätigt das Konzil das prinzipielle „Recht auf sittlich erlaubte Verteidigung" (Nr. 79). Der Soldat, der im Sinne eines wohlverstandenen Verteidigungsrechtes seinen Dienst recht erfüllt, „trägt wahrhaft zur Festigung des Friedens bei" (Nr. 79). Dann wird das Konzil konkreter; es wendet sich dem spezielleren Fall der Verteidigung mit wissenschaftlichen Waffen zu; dabei behandelt es nacheinander den Einsatz (Nr. 80) und die Drohung (Nr. 81) mit solchen Waffen.

Was den Einsatz der wissenschaftlichen Waffen betrifft, wird der totale Krieg eindeutig verurteilt: „Jede Kriegshandlung, die auf die Vernichtung ganzer Städte oder weiter Gebiete und ihrer Bevölkerung unterschiedslos abstellt, ist ein Verbrechen gegen Gott und gegen den Menschen, das fest und entschieden zu verwerfen ist" (Nr. 80). Dies entspricht der Lehre Pius XII. von 1953. Das Kriterium der Kontrollierbarkeit wird lediglich auf eine heute mögliche Kriegshandlung angewendet.

Doch die modernen Waffen dienen nicht nur dem Einsatz im Krieg, sondern auch der Abschreckung zur Kriegsverhinderung. Die Abschreckungsstrategie wird beschrieben, ihre Wertung bleibt jedoch offen: „Wie immer man auch zu dieser Methode der Abschreckung stehen mag . . ." (Nr. 81). So wird erstens zwischen dem unbestreitbaren Verteidigungsrecht und dessen Konkretisierung in der Strategie der Abschreckung unterschieden. Die sittliche Wertung der Strategie hängt wesentlich von ihren Erfolgsaussichten ab; diese zu ermessen ist nicht Sache eines Konzils, sondern des weltlichen Sachverstandes. Man kann also als Christ die Abschreckungsstrategien bejahen, man kann sie auch verwerfen. Im letzteren Fall wäre die Kriegsdienstverweigerung sittlich begründet. Eine solche Wertung der Kriegsdienstverweigerung spricht das Konzil jedoch nicht aus, sie liegt aber in der konziliaren Logik. Auch wird zum ersten Mal die Strategie der Gewaltlosigkeit erwähnt (vgl. Nr. 78), doch sicherlich nicht als Alternative zur militärischen Friedenssicherung. Jedenfalls wird hier die nachkonziliare Entwicklung ansetzen. Für das Konzil aber gilt, daß die gegenwärtige Friedenspolitik zwar als äußerst gefährlich bezeichnet wird, ihr jedoch keine prinzipielle Alternative gegenübertritt. Die pazifistische Alternative wird nicht bejaht, die Logik der Lehre des gerechten Krieges bleibt mit zahlreichen Einschränkungen vorherrschend.

4.3 Die Friedenslehre von Papst *Paul VI.* verdeutlicht das Konzil und führt es fort. Sie hat folgende Schwerpunkte:

— Erstens läßt sie wie das Konzil kein Mißverständnis darüber zu, daß mit allerhöchster Dringlichkeit das Mögliche und Notwendige für den Frieden getan werden muß. Seine Sprache ist beschwörend, will motivieren und wachrütteln.

— Zweitens bestätigt Paul VI. das Recht auf „legitime Verteidigung" (Baadte 178), und zwar unter Einschluß des Opfers menschlichen Lebens. Denn es gibt Güter, die höher als das Überleben sind (vgl. Baadte 170). Zu diesen zählen „Wahrheit, Gerechtigkeit, die bürgerliche Freiheit, die Nächstenliebe, der Glaube. . ." (Baadte 170).

— Drittens unterscheidet Paul VI. das Verteidigungsrecht von der *Abschreckungsstrategie*; „über die Formel vom ,Gleichgewicht des Schreckens' als Mittel zur Erhaltung des Friedens (war der Hl. Stuhl) nie begeistert" (Baadte 150). Vor allem erhebt der Papst einen prinzipiellen Einwand, daß nämlich diese Strategie „von der Bereitschaft zur Eintracht und zum gegenseitigen Verständnis ab(lenkt)" (Baadte 150). Auch ist sie zu „kostspielig" und steht so Gerechtigkeitsforderungen gerade hinsichtlich der Dritten Welt entgegen. Doch trotz dieser Einwände enthält sich der Papst letztlich einer konkreten sittlichen Wertung der Abschreckungsstrategie. Er stellt sie vor Soldaten wohlwollend dar, bleibt aber in der Beschreibung der Vorstellungen dieser Soldaten, ohne sich wertend zu äußern (vgl. Baadte 125 und 162). Diese Strategie kann folglich von Katholiken bejaht werden; dies ist aber nicht für alle zwingend. Dennoch schreibt er im Zusammenhang mit der Forderung nach allgemeiner Abrüstung: „Entweder rüsten alle ab, oder man unterläßt strafbar seine Verteidigung" (Baadte 160).

— Viertens liegt der Schwerpunkt auf positiven Möglichkeiten der Friedensförderung. Beispiel hierfür ist der Vorschlag eines Weltfonds für die Entwicklungspolitik aus Ersparnissen bei der Rüstung.

— Fünftens kritisiert der Papst laut, daß der Elan der Nachkriegszeit verlorengegangen ist. Militaristisch richtet man sich darauf ein, daß mehr als das Gleichgewicht des Schreckens nicht erreichbar, dies folglich bereits Friede sei; hochmütig träumt man wieder von Machtbündnissen und Vormachtstellung und hält dies für den erreichbaren Frieden; erst recht leistet man nicht genug zur Behebung der internationalen Ungerechtigkeit. Militarismus, Nationalismus und Egoismus prägen bedrohlich die Strategie des „Gleichgewichts des Schreckens" und stehen so im Widerspruch zu den Prinzipien des von der Kirche verkündeten Friedens.

— Sechstens dehnt Paul VI. seine Kulturkritik auch vehement gegen manche Formen des modernen Pazifismus aus: „Friede heißt nicht Pazifismus" (Baadte 86, 1967). Er kritisiert jene, die unwürdig mit der menschlichen Würde feilschen, die das Überleben an die erste Stelle der Werte setzen, die der Erfüllung großer Pflichten entfliehen.

— Siebtens entzieht sich der Papst dem realen politischen Prozeß nicht, sondern läßt sich auf einen kritisch-reformerischen Weg ein. Er will keine Möglichkeit zur Veränderung auslassen. So ermahnt er die Soldaten, ihr „Leben ,unter den Waffen'" (Baadte 162) mit „einer konsequenten, männlichen und festen religiösen und sittlichen Überzeugung" zu verbin-

den. Er ermahnt die Politiker, appelliert häufig an die Jugend und lobt ihren Friedenswillen . . . Bei allem Elan begibt er sich mit langem Atem, re-
formierend, ausdauernd auf den Weg, über eine Veränderung der Menschen und der öffentlichen Meinung das friedensunfähige und gruppen-
egoistische politische Klima zu verändern.

So gelangt Paul VI. zu einer Synthese wie sie Pius XII. in der Weihnachtsbotschaft 1957 gelungen ist; die Vieldimensionalität der vor uns liegenden Aufgabe wird ansichtig.

4.4 *Johannes Paul II.* setzt die Linie Pauls VI. fort. Vor allem die
Dringlichkeit der zu leistenden Aufgaben kommt bei seiner charismati-
schen Begabung voll zur Geltung, mag bisweilen gar mißverstanden werden. Sachlich können jedoch auch Innovationen auffallen; zwei Beispiele
seien genannt:

— Der Papst wird wieder konkret. Mit unübersehbarer Anspielung auf
den Ostblock rügt er Verhältnisse, in denen „nur der Atheismus das Bür-
gerrecht im öffentlichen und sozialen Leben besitzt, während die gläubigen Menschen fast aus Prinzip kaum geduldet oder als Bürger zweiter
Klasse behandelt werden oder sogar — was auch schon geschehen ist —
der Bürgerrechte völlig beraubt sind" (Baadte 207). Diese Kritik wirkt jedoch nicht als Kampfansage; sie ist eher der Versuch, das in die Tat umzusetzen, was seiner „tiefen Überzeugung" nach heute alle politischen Systeme anstreben, daß „. . . der Mensch immer an die erste Stelle gesetzt
wird" (Baadte 205). Es klingt fast, als wolle er dem Kreml augenzwin-
kernd signalisieren: Laßt das doch, es ist doch nicht nötig, und eigentlich
wollt ihr es doch selbst nicht.

— Und ein zweites Beispiel: Nach dem Besuch des KZ Auschwitz sagt
der Papst, daß auch jene verantwortlich für den Krieg sind, „die nicht alles in ihrer Macht Liegende tun, um ihn zu verhindern" (Baadte 211). Es
ist denkbar, daß der Papst hier das Recht auf militärische Verteidigung an
die Bedingung knüpft, daß dasselbe Volk dann auch bis an die Grenzen
des Möglichen die Kriegsursachen zu beheben versucht. Hier ergäben sich
auch für die gegenwärtige politische Lage noch erhebliche Handlungs-
spielräume.

5. Das Thema „Frieden" in der katholischen Kirche der Bundesrepublik seit Pacem in terris

Nun sollen die „Gemeinsame Synode der Bistümer in der Bundesrepublik Deutschland", die theologische Debatte sowie Entwicklungen im
Verbandskatholizismus untersucht werden.

5.1 Die *Synode in Würzburg* (1971-1975) äußert sich zum Thema im Beschluß „Der Beitrag der katholischen Kirche in der Bundesrepublik Deutschland für Entwicklung und Frieden" (EF), vor allem im zweiten Teil. Es ist der Versuch, die neueren gesamtkirchlichen Dokumente „einzudeutschen", auf die besonderen Verhältnisse dieser Teilkirche pastoral anzuwenden.

Die Synode beginnt mit einer schlichten Aufzählung der vielfältigen Unfriedenstatbestände sowie deren vielfältigen Ursachen. Dann listet sie Strategien zur Erreichung des Friedens auf. Dabei nennt sie die innerkirchlichen Kontroversen, ohne diese harmonisieren zu wollen. Entsprechend fragt die Synode weiter nach Zielen und Schwerpunkten kirchlichen Friedenshandelns. Der Plural ist nicht zufällig, denn es gibt eben mehr als ein Ziel oder einen Schwerpunkt. Neben der „Erziehung zum Frieden" behandelt die Synode ausführlich die „Dienste für den Frieden". Die Dienste, die sich innerhalb der Kirche als Friedenshandeln verstehen, werden dann in ihrer Vielfalt wie in ihrer Zusammengehörigkeit vorgestellt. Begrenzen wir uns hier auf den Wehrdienst und auf die Kriegsdienstverweigerung inklusive Zivildienst. Beide Dienste werden als Beitrag zu Friedenssicherung wie zu -förderung bezeichnet; beide haben folglich „Anspruch auf Achtung und Solidarität" (2.2.4.3; 2.2.4.4). Diese Achtung muß auch gegenseitig aufgebracht werden.

Doch beide Dienste bleiben nicht unverbunden nebeneinander stehen, erst recht treten sie nicht in die Diastase. Vielmehr werden sie in folgender Weise systematisch einander zugeordnet: Sicherung und Förderung des Friedens sind vorrangig und zuerst Aufgabe der Politik. Der Akteur ist der Staat. Sehr deutlich und detailliert ordnet die Synode nun den militärischen Beitrag eben dieser Politik als eine Funktion zu; der militärische Beitrag mit dem Akteur „Bundeswehr" ist begrenzt, immer wieder zu überprüfen, aber real für den Frieden wirksam (vgl. 2.2.4.4). Ebenso wird der Zivildienst der staatlichen Friedenspolitik zugeordnet. Auch er dient „der Sicherung und Förderung" (2.2.4.3) des Friedens. Gerade von ihnen gingen nicht selten „schöpferische Anstöße zu friedensfördernden Verhaltensweisen" aus, etwa durch ihren Dienst für Benachteiligte und für soziale Randgruppen" (2.2.4.3).

Beide Dienste werden also in gemeinsamer, wenn auch unterschiedlicher Zuordnung zur Politik in ein und dasselbe Handlungsgefüge integriert. Der Zivildienst wird dabei mit „auch" eingeführt, d. h. er hat im Gegensatz zum Waffendienst der Soldaten kein eigenes Ressort, ist vielmehr eine Möglichkeit neben den Freiwilligendiensten und der Pflicht zum Friedenshandeln eines jeden Christen. Der Synodenbeschluß enthält eine Fülle praktischer Anregungen für das Friedenshandeln. So sollte er eigentlich den innerkirchlichen Grabenkrieg zwischen den Diensten beenden und alle Energien auf die Arbeit selbst lenken. Ob dieses Ziel erreicht wird, kann heute noch nicht definitiv beschieden werden.

5.2 Die *theologische Debatte* seit Pacem in terris hat sich eigentlich bisher von der Atomkriegsdebatte 1958 nicht erholt. Eine umfassende Friedensethik war damals für unmöglich erklärt worden; sie wurde auch nicht mehr versucht. Und dies, obwohl der politische und nicht der militärische Gebrauch der Atomwaffen in der kirchlichen Verkündigung seit dem späten Pius XII. eigentlich immer präsent blieb.

Es wurden hingegen Teilbereiche einer solchen Ethik bearbeitet. So friedenspädagogische Beiträge (z. B. D. Emeis) oder Literatur zum Komplex „Friedensdienste" (z. B. Lehmann/Risse). Sie können aber keine systematische Friedensethik anvisieren, leiden eher unter deren Fehlen. Es erschienen deskriptive Darstellungen der Tradition. Vor allem K. Hörmann ist es in diesem Genus gelungen, die Tradition gehaltvoll und richtig darzustellen und so wenigstens einer unaufgeklärten Traditionsschelte Informationsmöglichkeiten zu bieten. Es erschienen Beiträge und Kommentare zu dem entsprechenden Kapitel von Gaudium et spes. Neben J. B. Hirschmann ist hier vor allem der hervorragende Kommentar von R. Coste zu nennen. Symposien mit interdisziplinärer Zusammensetzung legten ihre Berichte vor (z. B. Schmölz oder Weiler/Zsifkovits); vielleicht bilden sie eine notwendige Vorstufe für eine neue Friedensethik. Exegetische Arbeiten erschienen, so die der beiden Exegeten N. Lohfink und R. Pesch. Ihre Arbeit ist voll wichtiger Anregungen, hat aber gewisse Probleme bei der sozialethischen Übersetzung in die Praxis. Vor allem methodisch interessant ist die Gemeinschaftspublikation des Neutestamentlers P. Hoffmann und des Moraltheologen V. Eid. Gerade im Zusammenhang mit der Bergpredigt werden friedensethisch bedeutsame Perspektiven eröffnet; doch die Monographie ist breiter angelegt, als daß sie eine spezielle Friedensethik hätte erbringen können.

Schließlich erschien dezidiert pazifistische theologische Literatur, doch auch nicht von Vertretern der Fächer Moraltheologie bzw. Sozialethik. Beispielsweise machte der Fundamentaltheologe R. Schwager auf sich aufmerksam. Damit strömt eine theologische Position in das friedensethische Vakuum, die in der katholischen Tradition zwar immer wieder zu Worte kam, aber nie mehrheitsfähig und traditionsbestimmend werden konnte. Interessant ist, wie nun in einer bisweilen gewagten Interpretation der neueren römischen Dokumente die These vertreten wird, diese traditionale Minderheitenposition sei heute Mehrheitslehre und offizielle Doktrin geworden. In summa: In der Fachtheologie fehlt eine elaborierte Friedensethik, und dieses Fehlen wird zunehmend gerade von der reflektierten Praxis bemerkt und beklagt.

5.3 *Verbände und Frieden* nach der Zeit Pius XII. wäre ein eigenes Thema. Es äußern sich das Zentralkommitee, die Gemeinschaft Katholischer Soldaten, neuerdings auch die Frauengemeinschaft, das Landvolk usw. Im folgenden werde ich mich auf Pax Christi beschränken.

Pax Christi sei an zwei Schriften dargestellt, vor allem was die theologische Argumentation angeht. Es ist dies einmal eine Broschüre, die Mitte 1981 in der dritten Fassung herauskam; zum anderen die Plattform „Abrüstung und Sicherheit".

5.3.1 *„Kirche und Kriegsdienstverweigerung"* wurde 1968 von B. Schultheiß, dem damals führenden Theologen bei Pax Christi verfaßt. Vor allem fragt Schultheiß, ob die absolute Kriegsdienstverweigerung notwendigerweise ein irriges Gewissen voraussetzt. Aus vier Gründen, glaubt er, müsse die Antwort negativ ausfallen. *Erstens* gibt es seinem Urteil nach heute keinen gerechten Krieg mehr. Er unterscheidet nicht zwischen Krieg und Kriegsverhinderung, entwickelt seine These auch nicht aus einer Analyse der politischen Situation oder aus dem modernen Kriegsbild, sondern aus einer gewagten, eher spitzfindigen Interpretation von Pacem in terris, vor allem aber von Gaudium et spes. *Zweitens* lehnt die „allgemeine Tendenz" (S. 14) der Urkirche bis zur Konstantinischen Wende (313) den Kriegsdienst für Christen ab. Was in der maßgebenden Urkirche möglich war, so kann man das Argument zuspitzen, dürfe heute nicht verboten sein. *Drittens* — und dieses Argument scheint Schultheiß besonders stichhaltig zu sein — könne Kriegsdienstverweigerung eine „persönliche Berufung" sein, Abbild des göttlichen Friedens sogar mitten in Kriegen, Zeichen der absoluten Güte. Hier nimmt Schultheiß die französische Tradition auf, die seit 1950 von einer möglichen prophetischen Berufung zur absoluten Gewaltlosigkeit spricht, vertreten etwa von A. de Soras oder von Y. Congar. Für de Soras könne es sich hierbei um einen Idealismus handeln, „der sich in bestimmten ,Zeugen Gottes' verkörpert (und) den ,Realisten' unter die Augen gerückt werden muß, um zu verhüten, daß sie Zyniker werden" (Stratmann 157). Für Congar war es ein unmögliches und zugleich notwendiges Ideal; unmöglich, weil es „den Erfordernissen der heutigen Situation nicht in allem Rechnung (trägt)" (Stratmann 158). *Viertens* kann es nicht verboten sein, das 5. Gebot gerade nach der Zuspitzung in der Bergpredigt „absolut" und „im Wortsinn" zu verstehen. Dies muß erlaubt sein, zu welchen Ergebnissen die Exegese auch kommen mag. Als Beleg für diese Möglichkeit nimmt Schultheiß zwei umfangreiche Zitate des reformierten Theologen J. Lasserre auf. Schultheiß selbst aber schreibt diese Interpretation der Kirche nicht vor.

So gelangt Schultheiß zu dem Ergebnis, das Gewissen eines Kriegsdienstverweigerers könne „wohl informiert" (S. 20) sein. Sein Ziel ist erreicht: Kriegsdienstverweigerung beruht nicht notwendigerweise auf einem irrigen Gewissen.

1974, während der Arbeit der Synode, wird dieser Schultheiß-Text redaktionell stark überarbeitet und als Teil der Broschüre „Aktiver Friedensdienst — Kriegsdienstverweigerung" veröffentlicht. Sie wird in wenigstens 6 Auflagen den Wehrpflichtigen zur Urteilsbildung in die Hand gegeben. Mittlerweile ist die Kriegsdienstverweigerung in der katholischen Kirche faktisch anerkannt, die Schultheiß-Schrift darum gegenstandslos. Nun werden die Argumente von Schultheiß durch rein redaktionelle Veränderungen und Verhärtungen einem neuen Ziel nutzbar gemacht: Der Verpflichtung des Katholiken zur Kriegsdienstverweigerung. Es bleibt bei den Argumenten von Schultheiß, neue theologische Bemühungen unterbleiben. Geändert wird lediglich die Interpretation von Gaudium et spes. Verfolgen wir das Argument aus dem 5. Gebot bzw. aus der Bergpredigt und die Interpretation des Konzils:

— Im Angesicht des Neuen Testaments ist der Soldatendienst von jedem zu verwerfen, der es „unbefangen auf sich wirken läßt" (10). Daraus folgert die Broschüre nicht mehr nur die Duldung, sondern die allgemeine Verbindlichkeit der Verweigerung: „Wann kommt die offizielle Theologie dazu, eine solche Auslegung der Heiligen Schrift für verbindlich zu erklären . . .?"

— Das Konzil wird pazifistisch interpretiert. Dies geschieht, indem die Konzilsaussagen in zwei Gruppen eingeteilt werden: Man stellt einerseits eine „bemerkenswerte Veränderung" der kirchlichen Lehre fest, andererseits wird die Pastoralkonstitution als „Kompromiß" bewertet. So sind die Koordinaten festgelegt, um Konzilsaussagen bald zu den bemerkenswerten Veränderungen zu zählen und zu bestärken, bald der Kompromißseite zuzuschreiben und so zur Disposition zu stellen. Beispielsweise wird das Lob des Konzils, daß der Soldat unter bestimmten Bedingungen „wahrhaft zum Frieden beiträgt" (GS, Nr. 79) textwidrig zu einer „subjektiven und ehrenwerten Einstellung" (S. 23) der Soldaten depotenziert. Nun ist der Wehrdienst eine irrige Gewissenstat.

Die Synodenvorlage scheint im Urteil der Broschüre „hinter der beschwörenden Aufforderung des Konzilstextes, endlich umzudenken und die von oben gewährte Frist zu nützen", zurückzubleiben (S. 24). In summa: Das Ziel war vorgegeben (Kriegsdienstverweigerung als Christenpflicht), die Argumente wurden beschafft.

Die im August erschienene Nachfolgeschrift nun will Kriegsdienstverweigerern bei der Entscheidungsfindung und in den Verfahren beraten. Von dieser Zielsetzung her ist die These nicht mehr erforderlich, daß die ganze Kirche den Wehrdienst verweigern müsse. Es genügte nachzuweisen, daß in der Kirche dafür Platz ist. Doch die Argumentation geht weit über dieses Ziel hinaus. Zwar ist die biblische Einleitung nun sachlich gehaltvoll und methodisch sauber; auch ist die Darlegung der Urkirche eher verstehend und nachzeichnend. Doch die Konzilsinterpretation eskaliert eher noch. Die Synode wird erst gar nicht im Kapitel über die „Haltung der Kirche nach dem Zweiten Vatikanischen Konzil" erwähnt. Dies ist die eine Seite von Pax Christi. Die Negation der realen Politik der Bundesrepublik führt dazu, daß man zur Veränderung keine gehaltvollen Vorschläge mehr einbringen kann. Doch Pax Christi hat auch ein anderes Potential, das sich zur gleichen Zeit in der *Abrüstungsplattform* darstellt. Die Plattform will zum Dialog einladen und beansprucht nicht Letztverbindlichkeit; sie stellt ihre Position „neben andere Positionen, die mit gleicher Redlichkeit ebenfalls für Lösungen und Vorgehensweisen zur Sicherung und Förderung des Friedens eintreten" (Nr. 2). Der Synodenbeschluß wird immer wieder bejaht und zitiert. Bei allen Fragezeichen, die man zur Plattform setzen kann: Sie ist ein Positionspapier, das zur Auseinandersetzung einlädt, gar reizt.

Es sind zwei Facetten eines Verbandes. Die Deutsche Bischofskonferenz hat weniger in der Erklärung der Frühjahrsvollversammlung, deutlich jedoch im Pressebericht auf die Lehre der Kirche hingewiesen. Sie will und kann nicht nach der Art von Kardinal Frings 1950 eingreifen, sondern muß eher selbst betroffen den Dialog fördern. Die Friedensethik in der katholischen Kirche ist in Bewegung, wenngleich prinzipielle Veränderungen nicht zu erwarten sind.

Literatur

Abrüstung und Sicherheit. Plattform der Pax Christi, Frankfurt 1981.

Aktiver Friedensdienst — Kriegsdienstverweigerung, hrsg. vom Sekretariat der deutschen Pax Christi, Frankfurt 1976[6].

Atomare Kampfmittel und christliche Ethik, München 1960.

Der Beitrag der katholischen Kirche in der Bundesrepublik Deutschland für Entwicklung und Frieden, in: Gemeinsame Synode der Bistümer in der Bundesrepublik Deutschland. Offizielle Gesamtausgabe I, Freiburg 1976.

Dienst am Frieden. Stellungnahmen der Päpste, des II. Vatikanischen Konzils und der Bischofssynode, hrsg. vom Sekretariat der Deutschen Bischofskonferenz, Bonn 1980 (Die Zusammenstellung wurde von Günter Baadte besorgt, darum die Sammlung im Text mit *Baadte* gekennzeichnet).

Anselm Doering-Manteuffel, Katholizismus und Wiederbewaffnung, Mainz 1981 (Im Text gekennzeichnet als *DM*).

Frieden und Sicherheit, hrsg. vom Sekretariat der Deutschen Bischofskonferenz, Bonn 1981 (darin u.a. enthalten die Erklärung wie Auszüge aus dem Pressebericht der Frühjahrsvollversammlung 1981 der Deutschen Bischofskonferenz).

Kann der atomare Verteidigungskrieg ein gerechter Krieg sein?, München 1960.

Kriegsdienstverweigerung. Antragstellung und Anerkennung, hrsg. von der Internationalen Katholischen Friedensbewegung Pax Christi — Deutsches Sekretariat, Frankfurt 1981.

Mausbach-Ermecke, Katholische Moraltheologie, 3. Band, Münster 1959[9].

Harald Oberhem, Die bellum-iustum-Theorie in der Gegenwart, in: Glatzel-Nagel (Hrsg.), Frieden in Sicherheit, Freiburg 1981, 41-68.

Max Pribilla, Krieg, Wehrwille und Kriegsdienstverweigerung, in: Stimmen der Zeit 151 (1952-1953), 270-282.

Bernhard Schultheiß, Kirche und Kriegsdienstverweigerung, Freiburg 1968.

Hansjakob Stehle, Die Ostpolitik des Vatikan: 1917-1975, München 1975.

Franziskus Maria Stratmann, Krieg und Christentum heute, Trier 1950.

Utz-Groner (Hrsg.), Aufbau und Entfaltung des gesellschaftlichen Lebens, 3 Bde, Freiburg 1954, 1961 (Angaben im Text nach den laufenden Abschnittsnummern hinter UG).

HANS VON KELER

Christliche Weltverantwortung
Schlußfolgerungen für den Dienst in der gegenwärtigen Situation

„Nimm Gott aus dem All: So ist alles vernichtet, jede höhere geistige Freude, jede Liebe. Nur der Wunsch eines geistigen Selbstmordes bliebe übrig." Jean Paul benannte so das geistliche Inferno. Die Unruhe der Zeit hat tiefe Ursachen, ohne Glaube wird der Mensch schwermütig und anfällig für alle Ängste.

Wo aber Gottes Geist wirksam wird, klingt es anders: „Ihr Männer, liebe Brüder, was sollen wir tun?" — Diese Frage wurde nach der Pfingstpredigt des Petrus laut. Lukas berichtet in der Apostelgeschichte nach der Petruspredigt: „. . . es ging ihnen durchs Herz, und sie sprachen, ihr Männer, liebe Brüder, was sollen wir tun?" Wenn Gottes Geist unser Herz rührt, fragen wir: Was sollen wir tun?

Konsequenzen wachsen aus Einsichten und Überzeugungen. Wenn unsere Überzeugungen differieren, unterscheiden sich auch die Folgerungen. Darum zuerst ein kurzes Fazit unserer Einsichten, ehe ich den praktischen Katalog der Konsequenzen aufblättere.

I. Einsichten

Unbestritten ist die besondere Gefährdung unserer Jahrzehnte angesichts der erschreckenden Vernichtungswaffen. Unbestritten ist darum das weitverbreitete Gespür für unsere besondere Herausforderung:

— Die waffentechnologische Entwicklung droht selbständig zu werden und sich einer Steuerung durch die Politik zu entziehen und ihrerseits die Politiker zu steuern. Die Labors arbeiten schneller als die Kabinette.

— Die besondere geopolitische Lage Mitteleuropas mit dem stark industrialisierten und eng besiedelten Raum der Bundesrepublik Deutschland, also die unausdenkbare Tragweite eines atomaren Krieges.

— Die außergewöhnliche Situation unseres geteilten Volkes an der Nahtstelle zweier Gesellschaftssysteme.

— Der unverantwortliche Gegensatz zwischen Rüstungsausgaben und Weltelend.

— Die starke Aporie, einen Verteidigungswillen zu bejahen, der im Falle der Realisierung das zu verteidigende Gut zu vernichten droht. Verteidigung muß glaubhaft sein, aber Verteidigung wird ebenso entsetzlich.

— Das sogenannte „Gleichgewicht der Kräfte" ist äußerst schwer zu definieren, weil hier sehr verschiedene Komponenten zusammenwirken, die sich in ihrer Summation einer exakten Gegenüberstellung entziehen.

— Die Furcht vor dem nuklearen Inferno ist nach geopolitischer Lage jedes Landes stark verschieden, daher erscheint die psychologische Erpreßbarkeit unterschiedlich.

— Die sogenannten sozialistischen Staaten sind in noch umfassenderen wirtschaftlichen Schwierigkeiten als die Staaten mit liberalem Wirtschaftssystem.

— Eine gemeinsame Weltinnenpolitik erscheint dringend nötig, aber das System gegenseitiger Absprachen funktioniert nur sehr bedingt. „Vereinigte Nationen" als Weltexekutive sind ebenso notwendig, wie die UNO derzeit ohnmächtig ist.

Die Vielzahl dieser Einsichten zeigt bereits, welche Redlichkeit in Verlegenheiten von uns allen gefordert ist und wie sehr wir unsere Politiker, Gewerkschaftler, Wirtschaftler zu solcher Redlichkeit ermutigen müssen. Der starke und verständliche Drang, alle Dinge auf einen einfachen Nenner zu bringen, wird hier geradezu lebensgefährlich. Überall wird eine „Plausibilitätsstruktur" gefordert, eine klare Durchschaubarkeit, eine einfache Antwort. Aber mit anscheinend eindeutigen Schlachtrufen wie „Es leben die Simplifikateure" wird zwar zeitweise die Straße gewonnen, nicht aber die Zukunft.

II. Die verschiedenen Dimensionen des Friedens

Von ihrem Auftrag her muß die Kirche verschiedene Dimensionen des Friedens sehen. Der Völkerfriede ist unendlich wichtig, aber nicht schlechthin alles. Von der biblischen Botschaft her sind drei Dimensionen zu benennen:

1. „So viel an euch ist, so habt mit allen Menschen Frieden" — weil der Glaube durch die Liebe tätig ist, müht sich der Christ und die Christenheit in den vielfältigen Beziehungen des Lebens um Einvernehmen, Frieden, Wohlfahrt. Das gilt für das Miteinander der Nationen, genau wie für Familie und Nachbarschaft, für das Miteinander der gesellschaftlichen Gruppen und der Nationen. Auch ein „Bürgerkrieg um Frieden" gefährdet den Frieden. Wenn in der Arbeitswelt bald nicht mehr um die Aufteilung des Zuwachses verhandelt wird, sondern Substanz verändert oder verlagert werden soll, kann auch leicht ein bedrohter Arbeitsfrieden lebensgefährlich wirken. Zweifelsohne muß aber in unserer bedrohten Zeit

auf den „Wegen in der Gefahr", oder dem „Trampelpfad aus der Gefahr", der Friede unter den Nationen Vorrang haben. Es wäre aber eine gefährliche Verkürzung, wenn die Botschaft der Kirche auf den zwischenmenschlichen oder internationalen Frieden ausschließlich Bezug nähme. Wo Christen leben, sind sie „Salz der Erde und Licht der Welt" und haben diese Aufgabe auch darin zu bewähren, daß sie Frieden stiften. Vor der Aufgabe aber steht die Gabe.

2. Das Neue Testament spricht deshalb von dem lebensnotwendigen Frieden mit Gott, von dem „Frieden, der höher ist als alle Vernunft", der aus Vergebung und Geborgenheit kommt. Wer um diesen Frieden nicht weiß, ist ebenso lebensgefährlich bedroht wie durch einen modernen Krieg.

„Sind wir denn gerecht geworden durch den Glauben, so haben wir Frieden mit Gott". Dieser Friede mit Gott vermittelt uns einen Sinn, trotz allen erlebten Unsinns. Und wir wissen, daß der Mensch an einem Leben ohne Sinn zerbricht.

Der Friede aus Glauben ist kein „religiöser Luxus", sondern eine entscheidende Lebensvoraussetzung wie Atmen und Essen, wie Arbeiten und Schlafen. „Was hülfe es dem Menschen, wenn er die ganze Welt gewönne und nähme doch Schaden an seiner Seele" — der entscheidende Auftrag der Kirche wird katastrophal verkannt, wenn dieses Wort Jesu ins Gegenteil verändert wird. Was hat der Mensch von seiner Seele, wenn diese Welt Schaden nimmt? Die Kirche darf vor lauter Mitsorge um den gefährdeten Weltfrieden doch niemals diese Botschaft vom Frieden mit Gott vergessen. Damit würde sie nicht nur eine entscheidende Dimension verlieren, sondern damit zugleich die eigentliche Motivation für ihre Weltverantwortung. Ohne die Kraft des Glaubens gibt es keine Tragkraft der Liebe.

„Ehre sei Gott in der Höhe und Friede auf Erden" — mit dieser Verkündigung begann unsere Zeitrechnung. Biblisch gesprochen: Ohne daß Gott in der Höhe geehrt wird, gibt es keinen Frieden auf Erden. Das Kreuz Christi ist der Friedensschluß Gottes mit den Menschen — nur weil sich die Christenheit hier durch das Werk des Christus versöhnt weiß mit Gott, weiß sie um einen „Dienst der Versöhnung" und erhält dazu Kraft.

3. Und die Kirche weiß auch um den „ewigen Frieden", den Gott allein durch den wiederkommenden Christus aufrichten wird. „Gott wird abwischen alle Tränen von ihren Augen und der Tod wird nicht mehr sein, noch Leid, noch Geschrei, noch Schmerz wird mehr sein, denn das Erste ist vergangen". Auf diesen Frieden wartet letztlich die gesamte Schöpfung. „Alle Kreatur sehnet sich mit uns und ängstet sich noch immerdar" Röm 8,22. Und dieser ewige Friede Gottes wird allein die uralte Sehn-

sucht der Menschen und die Verheißungen des Alten Testaments erfüllen. „Christus ist unser Friede" (Eph 2,14).

„Jetzt aber sehen wir noch nicht, daß Ihm alles untertan ist" (Hebr 2,8). Dieses „noch nicht", dieser eschatologische Vorbehalt gilt auf dieser Erde bleibend. Die Kirche lebt in der Hoffnung auf diesen ewigen Frieden Gottes, den kein Mensch, keine Klasse und keine Generation hier endgültig aufrichten kann und wird. Als Christen sollen wir uns auf dieser Erde mit aller Kraft bemühen, Gewalt, Unrecht und Not in dieser Welt zu verkleinern, zu minimieren. Aber wir werden, so wie Welt und Mensch geartet sind, kein ewiges Friedensreich auf Erden aufrichten. Hoffentlich schenkt uns Gott so viel Vernunft, und hoffentlich bewahrt er uns so umfassend, daß verantwortliche Politiker den unvorstellbaren Atomkrieg verhüten. Gottes Zusagen zielen aber auf eine neue Welt, die der Glaube einst schauen wird und die Gott allein heraufführt.

Es ist nun auf den ersten Blick paradox, daß gerade diese Hoffnung, die weit über ein irdisches Ziel hinausweist, zur tatkräftigen und nüchternen Arbeit in dieser Welt ermutigen kann. Nicht der Mensch benötigt ein Übermorgen als Arbeitshypothese, sondern der Mensch ist von seinem Schöpfer auf Zukunft angelegt. Er ist nicht nur ein Übergang und ein Untergang, sondern ein Gedanke Gottes, darin wurzelt seine bleibende Existenz, seine Ewigkeit.

Weil wir Gott als Vater Jesu Christi trauen, darum hoffen wir auf die Zukunft und die Macht Gottes, darum trauen wir der Kraft seiner Wahrheit und der Stärke seiner Liebe. Karfreitag und Ostermorgen gehören zusammen, ohne Auferstehung Christi wäre keine Botschaft vom Kreuz weitergetragen worden.

Und darum dürfen Christen nicht nur widersprüchliche Gegenwart und herrliche Zukunft spannungsvoll zusammen sehen, sondern sie wissen um die tiefe Einheit von Weg und Ziel. Der Weg darf nicht dem Ziel widersprechen. Wir dürfen nicht über Hekatomben von Toten in ein Paradies einmarschieren wollen, denn der Gott des Friedens ist heute und übermorgen derselbe. Es gilt am rutschenden Hang dieser Welt Bäume zu pflanzen in der Hoffnung darauf, daß für unseren Gott kein Werk vergeblich ist. Wir wissen um bleibende Nöte, an denen wir zu arbeiten haben, auch wenn sie Gott letztlich allein grundlegend wenden kann und wird.

Die Verkündigung der Kirche hat alle drei Dimensionen des Friedens zu bewahren und zu praktizieren. Wenn sie Akzente einseitig setzt, hat sie nicht etwa nur einen Teil der Wahrheit, sondern sie hat das Ganze nicht und darum auch nicht den vermeintlich akzentuierten Teil. Situationsgebunden wird heute meist die erstgenannte Dimension gesehen und betont, der Friede unter den Nationen. Dieser Verkürzung und Gefährdung gilt es zu wehren, wenn Kirche Kirche bleiben soll. Sonst gilt uns das Wort: „Sie heilen den Schaden meines Volkes nur obenhin, indem sie sagen: Friede, Friede — und ist doch nicht Friede" (Jer 8,11).

III. Konsequenzen

Für den zwischenmenschlichen Bereich und für die internationalen Aufgaben ergibt sich für unsere Kirchen eine Reihe von sehr praktischen Konsequenzen:

1. Keine Erziehung zum Haß. In vielen Nationen der Welt gilt leider: „Ohne aktiven Haß auf den Feind kann von einer hohen moralisch-politischen und psychischen Bereitschaft der . . . Soldaten zu Kampfhandlungen keine Rede sein. Der Charakter des modernen Krieges erfordert, die Erziehung zum Haß auf den Feind erheblich zu steigern. Schon in Friedenszeiten muß dieses Gefühl ausgeprägt sein, damit der . . . Soldat zu jeder Zeit sofort mutig und ohne ideologisch zu schwanken in den Kampf geht und gegen den Aggressor alle zur Verfügung stehenden Mittel anwendet. Das Gefühl des Hasses auf den Feind fördert die erfolgreiche militärische Arbeit der . . . Soldaten."

Haß als entscheidende stimulierende Kraft kann gar nicht unterschätzt werden, aber die Weisung Jesu Christi ist eindeutig: „Liebet eure Feinde". Das Zeichen des Christentums ist nicht Nächstenliebe allein, sondern die Feindesliebe. Heute sprechen wir zu verharmlosend von „Feindbildern" — Feindbilder sollen wir gewiß nicht verstärken, aber wir dürfen die Realität von Feindschaft in dieser Weltzeit nicht verkleinern. Wir haben Feinde — das gilt es nüchtern zu sehen. Nun, wir wollen in uns keiner Feindschaft Raum geben, wir sollen den Feind nicht hassen.

Im Alltag eines Volkes ergibt sich allein aus dieser Konsequenz des Glaubens eine enorme Verschiebung, angefangen von den markigen Reden politisch oder militärisch Verantwortlicher, bis zur Gestaltung der Lehrbücher, zu Werbeplakaten und Informationsfilmen. Keine Erziehung zum Haß — daran hat die Kirche stetig zu erinnern.

2. Kein wehrkundlicher Unterricht und keine vormilitärische Ausbildung. Soldatsein ist eine bittere Notwendigkeit, die wir überall auf das unerläßliche Minimum reduzieren sollten. „Die Abschaffung des Krieges in einer langdauernden Anstrengung" ist ein fernes Arbeitsziel, das viele Etappen erfordert. Wir sollen, nüchtern genug, in der möglichen Eindämmung der Gefahr eines 3. Weltkrieges noch keineswegs eine Vorstufe zum

ewigen Frieden auf Erden sehen, aber wir sollen alle Minimierung des Militärischen in allen Ländern gutheißen.

Minimierung bedeutet nicht Diffamierung, das wäre nur neuer Haß.

3. Es gilt, von Jugend auf zur Versöhnung zu erziehen: Bereitschaft zum Kompromiß, Mut zum Eingestehen eigener Fehler, Anerkennung vielfältiger Eigenarten. Weite Toleranz, nur nicht gegenüber der Intoleranz. Keine Verherrlichung der Gewalt, keine Befürwortung von Gewaltlösungen. Hier tut sich vor allem in der Familie ein weites Feld auf. Jede Erziehung ist wie ein Offenbarungseid, denn was wir glauben und hoffen und lieben, das wird in der Erziehung wirksam, ob wir es wollen oder nicht. Unsere bewußte und unbewußte Erziehung ist viel wirksamer, als wir denken. Die gesamte Friedenssehnsucht der jüngeren Generation ist letztlich ein Produkt der erfahrungsbedingten Erziehung durch eine ältere Generation, die den Weltkrieg noch erleiden mußte. Gerade weil wir nicht wie einst die Vergangenheit glorifizierten, sondern auch von den Schrecken des Krieges, von menschlichem Elend und Schwäche, von Erbärmlichkeit und abgrundtiefer Bosheit aus persönlicher leidvoller Erfahrung hundertfach berichtet haben, denkt unsere Jugend heute so, wie sie denkt. Ungebrochen gilt der alte Spruch: Die ganze Erziehung hat keinen Wert, sie machen uns doch alles nach.

So ist also das weite Feld der Erziehung die vordringlichste „Friedensaufgabe". Nicht das Militär ist die Schule der Nation, die Schule der Nation ist auch nicht die Schule allein, zuerst und zuletzt und zumeist ist die Schule der Nation unsere Familie. Selbst die Vielzahl geheimer Miterzieher schwächt nur diese Primärkraft, aber beseitigt sie selten.

4. Zum politischen Beitrag im engeren Sinne zunächst ist jede Rezepttheologie abzulehnen. Also jene anscheinend eindeutigen Konkretionen, die im Grunde genommen nur eine politisch denkbare Möglichkeit für die allein richtige erachten und ihr kanonische Geltung verschaffen wollen.

Wir müssen als evangelische Christen „das Priestertum aller Glaubenden" ernst nehmen. Offensichtlich kommen verantwortliche Christen in der Politik heute zu verschiedenen Lösungsvorschlägen, diesen Konflikt gilt es sachlich auszutragen. Ein Pfarrer hat kein tieferes Wissen um den Friedenswillen Gottes. Und aufgrund seiner theologischen Ausbildung besitzt er nicht schon automatisch einen sachlich besseren politischen Lösungsvorschlag als unsere im Glauben und auch in der täglichen politischen Verantwortung stehenden Gemeindeglieder. Keiner von uns, selbstredend auch kein Theologe, sollte auf eine eigene politische Meinung verzichten. Nur muß jeder mit der öffentlichen Verkündigung des Evangeliums Beauftragte wissen, daß er sein kirchliches Mandat nicht für die Propagierung seiner persönlichen, politischen Meinung besitzt. Erst recht gilt dies für den Platz auf der Kanzel, wo dem Pfarrer zur Evangeliumsverkündigung ein widerspruchsfreier Raum eingeräumt ist. Bei Seminaren und Gemeindeabenden, bei Diskussionen und Aussprachen, also überall dort, wo auch andere Meinungen verbalisiert vorgebracht werden können, ist die Situation anders. Freilich wird ein Pfarrer bedenken, daß sein Auftrag ihn an die ganze Gemeinde weist. Er muß also den Unterschied zwischen der Verkündigung des Evangeliums und seiner persönlichen, politischen Überzeugung verdeutlichen, weil er für diese Differenzierung bei der Gemeinde Verständnis finden soll. Die politische Überzeugung des Pfarrers bleibt einer Gemeinde keineswegs verborgen. Um so wichtiger ist jene Zurückhaltung, die anderen Gewissen nicht jene Konsequenzen aufzwingt, die man für seine eigene Person fordert.

Seltsam, daß gerade jene Kollegen, die in der Vergangenheit die katholische Kirche wegen eindeutiger politischer Weisungen scharf attackierten, heute mit ebenso eindeutigen politischen Weisungen Gemeindeglieder meinen beeinflussen zu müssen.

5. Keine exportierende Rüstungsindustrie. Deutschland war in diesem Jahrhundert an zwei Weltkriegen mitbeteiligt, wenn auch in recht unterschiedlicher Weise. Wir sollten unsere Neuorientierung nach 1945 nicht vergessen. Die langfristige wirtschaftliche Ineffizienz aller Investitionen in der Rüstungsindustrie ist ebenso deutlich wie die katastrophalen Folgen des europäischen Rüstungsexportes in die Dritte Welt. Sollten wir hier je erpreßbar geworden sein, müßten diese Abhängigkeiten so rasch als möglich gemindert werden, selbst wenn dies uns in neuer Weise gefährdet (Ersatz von Öl durch Kernenergie).

6. Die Kirche besitzt heute viele ökumenische Querverbindungen rund um den Erdball. Schon Söderblom sagte: Die Kirche ist der beste Nachrichtendienst. Vertrauensbildende Maßnahmen sind zunächst unter den Christen der verschiedenen Kontinente möglich und werden seit Jahren intensiv praktiziert. Dieses Kapitel des Vertrauens und der Verbindung hat es in dieser Stärke und Breite vor den letzten beiden Weltkriegen nicht gegeben. Die Vielzahl ökumenischer Begegnungen, die Besuchsreisen und Konferenzen und Konsultationen haben doch das Bild gründlich gewandelt, ganz zu schweigen vom internationalen Tourismus.

Verständnis für die Situation des andern — alle vertrauensbildenden Maßnahmen setzen dieses Denken vom andern her voraus. Wir sehen heute genauer, wie sich beide Weltmächte gefährdet fühlen. Die Sowjetunion spielt nicht nur taktisch mit den Erfahrungen des letzten Weltkrieges, in dem sie von einer „befreundeten Macht" überfallen und bis an den

Rand des Abgrunds gedrängt wurde. Und die Vereinigten Staaten sehen sich in ihren Entspannungsbemühungen der 70er Jahre enttäuscht und in ihren Vorleistungen verkannt und ausgenützt. Und nach wie vor gibt es in anderen Nationen wirkungsvolle Schreckensvisionen über uns Deutsche — nicht nur im östlichen Teil Europas schläft man nur deswegen etwas ruhiger, weil es zwei deutsche Staaten gibt. Vertrauen beruht auf Erfahrungen, also auf Realitäten. Vertrauen kann letztlich nicht gefördert, sondern nur durch Verhalten hervorgerufen werden. Neue Realitäten zu schaffen muß unser Bemühen in dem vielfältigen Geflecht internationaler Beziehungen sein.

7. Der genuine Beitrag der Kirche Jesu Christi zum Frieden geschieht im Gottesdienst. Hier tritt die Gemeinde stellvertretend für alle Menschen, ja für alle leidende Kreatur vor Gott. Hier bittet sie den Herrn der Schöpfung um Bewahrung des Friedens — denn wir Menschen können uns nicht selbst bewahren, wir können nur ehren und achten, was uns bewahren will. Das Gebet der Gemeinde ersetzt keine Tat, aber das Gebet ist eine Tat, die durch nichts anderes ersetzt werden kann.

In der Feier des Herrenmahls erfährt die Gemeinde eine Versöhnung, die sie erst zu Friedensstiftern ertüchtigt. Als Vorhut einer neuen Schöpfung kann sie dann Streit und Krieg unter sich selbst überwinden, nachdem Gott mit ihr Frieden gemacht hat. So ist sie „Salz der Erde und Licht der Welt" — nicht kraft besserer Moral, sondern kraft erfahrener Güte. Darum wird der vornehmste Beitrag der Kirche niemals in einem politischen Ratschlag bestehen, sondern in jener gottesdienstlichen Feier, da sie durch Wort und Sakrament selbst in den Bund des Friedens eintreten darf und nachher andere in ihn hineinziehen kann.

8. Aus dieser Glaubensüberzeugung kann die Kirche dann auch diakonisch in der Gesellschaft tätig werden. Es gibt nicht nur die Zuwendung des Christen zum einzelnen, sondern auch die Zuwendung der Gemeinschaft einer Kirche zu ihrer Nation.

Eine Reihe von Einsichten scheinen mir dazu vorweg besonders wichtig:

— Staat ist nicht gleich Staat. Wir sind dankbar, in der Bundesrepublik einen freiheitlichen und sozialen Rechtsstaat zu besitzen, der nicht auf Emigranten schießen muß, der Demonstrationen gestattet und eine Pressevielfalt kennt, der seine Repräsentanten frei wählt und in dem jedermann das Unrecht vor den Schranken einer unabhängigen Rechtsprechung anklagen kann. Ein Staat, dessen Wirtschaftssystem nicht nur einen vor Jahrzehnten unvorstellbaren Lebensstandard ermöglicht, sondern auch Voraussetzungen für die Entwicklungshilfe in allen

Himmelsrichtungen schafft. Dieser Staat ist gewiß vielfach verbesserungswürdig, aber es gehört zur Nüchternheit des Glaubens, unseren Staat in seinen positiven Seiten zu würdigen und in ihm tatkräftig zu arbeiten. Die Freiheit unseres Glaubens ist nicht an äußere Freizügigkeit allein gebunden, aber deswegen ist der Glaubende dafür doch nicht undankbar, er ist auch nicht unempfindlich für Unrechtssituationen. Staat ist nicht gleich Staat.

— Haben Deutsche derzeit kein Vaterland? Können wir keines besitzen, weil wir in zwei verschiedenen Staats- und Gesellschaftssystemen leben? Oder ist es denn für den Christen belanglos, ob er auch Angehöriger eines Volkes ist und ein Vaterland besitzt?

Vaterland kann nicht verordnet werden. Nachdem unserer Nation zweimal in diesem Jahrhundert das Rückgrat gebrochen wurde oder es sich das Rückgrat gebrochen hat, wundere ich mich auch nicht, wie schwer uns auf der internationalen Bühne der aufrechte Gang fällt. Aber wir benötigen ein vertieftes und erneutes Wissen um unsere geschichtliche Herkunft, einschließlich aller Irrwege, deren wir uns schämen müssen, aber auch aller Führungen, deren wir uns nicht zu schämen brauchen. Zum sinnvollen irdischen Leben gehört eine größere Heimat als nur das eigene Haus.

Ein israelischer Staatsmann sagte treffend: „Wir Juden könnten vergeben, wenn ihr Deutschen nicht vergessen würdet." Zukunft meistern wir, wenn überhaupt, nur im Mitwissen um das Vergangene, so allein bildet sich auch Gewissen. Wir bleiben eine Nation, auch wenn wir in verschiedenen Staaten mit verschiedenen gesellschaftlichen Systemen leben. Wir verstehen die anderen Völker nicht, wenn wir nicht ihre nationale Vergangenheit kennen. Wir verstehen die anderen aber auch nicht, wenn wir nicht unsere nationale Vergangenheit kennen. Wie sollten wir denn ohne dieses Wissen unseren Weg in die Zukunft finden?

— Derzeit lebt unser Volk in zwei getrennten Staaten, zusätzlich durch verschiedene Gesellschaftssysteme auseinanderdividiert. Diese Situation gilt es als Folge nationaler Schuld zu bejahen. Eine Änderung dieser Lage ist nicht in unsere Hand gegeben — aber alle irdisch-geschichtliche Zukunft ist offen, dafür sollten auch wir uns offenhalten.

9. Einen politischen Beitrag im engeren Sinne leistete die Evangelische Kirche in Deutschland mit der neuen Denkschrift: „Frieden wahren, fördern und erneuern". Denkschriften wollen nicht als Enzykliken verstanden, sondern als Denkanstoß und Materialvorgabe für die eigene Mei-

nungsbildung gewertet sein. Auf diese ausgezeichnete Arbeit kann ich hier nur verweisen.

10. Der bloße Verweis auf Maßstäbe und Prinzipien greift nicht, wenn die Politiker diese Maßstäbe zwar anerkennen, aber nicht durchsetzen können. An dem echten Friedenswillen in Ost und West zweifelt heute niemand, genauer gesagt: an dem Wunsche, einen globalen Krieg möglichst zu vermeiden. Offensichtlich ist dieser Wille zwar stark, aber allein nicht durchschlagskräftig. Viele Personen und Situationen beeinträchtigen diesen Willen. Daher muß eine Kirchenleitung sich auch für die einzelnen, wirksamen Schritte dieses Friedenswillens stark machen. Wer aber Konkretionshilfen für unerläßlich erachtet, kann die politische Beurteilungskompetenz nicht allein staatlichen Instanzen überlassen. Hier muß es sich dann zeigen, daß der Glaube die Vernunft erst vernünftig macht.

11. Luther hielt „de servo arbitrio" für sein bestes Werk. Wörtlich übersetzt heißt der Titel seiner Schrift „Vom unfreien Willen", inhaltlich genauer „daß der freie Wille nichts sei". Wenn aber der freie Wille nichts ist, ist dann der gute Wille wesentlich mehr?

Nur allzu oft bewirkt das gute Wollen gerade nicht die gute Tat. Der böse Wille freilich erst recht nicht. Über beides kann aber ein anderer Wille Herr werden: „Ihr gedachtet es böse mit mir zu machen, aber Gott gedachte es gut zu machen, um zu tun, was jetzt am Tage ist, nämlich am Leben zu erhalten ein großes Volk!" (Gen 50,20).

Wer dieser Paradoxie des Lebens nicht ansichtig wurde, weiß nichts von jenem Geheimnis des Daseins, das in der Bewahrung, im Vertrauen und im Segen beruht. Und gerade dieses Wissen um Bewahrung befreit zu jener Tat, die wir nur mit Furcht und Zittern verantworten können.

Als evangelische Christen müssen wir hier wohl neu dazulernen, was die Kirche bedeutet: Familie der Glaubenden, Leib Christi — nicht nur die Quersumme vielfältiger und gar widersprüchlicher Einzelentscheidungen, sondern ein Ringen um jene geistliche Einmütigkeit, die ein gemeinsames Zeugnis trägt. Allgemeine Formulierungen wecken ebenso Ohnmachtsgefühle, wie es widersprüchliche Aussagen tun. Wenn wir geistlich einmütig und konkret politisch reden, dann können wir unsere Gemeindeglieder auch nachdrücklich seelsorgerlich ansprechen.

12. Der Pazifismus hat ein Heimatrecht in der Kirche, aber er kann als völliger Gewaltverzicht keinen kirchlichen Alleinvertretungsanspruch erheben. Die Kirche wird nachdrücklich für das Recht eintreten, den Wehrdienst aus Gewissensgründen zu verweigern. Sie wird dies tun, ohne eine anderslautende Gewissensentscheidung zu diffamieren. Mag der Staat von seiner Position das Recht auf Verweigerung zum Ausnahmerecht er-

klären und die Verteidigungspflicht für den demokratischen Bürger eines Rechtsstaates als Normalfall betrachten — wir werden als Kirche das im Grundgesetz verankerte Recht der Verweigerung aus Gewissensgründen dankbar hochschätzen. Evangelische Pfarrer beteiligen sich mit einem erheblichen Aufwand an Zeit und Kraft beratend als Beistände für Kriegsdienstverweigerer. Meiner Überzeugung nach soll dies überall beratend und nicht werbend erfolgen.

Wiederholt ist die Evangelische Kirche in Deutschland dafür eingetreten, auch ich persönlich, das derzeitige Anerkennungsverfahren abzuschaffen. Freilich wurde uns entgegengehalten, daß nicht die Gewissensentscheidung selbst geprüft werde, sondern nur die Ernsthaftigkeit dieser Gewissensentscheidung. Aber in der Praxis des Anerkennungsverfahrens ist diese Unterscheidung sehr schwer durchzuhalten, sie fällt faktisch in einen Vorgang zusammen.

Ich verkenne nicht: Die Mehrzahl der heute getroffenen Gewissensentscheidungen ist politisch situationsbedingt, sie entstammt keineswegs einem grundsätzlichen Pazifismus. Viele Wehrdienstverweigerer anerkennen die Notwendigkeit revolutionärer Gewaltanwendung in äußerst bedrückenden staatlichen Unrechtssituationen. Die Väter des Grundgesetzes hatten eine viel prinzipiellere Motivation im Blick, nebenbei auch die Zwangsverpflichtung durch eine Besatzungsmacht.

Persönlich rate ich zu einer Verlängerung der Ersatzdienstzeit, wenn damit die Ernsthaftigkeit der Gewissensentscheidung unter Beweis gestellt werden könnte und also das bisherige Anerkennungsverfahren entfallen würde. (In der DDR haben junge Christen dafür sogar die Kasernierung der Kriegsdienstverweigerer u. ä. m. angeboten). Im Ernstfalle eines Krieges oder unter einem anderen Staatensystem wird die Wehrdienstverweigerung zweifelsohne viel höhere Opfer erfordern. Alles im Leben hat seinen Preis, auch ernsthafte Gewissensbedenken. Mit Besitzstandswahrung und gewährleistenden Rechtsansprüchen sind im Ernstfalle Gewissensbedenken nicht durchzuhalten.

13. Wenn wir die Gewalt im zwischenstaatlichen Bereich ablehnen, so versuchen wir durch eine international anerkannte Rechtsordnung diese Gewalt zu ersetzen. Auf diesem Wege hat unser Jahrhundert nicht unerhebliche Fortschritte gemacht, freilich auch sehr schmerzliche Rückschritte erduldet. Ob nun aus Einsicht oder aus Angst, ein gewisses Maß öffentlichen Weltgewissens hat sich gebildet. Gewiß, dieses Weltgewissen wird noch immer verschwindend wenig respektiert und auch recht einseitig als irdische Appellationsinstanz gebraucht. Christen und Kirchen werden hier nüchtern, aber hoffentlich tatkräftig mitwirken. Wir wissen: Auch

die geringste Minimierung von Gewalt und Unrecht ist schon Grund zum Dank, auch wenn wir keine überschwenglichen Hoffnungen damit verbinden.

14. Der Osten redet wiederholt von „friedlicher Koexistenz", aber was bedeutet dieses Leninsche Prinzip, das durch Chruschtschow offiziell weitergeführt wurde?

Die neuere Näherbestimmung „sozialistischer Staaten" von „friedlicher Koexistenz" lautet: „Der weltweite Übergang zum Sozialismus bedarf längerer Phasen. Dabei ist der Fundamentalantagonismus ebenso unvermeidlich, wie Gewalt und Krieg als Möglichkeiten der Auseinandersetzung ausscheiden sollten. Ein nuklearer Krieg soll vermieden werden, die internationalen Spannungen sind unter der Atomschwelle zu regulieren. Sozialismus ist gleichbedeutend mit Frieden, daher kommt also nur eine ökonomische und nichtmilitärische Auseinandersetzung in Frage. Freilich ist auch Wirtschaftsspannung ein Klassenkampf, der ideologische Kampf muß unvermindert weitergehen. Erst nach dem weltweiten Sieg des Sozialismus wird diese Spannung entfallen. Für den Kommunismus ist daher ein Christ als Nichtkommunist innerhalb des eigenen Gesellschaftssystems anders zu bewerten als ein Christ außerhalb dieses Systems. Innerhalb des Systems ist ein Christ nicht mehr Klassenfeind, zu ihm besteht kein antagonistischer Gegensatz, sondern nur ein ‚bloßer Gegensatz'. Friedliche Koexistenz ist also eine Form des Klassenkampfes, das Ziel ist keineswegs die Erhaltung des Status quo. Klassenkampf und Friedenssicherung sind eine dialektische Einheit, die den Kampf zwischen Ideen einschließt, aber den Krieg ausschließt."

In der politischen Praxis hat zwar wiederholt die praktische Vernunft ideologische Forderungen mindestens ermäßigt oder verzögert, eine stete Gefährdung ist jedoch unübersehbar. Wir müssen als Kirche nicht auf „friedliche Koexistenz", sondern auf „ideologische Koexistenz" dringen. Ideologische Koexistenz bedeutet den Verzicht, den anderen durch List und Gewalt zu beseitigen, aber keinen Verzicht auf eigene Überzeugung. Der Sozialist östlicher Prägung darf ruhig der Überzeugung sein, daß an seinem Wesen die Welt genesen werde und dieses Wesen auch dereinst die ganze Welt beherrschen wird. Wir Christen sind dagegen der Überzeugung, daß unserem Herrn Jesus Christus „alle Gewalt gegeben ist im Himmel und auf Erden" und daß dies in einer anderen Zukunft für alle sichtbar werden wird. Ideologische Koexistenz würde also das Recht auf verschiedene Überzeugungen einschließen, aber eine so geartete Koexistenz verzichtet dann darauf, den anderen zu eliminieren. Das ist der entscheidende Unterschied.

Boris Pasternak faßte einst Dr. Schiwagos Erfahrungen zusammen: „Welche Verblendung! Die Interessen der Revolution und die Existenz des Sonnensystems sind ihm ein und dasselbe."

Friede ist der Leib der Wahrheit, so hat es C. F. v. Weizsäcker unlängst benannt. Offensichtlich gibt es ohne Wahrheit auf Dauer keinen Frieden. Und Christen versuchen die Wahrheit in Liebe zu sagen und auch in dieser Liebe durchzuhalten. Darum also „ideologische Koexistenz" ohne Verzicht auf Überzeugung, aber keine „friedliche Koexistenz" als verkappte Theorie eines modernen Kreuzzuges.

15. Im ökumenischen Kontext sind radikale Forderungen nach völligem Waffenverzicht laut geworden. Nairobi 1975: „Ohne Schutz von Waffen leben". Oder doch „eindeutiger Verzicht auf Nuklearwaffen", Nederlandse Hervormde Kerk. Ich werte dies als notwendige Problemanzeige, nicht als Problemlösung. Verlust der Freiheit und Selbstbestimmung gilt zu Recht als inhuman. Unsere Welt ist erwiesenermaßen nicht nur durch die Kriegsgefahr in ihrer Humanität bedroht. Zudem wäre es inkonsequent, für andere Regionen Freiheit und Humanität zu fordern, aber sie bei uns in einen möglichen Verzicht einzubeziehen.

Von Sachverständigen müssen wir uns wohl sagen lassen, daß die geforderten einseitigen Vorleistungen militärisch nicht kalkulierbar sind und die Rede von einem „begrenzten, kalkulierten Risiko" nicht unsinnig werden darf, um wirksam zu bleiben. Freilich ist auch das „Gleichgewicht" nicht definierbar, dies wurde an anderen Stellen dieses Buches dargelegt. Der Realitätssinn aller Politiker in Ost und West und der Bezug auf das berechtigte Eigeninteresse ist politisch wirksamer als jener moralische Rigorismus, der Prinzipien ohne Rücksicht auf die Nützlichkeit zitiert und praktiziert. Der Glaube kann die Vernunft vernünftig machen.

Viele junge Nationen erklären uns: „Die Reichen reden vom Frieden, die Armen von Gerechtigkeit." Für einige Nationen erscheint in ihrem Bereich der derzeitige Friede keineswegs als Kleid der Wahrheit oder der Gerechtigkeit. Wie schnell werden aber regionale Probleme zu globalen Konflikten?

Die Menschheit wird nur sinnvoll überleben, wenn es ihr gelingt, im planetarischen Ausmaß die Gesamtheit der Probleme zu respektieren. Dazu muß diese Menschheit in einem qualitativen Sprung eine neue Stufe der kollektiven Moral und auch der kollektiven Vernunft erreichen. Vernunft in diesem weltweiten Steuerungssinn wurzelt in einer Verantwortung, die nur als Wissen um das Jüngste Gericht zu definieren ist.

Wir sollten realistisch unsere Einflußmöglichkeiten einschätzen, wir können sie darum nicht überschätzen. Äußerlich erscheinen diese Möglichkeiten in der DDR minimal, in der Bundesrepublik gradweise besser. Aber selbst unsere Politiker haben nur einen begrenzten Wirkungsradius, den sie gottlob bislang voll ausschöpften. Vertrauensbildende Maßnahmen zum Osten sind möglich und wurden auch wahrgenommen. Der Gegenzug bleibt abzuwarten, wir können darauf nur hoffen. Ein halber Schritt in der richtigen Richtung ist weiterführender als ein Sprung zurück — diese Bescheidenheit mag nicht zeitgemäß sein, aber sie ist hilfreicher.

IV. Problemanzeige für den Glauben

Will Gott in unseren Jahrzehnten zu besonderen Einsichten weiterführen und uns helfen, seinen in Christus sichtbar gewordenen Willen für unsere Zeit tiefer zu verstehen? Zweifelsohne ist etwa unser Verhältnis zum Staat anders, ob wir als Christen unter einer atheistischen oder diktatorischen Regierung leben oder ob wir unser Staatswesen verantwortlich mitgestalten können.

1. „Gott setzte den Menschen in den Garten, daß er ihn bebaute und bewahrte" — diese Verantwortung für die Schöpfung wird doch für uns konkret in der Verantwortung für den eigenen Lebensraum, für die Erhaltung von Flora und Fauna, für eine nicht strahlenverseuchte und atomgeschädigte Natur und Kreatur. Wir sehen darum eine Verantwortung für unsere Erde, für unseren Kontinent, für Europa im besonderen.

Golo Mann hat die Geschichte Europas realistisch beurteilt, wenn er schreibt: „Die Geschichte Indiens, die Geschichte Chinas, auch die Geschichte von Europas Mutter, der klassischen Antike, hat das nicht, was der Entwicklung der europäischen Geschichte vom Mittelalter an bis heute zu vergleichen wäre: eine Gestaltenfülle, eine Schnelligkeit im Wandel, eine Kraft des Höhenfluges, eine Bewegung voll Intensität und Radikalität, die ihresgleichen nirgendwo hat. Woher käme das Schicksal, zu dem Europa dem Planeten geworden ist? Doch nicht nur von einer vorübergehenden technischen Überlegenheit? Woher käme denn die? Warum hallen heute nicht nur die Detonationen der von ihm erfundenen Waffen, auch die Stimmen seiner Philosophie, oft seiner schlechtesten Philosophie, Europa aus allen Himmelsrichtungen entgegen? Sollte Europa selbst einmal an Asiaten und Afrikanern zugrunde gehen, die Sieger würden ihren Sieg noch immer europäischer Wissenschaft verdanken, würden ihn in europäischen Begriffen, nicht mehr in ihren eigenen, alten artikulieren. Europa hat das Jetzt des Menschen geschaffen."

Wir müssen also nicht erst Vorstellungen von einem christlichen Abendland beschwören, wenn wir eine Verantwortung für unseren Kontinent in besonderer Weise bejahen. Freilich sollten wir uns der eigenen Tradition nicht nur schämen, sondern bei allen menschlichen Verirrungen und Verschuldungen auch Gottes Führungen erkennen. Vermutlich werden einige entscheidende politische Fragen nur im gesamteuropäischen Kontext genauer zu klären sein. Die alttestamentliche Forderung ist daher zu beschränken: „Suchet der Stadt Bestes". Unsere Polis, der von uns zu verantwortende Raum, ist bei aller globalen Weite doch in erster Linie Europa. Die Völkertafeln im Alten Testament haben auch den Sinn, Gottes Ordnungswillen, also seinen Friedenswillen, im Rahmen der Nationen und der Familien von Nationen aufzuweisen. Der Subjektivismus unserer Tage, auch der fromme Subjektivismus, hat eine Herzerweiterung dringend nötig.

2. Die Unterscheidung zwischen allgemein-verbindlicher Zielbeschreibung und persönlich-offener Einzelentscheidung für den konkreten Weg zu diesem Ziel hat nur relative Berechtigung, weil sich selbstverständlich von diesem Ziele her einige Wege als grundsätzlich möglich, andere als grundsätzlich unmöglich erweisen.

Es genügt nicht, nur den einzelnen auf seine Verantwortung anzusprechen und ihn zur Meinungsbildung zu ertüchtigen. Gegensätzliche Gewissensentscheidungen allein sind kein kirchlicher Dauerzustand. Die Kirche als Gemeinschaft der Glaubenden gleicht einer Familie, die ihren Gliedern auch hilfreiche Handreichungen bietet. Gewiß kann eine solche Weisung nicht glaubensgesetzlich binden, aber es ist lieblos, stets alle Lasten auf die Schultern des einzelnen zu legen und gleichsam zu sagen: „Da siehe du zu." Die Notwendigkeit hilfreicher Lehre (im Neuen Testament „die gesundmachende Lehre") gehört für uns doch auch zu dem Erfahrungsfazit jüngster Kirchengeschichte — wozu wäre sonst das Stuttgarter Schuldbekenntnis formuliert worden? Noch sperren wir uns als evangelische Christen sehr gegen diese geistliche Erfahrung, aber sie wird mehr und mehr übermächtig.

Die Kirche Jesu Christi hat auch einen Lehrauftrag an ihren Gliedern. Nicht als ob ein Geistlicher einen Ungeistlichen belehren müsse, wir kennen das Priestertum aller Gläubigen. Wer Christus vertraut, besitzt auch den Heiligen Geist. Aber die Gemeinde läßt den einzelnen nicht in Verlegenheit und Ratlosigkeit.

Weisung zu vermitteln, die der einzelne prüfen und für sich persönlich übernehmen muß — das ist uralte und bleibende Aufgabe. Der Apostel Paulus hat der Gemeinde in Korinth sehr konkrete Weisung in Ehefragen, im Umgang mit den Heiden oder für den Gottesdienst gegeben. Es ist ebenso billig wie lieblos, alle Entscheidungen völlig dem einzelnen Gemeindeglied ohne Hilfe überstellen zu wollen. Wir respektieren die Gewissensentscheidung für den Wehrdienst und die Gewissensentscheidung für Kriegsdienstverweigerung, beides erachten wir für möglich. Für unmöglich erachte ich aber, nur eine dieser Entscheidungen für christlich verantwortlich zu halten. Dies muß die Kirche auch begründend vertreten. Die Forderung nach anscheinend eindeutigen Worten der Kirche fordert stets nur die Option der ganzen Kirche für den eigenen Standpunkt.

3. Die Bedeutung der Bergpredigt ist heute neu zu bedenken. Dabei darf nicht nur jener Teil zitiert werden, der anscheinend in unser politisches Tageskonzept paßt. Die Bergpredigt ist eine Einheit. „Wer dir einen Streich gibt auf die rechte Backe, dem biete die andere auch dar" — neben diesem Wort steht auch der Hinweis auf den Ehebruch durch den begehrlichen Blick oder auf den Totschlag durch das böse Wort. Die neue Existenz der Christen fügt sich in kein Schema der Welt. Das Absolute wird erwartet: „Ihr sollt vollkommen sein, gleich wie euer Vater im Himmel vollkommen ist." Das Absolute ist nicht die Steigerung des Relativen, sondern sein Gegenteil. Wer aus diesen Hinweisen auf die neue Existenz der Christen ein Gesetz macht, verkennt, daß eine Jüngerunterweisung nicht zum Weltgesetz erhoben werden kann. Zudem beginnt die Bergpredigt mit den Seligpreisungen, hier wird paradox den Jüngern an der Grenze ihrer Möglichkeiten das Unerwartete zugesagt. Jedes Wort der Wahrheit besitzt auch den Ort der Wahrheit. Nur wer zur Verzweiflung an sich selbst geführt wurde, wird in dieser Tiefe auch Gottes Vergebung und eines anderen Weges inne.

Darum kann ein Christ wohl für seine Person erklären, keine Waffen anrühren zu wollen, erst recht keine atomare Vernichtungswaffe — aber darf er dies anderen als Nötigung auferlegen? Und ist er wegen dieser seiner Entscheidung vor Gott gerechter als ein anderer? Feiert nicht der Pharisäer in uns gerade durch moralischen Rigorismus eine traurig-fröhliche Wiederkehr? Muß hier nicht eine „gesunde Lehre" der Kirche weiterhelfen?

4. Wird uns eigentlich die unerhörte Politisierung der Kirche und des Glaubens überhaupt noch bewußt? Wir reden so, als ob es kein anderes Thema als den Frieden gäbe. Wieder einmal scheint alle Bosheit nur auf einen Punkt konzentriert zu sein, diesmal auf die Aufrüstung oder „Nachrüstung". Wiederum wird eine irrige Hoffnung erweckt, als ob mit der Ausmerzung dieses einen Punktes das Übel zu packen und mit der Wurzel auszurotten sei. Wiederum wird zum falschen, gesetzlichen Verhalten verleitet, an diesem Prüfstein Christ und Nichtchrist, Wahrheit und Irrtum scheiden zu können. Diese Fixierung auf einen Punkt bringt

Härte und Unduldsamkeit in die Diskussion, ein unsachliches Pathos, einen verschleierten Blick für die Fülle der Schwierigkeiten. Von daher werden wir undankbar für die Gegenwart und blind für die erheblichen Übereinstimmungen in der Beurteilung der Situation in den vielfältig gemeinsamen Grundeinsichten.

Zum Streit um den Frieden sollten wir nicht aufrufen, wir dürfen doch nicht partiell widerlegen, was wir global anstreben. Weg und Ziel sind eine Einheit. Der Friede zeigt sich auch in der Art, wie wir unterschiedliche Meinungen austragen. Wir müssen einander über die Gefährdung des Weltfriedens beunruhigen, aber es ist weder möglich noch hilfreich, für den Frieden Krieg zu führen. Genau dies droht dort, wo wir den Streit um den Frieden beginnen. Die Paradoxien werden dann leicht größer, als daß wir sie ertragen könnten. Wo die Dimension von Furcht und Zittern fehlt, erfassen wir Gottes Willen nicht. Christus will bewahren, nicht verurteilen.

Die Heidelberger Thesen zur Frage von Krieg und Frieden im Atomzeitalter (1959)

These 1

Der Weltfriede wird zur Lebensbedingung des technischen Zeitalters

In der verworrenen Debatte über das Atomproblem suchen die Menschen mit Recht nach einer einfachen Aussage, die zum Leitfaden des Handelns werden könnte. Wir glauben, daß diese Einfachheit nicht in Regeln gefunden werden kann, welche einzelne Handlungen gebieten oder verbieten, wohl aber im Ziel des Handelns. Dieses Ziel muß die Herstellung eines haltbaren Weltfriedens sein.

Früheren Zeiten mußte der Weltfriede als ein wahrscheinlich unerreichbares Ideal erscheinen. Christen mußten geneigt sein, ihn erst mit dem Jüngsten Gericht zu erwarten. Für unser technisches Zeitalter aber wird er zur Lebensbedingung. Er beginnt heute genau deshalb möglich zu werden, weil er notwendig wird. Die Atomwaffe ist nur das heute deutlichste Symptom derjenigen Wandlung des menschlichen Daseins, die ihn zur Bedingung unseres Lebens macht. Das ständige Wachstum der Gebiete, die von einer Zentrale aus regiert werden können, die Reduktion der Anzahl wirklich souveräner Staaten, die wachsende wirtschaftliche Verflochtenheit der Welt sind ebenso wie die unablässige Weiterentwicklung auch aller nicht atomaren Waffen andere Symptome desselben Prozesses.

Die Notwendigkeit des Weltfriedens ist kein Satz des Christentums und erst recht kein schwärmerischer Satz, sondern eine Aussage der profanen Vernunft. Der Weltfriede des technischen Zeitalters ist nicht das Paradies auf Erden. Es könnte leicht sein, daß wir ihn um den Preis der staatsbürgerlichen Freiheit erhalten werden, zumal wenn er auf dem Wege über einen dritten Weltkrieg zustande käme. Der Friede ist in einer versklavten Welt vielleicht leichter rational zu planen als in einer freien. Äußerster Anstrengung wird es vielleicht bedürfen, nicht damit er überhaupt kommt, sondern damit er nicht über Katastrophen kommt und damit in ihm die Freiheit bewahrt bleibt.

These 2

Der Christ muß von sich einen besonderen Beitrag zur Herstellung des Friedens verlangen

Obwohl die Notwendigkeit des Weltfriedens ein Satz der profanen Vernunft ist, hat die Christenheit auf dem Weg zu ihm eine besondere Aufgabe.

Der rational geplante Friede hat die Zweideutigkeit, die sich zum Beispiel darin zeigt, daß er mit der rational geplanten Sklaverei Hand in Hand gehen könnte. Heute ist die Menschheit hin und her gerissen zwischen der Angst vor dem Krieg, die sie in Versuchung führt, sich der Sklaverei zu ergeben, und der Angst vor der Sklaverei, die sie in Versuchung führt, den Krieg, zu dem sie gerüstet ist, ausbrechen zu lassen. Die Angst ist der schlechteste Ratgeber. Die Angst ist aber ein Attribut der Welt, und die Steigerung der technischen Mittel, die uns von der Angst vor so vielen Naturkräften befreit hat, hat die Angst vor dem Mitmenschen mit gutem Grund erhöht. Gerade unser vom Verstand erhelltes Zeitalter leidet an dumpfer Angst vor seiner eigenen Unberechenbarkeit. Den Christen und durch sie allen ihren Brüdern ist gesagt: In der Welt habt ihr Angst, aber seid getrost, Ich habe die Welt überwunden. Durch die Christen sollte der Friede Gottes in der Welt wirksam werden, der allein den Frieden der Welt zum Segen werden lassen kann.

Wie kann das geschehen? Wir wenden uns zunächst wieder zu der Aufgabe, die die profane Vernunft vorschreibt.

These 3

Der Krieg muß in einer andauernden und fortschreitenden Anstrengung abgeschafft werden

Die Erkenntnis der Notwendigkeit der Abschaffung des Krieges ist nicht identisch mit seiner tatsächlichen Abschaffung. Seit 1945 finden ständig begrenzte Waffengänge statt. Daß in zukünftigen begrenzten Konflikten Atomwaffen eingesetzt werden, ist möglich, ja wachsend wahrscheinlich. Daß ein solcher Kampf in den totalen Weltkrieg umschlägt, ist jederzeit möglich.

Die Fortdauer der Kriege macht es nötig, ständig weiter an der Humanisierung des Krieges zu arbeiten. Hierzu gehört der unerläßliche Versuch, auch in Zukunft den Einsatz von Atomwaffen in lokalen Konflikten zu verhindern. Wir würden es aber für einen verhängnisvollen Irrtum halten, wollte man in der Fortdauer begrenzter Kriege einen stabilen Zustand sehen. Nicht die Ausschaltung der Atomwaffen aus dem Krieg, sondern die Ausschaltung des Krieges selbst muß unser Ziel sein.

In den Berichten dieses Bandes sind die realen Ansätze besprochen, die hierfür heute bestehen. Die Kapitulation gegenüber einer diktatorischen Weltmacht rechnen wir nicht zu den realen Möglichkeiten. Die Menschheit ist heute dazu nicht bereit. Im übrigen würde die Kapitulation vor der Gewalt, auch wenn sie zunächst äußere Ruhe herstellen mag, den Frieden schwerlich dauerhaft sichern, da siegreiche Gewalt mit sich selbst und mit den Unterdrückten in Konflikt kommen wird. Alle anderen Wege aber sind langwierig, und ihr Erfolg ist ungewiß.

Wir dürfen darüber nicht überrascht sein. Die Gegenwart des Krieges in der Menschheit gleicht einer tausendjährigen chronischen Krankheit. Zahllose Institutionen und Reaktionsweisen setzen seine Möglichkeit voraus. Das gegenwärtige Gleichgewicht des Schreckens bedient sich der fortdauernden Kriegsfähigkeit des Menschen, um den Kriegsausbruch hintan zu halten; es gleicht einer gefährlichen Schutzimpfung mit dem Krankheitsserum selbst. Was wir als äußerstes von ihm erwarten dürfen, ist, daß es uns eine Zeitspanne zur konstruktiven Arbeit am Frieden gewährt.

These 4

Die tätige Teilnahme an dieser Arbeit für den Frieden ist unsere einfachste und selbverständlichste Pflicht

Die größte Gefahr für den Frieden ist, daß die Zeitspanne, die uns das gegenwärtige Kräftegleichgewicht läßt, in träger Resignation vertan wird. Lähmung ist die schlimmste Wirkung der Angst, Sattheit ist meist nur ihr Deckmantel. Weite und Unsicherheit des Wegs rechtfertigen nicht den Verzicht auf den ersten Schritt.

Über die Aufzählung der bestehenden politischen und völkerrechtlichen Ansätze hinaus ein konkretes Aktionsprogramm zu entwerfen, ist nicht die Aufgabe dieses Berichts; dies würde seine, nicht unter diesem Gesichtspunkt ausgesuchten Verfasser überfordern. Wir glauben aber, eines sagen zu dürfen: Für jeden Menschen, zumal wenn er im Besitz staatsbürgerlicher Freiheit ist, bietet sich wenigstens eine Stelle, an der er seinen eigenen Beitrag leisten kann, mag dieser Beitrag auch nur in Handlungen individueller praktischer Nächstenliebe bestehen. Jede Lösung eines Krampfes trägt zur Ermöglichung des Friedens, jeder sinnvolle aktive Gebrauch von Freiheit trägt zur Bewahrung der Freiheit bei. Rings um jeden Menschen, der die Angst überwunden hat, bildet sich eine Zone, in der die Lähmung aufhört. Die Unterschätzung dieser scheinbar kleinen menschlichen Schritte ist eine der tödlichsten Gefahren für die großen Ziele.

These 5

Der Weg zum Weltfrieden führt durch eine Zone
der Gefährdung des Rechts und der Freiheit,
denn die klassische Rechtfertigung des Krieges versagt

Es ist seit langem die herrschende Lehre der Christenheit gewesen, daß der Christ, auch wenn er auf die Gewalt zum Selbstschutz zu verzichten bereit ist, ihrer zum Schutz seiner Mitmenschen nicht entraten könne. Ihre Anwendung wurde durch Regeln des rechten Gebrauchs eingeschränkt. In bezug auf den Krieg waren diese in der Lehre vom gerechten Krieg zusammengefaßt, die ja nicht eine Rechtfertigung, sondern eine Begrenzung des als unvermeidlich anerkannten Übels des Krieges bezweckte. Krieg sollte nur zur Abwehr größeren Übels und nur so geführt werden, daß er nicht selbst zum größeren Übel wurde. Niemand kann leugnen, daß dieses Prinzip in der Christenheit durch die Jahrhunderte hindurch immer wieder flagrant verletzt worden ist. Aber wenigstens war sein prinzipieller Sinn klar; wenigstens die Möglichkeit seiner Anwendung bestand.

Wir sehen nicht, wie dieses Prinzip auf den Atomkrieg noch angewandt werden kann. Er zerstört, was er zu schützen vorgibt. Wie können wir die Erhaltungsordnung, die der Schöpfer gewollt hat, zur Rechtfertigung atomarer Kriegführung in Anspruch nehmen? Wir brauchen die subjektive Aufrichtigkeit derer nicht in Zweifel zu ziehen, die von der Entwicklung kleiner und sauberer Atomwaffen eine Humanisierung des Atomkrieges erhoffen, ebensowenig wie die Möglichkeit, daß einmal begrenzte Konflikte mit diesen Waffen ausgefochten werden können; aber auch ihre Wirkung ist schlimm genug, und die Gefahr einer Überschreitung so künstlich gezogener Grenzen des Einsatzes vorhandener Waffen ist groß genug, um uns die Errichtung einer neuen stabilen Ordnung humaner Kriegführung mit ihnen als ausgeschlossen erscheinen zu lassen.

Dies aber bedeutet, daß in unserer Welt Lagen eintreten, in denen das Recht keine Waffe mehr hat. Die ultima ratio der kriegerischen Selbsthilfe wird durch die Mittel, deren sie sich bedienen müßte, lebensgefährlich und moralisch unerträglich; eine Instanz, an die sich das bedrängte Recht, die bedrängte Freiheit mit Aussicht auf Erfolg wenden könnte, besteht aber für viele Fälle nicht. Einzelne Völker und Gruppen waren immer in der Geschichte in dieser Lage; heute gewinnt sie eine universelle Bedeutung.

Zusammengefaßt erscheint sie den Bürgern der westlichen Welt in dem Dilemma, ob sie die Rechtsordnung der bürgerlichen Freiheit durch Atomwaffen schützen oder ungeschützt dem Gegner preisgeben sollen. Wir glauben zwar, daß die Berufung auf dieses Dilemma in vielen Fällen ein bloßer Vorwand für eine Politik ist, die in Wahrheit nationale oder persönliche Macht zum Ziel hat. Auch verkennen wir nicht, daß die Bürger kommunistischer Staaten die Überzeugung haben können, daß sie sich bezüglich des Schutzes der ihnen wichtigen Züge ihrer Gesellschaftsordnung in einem entsprechenden Zwiespalt befinden. Wie aber auch immer das Dilemma ausgedrückt oder umgedeutet werden mag — wir können nicht leugnen, daß es heute tatsächlich die Weltpolitik überschattet.

Wir wenden uns nun zu den Entscheidungen, die dieses Dilemma von uns fordert.

These 6

Wir müssen versuchen, die verschiedenen im Dilemma
der Atomwaffen getroffenen Gewissensentscheidungen
als komplementäres Handeln zu verstehen

Die Spandauer Synode der EKD von 1958 hat zu diesen Entscheidungen die Sätze gesagt:

„Die unter uns bestehenden Gegensätze in der Beurteilung der atomaren Waffen sind tief. Sie reichen von der Überzeugung, daß schon die Herstellung und Bereithaltung von Massenvernichtungsmitteln aller Art Sünde vor Gott ist, bis zu der Überzeugung, daß Situationen denkbar sind, in denen in der Pflicht zur Verteidigung der Widerstand mit gleichwertigen Waffen vor Gott verantwortet werden kann. Wir bleiben unter dem Evangelium zusammen und mühen uns um die Überwindung dieser Gegensätze. Wir bitten Gott, er wolle uns durch sein Wort zu gemeinsamer Erkenntnis und Entscheidung führen."

Es ist bisher nicht gelungen, diese Auffassungen miteinander auszugleichen, und es hat nicht den Anschein, als ob es bald gelingen werde. Die
Verfasser des vorliegenden Berichts haben in ihre Kommissionsarbeit
Überzeugungen mitgebracht, die einen erheblichen Teil der Spannweite
überdecken, die in dem Wort der Synode angedeutet ist. Sie haben an sich
selbst erfahren, wie schwer es ist, diese Differenzen zu überwinden, und
sie haben sich über manche wichtigen Punkte nicht geeinigt. Aus der Erfahrung ihres zweijährigen ständigen Gesprächs heraus glauben sie jedoch, daß der Satz „Wir bleiben unter dem Evangelium zusammen" eine
tiefere Bedeutung hat als die einer bloßen gegenwärtigen Duldung des Un-
versöhnbaren.

Die Liebe muß uns drängen, die Gründe des Bruders, der sich anders
entscheidet als wir, mit besonderer Sorgfalt zu prüfen und sie zu verstehen, auch wo wir sie verwerfen. Freilich gibt es Fälle, in denen Verstehen
nicht zu duldender Anerkennung führen darf. Wir glauben jedoch, daß es
für nach außen entgegengesetzte Entscheidungen im Atomproblem einen
gemeinsamen Grund geben kann, von dem aus verstanden sie einander geradezu fordern.

Der gemeinsame Grund muß das Ziel der Vermeidung des Atomkrieges
und der Herstellung des Weltfriedens sein. Keine Handlungsweise, die
nicht auf diesem Grund ruht, scheint uns für einen Christen möglich. In
der gefährdeten und vorbildlosen Lage unserer Welt können aber Menschen von verschiedenem Schicksal und verschiedener Erkenntnis verschiedene Wege zu diesem Ziel geführt werden. Es kann sein, daß der eine
seinen Weg nur verfolgen kann, weil jemand da ist, der den anderen Weg
geht (vgl. These 11). Mit einem aus der Physik entlehnten Wort nennen
wir solche Wege komplementär.

Wir schildern diese Wege und ihre Zusammengehörigkeit so, wie wir sie
sehen.

These 7

Die Kirche muß den Waffenverzicht als eine christliche Handlungsweise anerkennen

Der absolute Waffenverzicht der Friedenskirchen ist in früheren Zeiten
von den herrschenden Kirchen verurteilt worden. Die Überzeugung brei-
tet sich heute auch bei denen aus, die nicht Pazifisten sind, daß dieser Verzicht als eine den Christen mögliche Haltung anerkannt werden muß. Die

Schrecken der Atomwaffen sind so groß, daß wir es als unbegreiflich empfinden müßten, wenn sich ihnen gegenüber ein Christ nicht wenigstens ernstlich prüfte, ob der Verzicht auf sie, ohne Rücksicht auf die Folgen, nicht unmittelbar verständliches göttliches Gebot ist.

Die einzige uns begreifliche Rechtfertigung des Besitzes von Atomwaffen ist, daß ihre Anwesenheit heute den Weltfrieden vorläufig schützt. Ihre Anwesenheit wirkt aber nur, wenn mit ihrer Anwendung für bestimmte Fälle gedroht wird. Die Drohung wirkt nur, wenn die Bereitschaft, Ernst zu machen, vorausgesetzt werden kann. Eine Rechtfertigung ihres tatsächlichen Einsatzes durch die traditionelle Kriegsethik vermögen wir aber (vgl. These 5) nicht mehr zu geben.

Dieser Gedankengang hat nach unserer Ansicht jedenfalls eine allgemeine und eine individuelle Konsequenz.

Die allgemeine Konsequenz ist, daß die Unmöglichkeit einer grundsätzlichen Rechtfertigung des Atomkriegs nach der Lehre vom gerechten Krieg ausdrücklich anerkannt werden muß. Über die Frage, ob Atomrüstung gleichwohl gerechtfertigt werden kann, siehe These 8.

Die individuelle Konsequenz ist, daß jeder, den sein Gewissen drängt, hieraus die Konsequenz eines vollen freiwilligen Verzichts auf jede Beteiligung an diesen Waffen zu ziehen, von der Kirche in dieser Haltung anerkannt werden muß. Auch wer die entgegengesetzte Entscheidung trifft, weiß nicht, ob nicht jener den Weg gewählt hat, der mehr im Sinne des Evangeliums ist. In Lagen wie diesen erschließt oft genug erst das Wagnis die Erkenntnis, zeigt erst der getane Schritt den festen Boden, auf den der Fuß beim nächsten Schritt gesetzt werden kann.

Daß diese Entscheidung die einzige dem Christen mögliche sei, behaupten wir jedoch nicht. Ob oder unter welchen Umständen sie von der des vollen Verzichts auf jeden Kriegsdienst noch getrennt werden kann, erörtern wir nicht.

These 8

Die Kirche muß die Beteiligung an dem Versuch,
durch das Dasein von Atomwaffen einen Frieden in Freiheit
zu sichern, als eine heute noch mögliche christliche
Handlungsweise anerkennen

Verzichtete die eine Seite freiwillig auf Atomwaffen, so wäre die totale militärische Überlegenheit der anderen Seite damit besiegelt. Wir können

nur glauben, daß derjenige, der sich zum *persönlichen* Atomwaffenver-
zicht entschließt, weiß, was er tut, wenn er sich diese Konsequenz eines
allgemeinen Verzichts der einen Seite klarmacht. Voraus wissen kann man
die Folgen einer solchen Verschiebung der Machtverhältnisse nicht. Aber
in dem uns näherliegenden Fall, daß es die westliche Welt wäre, die einen
solchen Verzicht leistete, kann wenigstens das Risiko nicht geleugnet werden, daß unsere Begriffe von Recht und Freiheit für unabsehbare Zeit ver-
lorengingen. Wie weit oder unter welchen Voraussetzungen in der Welt,
die dann auf uns wartet, christliches Leben möglich wäre, wissen wir
ebenfalls nicht.

Die Beibehaltung der westlichen Atomrüstung strebt an, dieses Risiko
zu vermeiden. Sie läuft dafür das Risiko des Atomkrieges. Dies ist die
Haltung, die die westliche Welt tatsächlich einnimmt. Wir müssen uns
darüber klar sein, daß jeder politische Vorschlag, der in der absehbaren
Zukunft Aussicht auf Verwirklichung haben soll, die Beibehaltung dieser
Rüstung zum mindesten seitens Amerikas voraussetzen muß.

Dies allein braucht die Kirche nicht zu bewegen, diese Haltung anzuerkennen. Die Kirche kommt in der Geschichte immer wieder in Lagen, in
denen sie zu der einzigen Politik, die zur Zeit Aussicht auf Verwirklichung
hat, nein sagen muß. Uns scheint jedoch, daß, da auf beiden Seiten Risiken stehen, die wir als nahezu tödlich empfinden müssen, der Weg des
Friedensschutzes durch Atomrüstung heute nicht verworfen werden
kann. Es muß nur unbedingt feststehen, daß sein einziges Ziel ist, den
Frieden zu bewahren und den Einsatz dieser Waffen zu vermeiden; und
daß nie über seine Vorläufigkeit eine Täuschung zugelassen wird.

These 9

Für den Soldaten einer atomar bewaffneten Armee gilt:
Wer A gesagt hat, muß damit rechnen, B sagen zu müssen;
aber wehe den Leichtfertigen!

Für den Christen stellt sich die Frage atomarer Bewaffnung oft weniger
als die ihm praktisch entzogene politische Entscheidung über Ja oder Nein
solcher Rüstung, sondern als die seines persönlichen Wehrdienstes. Wir
glauben, daß hier die Entscheidung im wesentlichen schon mit seinem
Eintritt in den Wehrdienst fällt und daß dies öffentlich gesagt werden
müßte. Innerhalb einer Armee, die Atomwaffen besitzt, besondere Gruppen von Atomdienstverweigerern zuzulassen, dürfte für eine Wehrmacht

kaum möglich sein; die Forderung danach scheint uns auch die Entscheidung an die falsche Stelle zu verlegen. Wir halten es zwar für einen Christen für unmöglich, in einer solchen Armee zu dienen, wenn er diesen Dienst anders als im Sinne der Friedenserhaltung versteht und wenn er nicht annehmen darf, daß seine Regierung ihn ebenso auffaßt. Aber indem er sich dem militärischen Gehorsam unterstellt, erklärt er sich bereit, die größten vorhandenen Waffen gegebenenfalls auch anzuwenden; die Drohung, die ja den Frieden schützen soll, ist sonst illusorisch. Wiederum muß zwar in unserer Lage die militärische Führung mit der Möglichkeit rechnen, daß ein Soldat gewisse Befehle, vom Gewissen gehindert, nicht ausführen wird; auch darum wehe denen, die leichtfertige Befehle geben. Die Maschinerie des Militärs kann sich aus der Teilhabe an der unerträglichen Zwiespältigkeit unserer Situation nicht ausschließen. Aber dies kann für den Soldaten nicht eine grundsätzliche reservatio mentalis rechtfertigen; er kann, so scheint uns, nicht den grauen Rock anziehen, wenn er von vornherein entschlossen ist, im Ernstfall dem Befehl nicht zu folgen.

Wir sprechen hier vom Soldaten, weil sich, zumal für das allgemeine Bewußtsein, an seiner Lage dieses Problem am deutlichsten zeigt. Dieselben Gewissensfragen stellen sich in oft unscheinbarer Form vielen anderen Menschen, z. B. dem, der Waffen herstellt oder herstellen könnte, den Büromitarbeitern und Arbeitskräften in Fabriken und an Baustellen und letzten Endes dem Politiker, dem Parlamentarier und dem Wähler.

Wie fragwürdig diese Lage immer bleibt, zeigt jedoch die folgende Überlegung: sollte es zum Ausbruch eines atomaren Krieges kommen, so könnten wir als Rechtfertigung des Einsatzes dieser Waffen — da wir die traditionelle Rechtfertigung dafür ausdrücklich verworfen haben — nur die Feststellung zulassen, daß die Drohung ohne Bereitschaft zum Ernstmachen sinnlos gewesen wäre; daß also nun die Folgen des Versagens des Friedensschutzes durch diese Drohung eingetreten und von uns zu tragen sind. Der Christ wird dies nicht anders denn als ein Gericht Gottes über uns alle verstehen können.

These 10

Wenn die Kirche überhaupt zur großen Politik das Wort nimmt, sollte sie den atomar gerüsteten Staaten die Notwendigkeit einer Friedensordnung nahebringen und den nicht atomar gerüsteten raten, diese Rüstung nicht anzustreben

Die politische Wirksamkeit der Kirche scheint uns nicht dort am stärksten und am heilsamsten zu sein, wo sie direkt zu politischen Entscheidungen das Wort nimmt. Es gibt aber immer wieder Lagen, in denen der Verzicht auf eine Stellungnahme selbst eine Stellungnahme ist. Nur in diesem Sinne scheint es uns nötig, zu präzisieren, was die Kirche gegebenenfalls den Regierungen sagen soll.

Es schiene uns sinnlos, wenn die Kirche die Weltmächte heute zum Verzicht auf die Atomrüstung bereden wollte. Hingegen ist es ihre Aufgabe, das Bewußtsein ständig wachsen zu lassen, daß der heutige Zustand nicht dauern darf. Ihre Sache war es immer, sich auch dann mit einem Zustand nicht zufriedenzugeben, wenn die Welt ihn für unabänderlich hielt. Leider sind heute oft die Nichtchristen eher bereit, solche Änderungen für möglich zu halten, als die Majorität der Christen.

Den noch nicht atomar gerüsteten Ländern kann die Kirche, so scheint uns, vom Streben nach dieser Rüstung nur abraten. Sie muß den Blick über die Grenzen der einzelnen Nation auf die Gefahren des „Atomaren Chaos" richten. Sie wird das können, ohne in politischen Einzelfragen über das Maß ihrer tatsächlichen Information hinaus Partei zu nehmen.

These 11

Nicht jeder muß dasselbe tun,
aber jeder muß wissen, was er tut

Wir sind auf die Kritik gefaßt, das in den obigen Thesen Gesagte sei zu wenig und vermeide die Härte der Entscheidung. Einzelne unter uns haben sich persönlich weitergehend entschieden, als es in einer Formulierung eines mühsam erarbeiteten consensus ausgesprochen werden kann. Niemand kann schärfer als wir empfinden, wie viel wir unentschieden gelassen haben, vermutlich weil wir es nicht tief genug erkannt haben.

Wir wünschen aber klar zu sagen, daß wir eine bloß äußerliche Einheitlichkeit der Entscheidung für noch schlechter hielten als divergierende Entscheidungen, in denen jeder weiß, was er tut. Faktisch stützt heute jede der beiden Haltungen, die wir angedeutet haben, die andere. Die atomare Bewaffnung hält auf eine äußerst fragwürdige Weise immerhin den Raum offen, innerhalb dessen solche Leute wie die Verweigerer der Rüstung die staatsbürgerliche Freiheit genießen, ungestraft ihrer Überzeugung nachzuleben. Diese aber halten, so glauben wir, in einer verborgenen Weise mit den geistlichen Raum offen, in dem neue Entscheidungen vielleicht möglich werden; wer weiß, wie schnell ohne sie die durch die Lüge stets gefährdete Verteidigung der Freiheit in nackten Zynismus umschlüge.

Solche Erwägungen rechtfertigen den heutigen Zustand nicht anders denn als rasch vorübergehenden Übergang. Die Kirche muß sich sagen, daß es erschreckend ist, wie wenig sie vermag. Wir tragen die Sünden der Vergangenheit an unserem Leib. Das Kollektivbewußtsein ist nur zu wenigen groben Bewegungen fähig. Das Gewissen und die Disziplin einzelner müssen ihm stets vorangehen. Diese zu entfalten ist der Sinn unserer letzten These: Jeder muß wissen, was er tut.

Abkürzungen

AACC	All Africa Conference of Churches deutsch: Gesamtafrikanische Kirchenkonferenz
ABM	Anti Ballistic Missile deutsch: Anti-Raketen-System
ASEAN	Association of South East Asian Nations Zusammenschluß südostasiatischer Staaten
BDKJ	Bund der Deutschen Katholischen Jugend
CAJ	früher: Christliche Arbeiterjugend heute: Junge Christliche Arbeitnehmer
CCiA	Commission of the Churches on International Affairs
CENTO	Central Treaty Organisation Nahostpakt von USA, Türkei, Iran, Irak, Pakistan und Großbritannien, 1955 gegründet
CFK	Christliche Friedenskonferenz
CSSR	Ceskoslovenská Socialistická Republika Tschechoslowakei (seit 1960)
DDR	Deutsche Demokratische Republik
DGFK	Deutsche Gesellschaft für Friedens- und Konfliktforschung
EKD	Evangelische Kirche in Deutschland
FEST	Forschungsstätte Evangelische Studiengemeinschaft
HT	Heidelberger Thesen
KAB	Katholische Arbeiterbewegung
KEK	Konferenz europäischer Kirchen
KKiA	Konferenz der Kirchen für internationale Angelegenheiten
KSZE	Konferenz für Sicherheit und Zusammenarbeit in Europa
LRNTF	Long Range Theater Nuclear Forces Hierbei handelt es sich um Systeme mit Reichweiten über 1000 km: Mittelstreckenbomber, schwere Jagdbomber und Mittelstreckenraketen
MBFR	Mutual and Balanced Force Reductions deutsch: Gegenseitige und ausgewogene Truppenverminderungen

NATO	North Atlantic Treaty Organisation deutsch: Nordatlantik-Pakt
ÖRK	Ökumenischer Rat der Kirchen
SALT	Strategic Arms Limitation Talks deutsch: Gespräche über die Begrenzung strategischer Waffen
SED	Sozialistische Einheitspartei Deutschlands
SS 20	Seit 1976 von der Sowjetunion eingeführte Mittelstrecken-rakete mit einer Reichweite bis zu 5 000 km und drei atoma-ren Sprengköpfen
TNF	Theater Nuclear Forces Dies ist die Bezeichnung für die Nuklearkräfte der Nato und des Warschauer Paktes in und für Europa
TNT	Trinitrotoluol
UNO	United Nations Organisation

Die Autoren

Dr. Armin Boyens, ehemaliger Mitarbeiter im Stab des Ökumenischen Rates der Kirchen in Genf und Verfasser mehrerer Untersuchungen zur Geschichte der Ökumenischen Bewegung, ist Militärdekan im Evangelischen Kirchenamt für die Bundeswehr in Bonn.

Lothar Domröse, Generalleutnant a. D., geb. 1920, von 1939 bis 1945 Wehrmacht, in Rußland schwer verwundet, nach kurzer englischer Kriegsgefangenschaft Geschäftsführer einer Transformatorenfabrik. 1956 Eintritt in die Bundeswehr; wechselnde Truppen- und Stabsverwendung im nationalen und NATO-Bereich; zuletzt bis 31. März 1981 stellvertretender Chef des Stabes in SHAPE (Supreme Headquarters Allied Powers Europe) Belgien.

Reinhard Henkys, Leiter des Evangelischen Publizistischen Zentrums Berlin (West), ist Journalist. Seit Mitte der 60er Jahre beobachtet er kontinuierlich die kirchlichen und kirchenpolitischen Entwicklungen in der DDR.

Professor Dr. Roman Herzog, Innenminister in Baden-Württemberg, Vorsitzender des Evangelischen Arbeitskreises der CDU/CSU und Mitglied im Bundesvorstand der CDU. Mitverfasser des Kommentars zum Grundgesetz Maunz-Dürig-Herzog, Mitherausgeber des Evangelischen Staatslexikons sowie des Rheinischen Merkur — Christ und Welt und Mitglied der Kammer der EKD für öffentliche Verantwortung.

Hermann Kalinna, Oberkirchenrat und Stellvertreter des Bevollmächtigten des Rates der EKD am Sitz der Bundesrepublik Deutschland in Bonn.

D. Hans v. Keler, Landesbischof der Evangelischen Landeskirche in Württemberg.

Ministerialrat Dr. Friedhelm Krüger-Sprengel, Leiter des Arbeitsbereichs Rüstungskontrolle und Abrüstung im Planungsstab des Bundesministers der Verteidigung, war fellow des Woodrow Wilson Center in Washington, D.C., und Delegierter bei den Wiener MBFR-Verhandlungen.

Dr. Sigo Lehming, Evangelischer Militärbischof für die deutsche Bundeswehr und Propst von Pinneberg.

DDr. Ernst Josef Nagel ist Professor für Katholische Theologie (Sozialethik) an der Hochschule der Bundeswehr Hamburg, Leiter des „Instituts für Theologie und Frieden", Mitglied im Ständigen Ausschuß „Dienste für den Frieden".

Oberstleutnant i. G. Herwig Pickert ist einziger aktiver Offizier im Wissenschaftlichen Dienst des Deutschen Bundestages und arbeitet dort als Gutachter für Sicherheits- und Verteidigungspolitik. Nach der Generalstabsausbildung war er von 1972-1978 im Führungsstab der Luftwaffe eingesetzt. Er gehört seit 1967 der Evangelischen Michaelsbruderschaft an.

Dr. Walter Schmithals, Pfarrer a. D., ist ordentlicher Professor für Neues Testament an der Kirchlichen Hochschule Berlin.

Dr. Eberhard Schulz, stellvertretender Direktor des Forschungsinstituts der Deutschen Gesellschaft für Auswärtige Politik, Honorarprofessor der Universität Bonn und Deutscher Sekretär des Lenkungsausschusses des Forums Bundesrepublik Deutschland — Volksrepublik Polen.

D. Erwin Wilkens, Vizepräsident i. R. der Kirchenkanzlei der Evangelischen Kirche in Deutschland, ist Mitglied der Kammer der Evangelischen Kirche in Deutschland für öffentliche Verantwortung und anderer Ausschüsse der EKD.

WALTHER BIENERT

Über Marx hinaus
zu wahrem Menschsein

Eine kritische Analyse der Marxschen Anthropologie
in ihrer Begegnung mit dem christlichen Menschenbild

411 Seiten   1979   DM 32.—

An Marx scheiden sich die Geister seit langem, und die Erde ist inzwischen zutiefst nach ihm geschieden. Nach drei Jahrzehnten Marxismusdiskussion zieht Bienert im Hinblick auf die Konkurrenz der verschiedenartigen Menschenbilder Resümee. Das Werk ist eine folgerichtige Fortsetzung des Buches „Der überholte Marx", jedoch steht hier gezielt die Fragestellung nach der Anthropologie im Vordergrund. Unterschiedliches und Gemeinsames wird registriert und bilanziert, wobei Bienert das Gemeinsame bewußt „Überschneidungen" nennt, um von der „opportunistischen Kongruenzmethode" abzugrenzen und Unterschiede und Gegensätze auf keinen Fall — wie seiner Meinung nach bei den „Christo-Marxisten" Gollwitzer, Sölle u. a. — zu verharmlosen oder gar zu eliminieren. Mit den Worten Bienerts kann man sein neues Werk vielleicht mit folgender These umreißen: „Menschsein mit Marx ohne Gott bedeutet das Brachlassen einer Wesenskomponente des Menschen und damit ein verkümmertes Menschsein."

Verlag Otto Lembeck / Evangelisches Verlagswerk
Frankfurt am Main

Das Zeugnis der Kirche in den Staaten der Gegenwart

Herausgegeben von Wolfgang Schweitzer

176 Seiten   1979   DM 18.—

Der Sammelband gewährt Einblick in die internationale und interkonfessionelle Gesprächslage zweier so gesellschaftsrelevanter Kräfte wie Kirche und Staat. Autoren aus Afrika, Asien und Lateinamerika, aus Ost und West zeigen die Grundtendenzen und Probleme dieser Beziehung zueinander. Stichworte in dieser Diskussion: Säkularisation, neue Nationen, atheistischer Staat, Kirchenunionsverhandlungen. Das Buch legt einen Grundstein für ein ökumenisches Verständnis des Verhältnisses von Kirche und Staat, ein Grundstein, der für manche Kirchen lebensnotwendig, ja, überlebensnotwendig ist.

 Verlag Otto Lembeck Frankfurt am Main